Rosa-Maria Dallapiazza | Sandra Evans
Roland Fischer | Angela Kilimann
Anja Schümann | Maresa Winkler

# Ziel B2

## Deutsch als Fremdsprache

## Arbeitsbuch

Band 2
Lektion 9–16
Niveau B2/2

D1502323

Hueber Verlag

5.   4.   3.              Die letzten Ziffern
2014  13  12  11  10      bezeichnen Zahl und Jahr des Druckes.
Alle Drucke dieser Auflage können, da unverändert,
nebeneinander benutzt werden.
1. Auflage
© 2009 Hueber Verlag, 85737 Ismaning, Deutschland
Umschlaggestaltung: Marlene Kern, München
Zeichnungen: Sepp Buchegger
Layout: Marlene Kern, München
Druck und Bindung: Ludwig Auer GmbH, Donauwörth
Printed in Germany
ISBN 978-3-19-511674-9 (mit CD-ROM)
ISBN 978-3-19-671674-0

# Inhalt

# Vorwort

## Liebe Lernerinnen und Lerner,

dieses Arbeitsbuch bietet Ihnen ein umfangreiches Angebot an Übungen zu Aussprache, Wortschatz und Grammatik sowie zum selbstständigen Sprechen und Schreiben. Darüber hinaus enthält es zusätzliche Lesetexte, mit denen Sie Ihre Lesekompetenz erweitern können, sowie Übungen, mit denen Sie sich auf Prüfungen auf dem Niveau B2 vorbereiten können.

 Diese Verweise im Kursbuch führen Sie jeweils zu den richtigen Stellen im Arbeitsbuch.

### Aufbau

| GRAMMATIK | Hier finden Sie Übungen und Aufgaben zur Grammatik. Die Überschrift enthält jeweils die Angabe des Grammatikthemas. Auf der Übersichtsseite am Ende jeder Kursbuchlektion finden Sie eine systematische Zusammenstellung der Grammatikthemen. |

GRAMMATIK Hier finden Sie Übungen und Aufgaben zur Grammatik. Die Überschrift enthält jeweils die Angabe des Grammatikthemas. Auf der Übersichtsseite am Ende jeder Kursbuchlektion finden Sie eine systematische Zusammenstellung der Grammatikthemen.

WORTSCHATZ Im Bereich Wortschatz lernen und üben Sie Wörter zu einzelnen Wortfeldern und im Zusammenhang mit Verben, Präpositionen, Adjektiven und Adverbien.

PHONETIK In den Übungen zur Phonetik lernen Sie vor allem, wie man die Betonung einsetzen kann, um richtig verstanden zu werden.

SÄTZE BAUEN
TEXTE BAUEN Was Sie in den Übungen zu Grammatik, Wortschatz und Phonetik im Einzelnen gelernt haben, wird hier zusammengefügt. Es geht darum, wie man sich differenziert ausdrückt, sowohl mündlich als auch schriftlich. Auf der Übersichtsseite am Ende jeder Kursbuchlektion finden Sie eine systematische Zusammenstellung der Wendungen und Ausdrücke.

FOKUS GRAMMATIK Tests
Hier können Sie schnell herausfinden, ob Sie den Stoff der Fokus-Grammatik-Seiten verstanden haben oder ob noch eine Wiederholung notwendig ist.

### Die Übungen: rot, braun und blau

Die blauen Übungen enthalten den eigentlichen Lernstoff Ihrer Stufe.

Eine Reihe von Übungen sind Wiederholungsübungen. Diese sind mit roten Übungsnummern und dem Wort *WIEDERHOLUNG* gekennzeichnet. Hier können Sie ihr Wissen auffrischen oder festigen.
Darüber hinaus gibt es Vertiefungsübungen. Diese sind mit braunen Übungsnummern und dem Wort *VERTIEFUNG* gekennzeichnet. Die Vertiefungsübungen gehen über den eigentlichen Lernstoff der Stufe B2 hinaus und greifen etwas komplexere Aspekte der Grammatik auf oder vertiefen den Wortschatz zu bestimmten Themen. Oder aber sie enthalten eine etwas schwierigere Schreibaufgabe. Je nachdem, mit welchem Ziel und mit welchen Vorkenntnissen Sie Deutsch lernen, können Sie diese Übungen für sich passend auswählen.

**Der Teil *Darüber hinaus***

Am Ende der Lektion finden Sie unter dem Titel *Darüber hinaus* Aufgaben und Übungen zum Leseverstehen (TEXTE LESEN) und zu den Prüfungen der Niveaustufe B2 (ÜBUNG ZU PRÜFUNGEN). Mit diesem Übungsangebot können Sie zum einen Ihre Lesekompetenz erweitern, zum anderen können Sie sich mit einer Reihe prüfungstypischer Aufgaben auf alle Prüfungen der Niveaustufe B2 vorbereiten. (Materialien mit Mustertests zu den diversen Prüfungen B2 sind separat erhältlich.)

**Die Lerner-CD-ROM**

Je nach Ausgabe enthält das Arbeitsbuch eine CD-ROM.
Auf der Lerner-CD-ROM finden Sie:

- Wortlisten zum Kursbuch: die Wörter stehen in der Reihenfolge, wie sie im Kursbuch vorkommen. In den Wortlisten stehen alle Wörter, die nicht in den Wortlisten A1 – B1 enthalten sind. Sie können in die Listen die Bedeutung in Ihrer Muttersprache eintragen oder aber die einzelnen Listen so bearbeiten, wie Sie am besten Wörter lernen können. Lernwörter sind in den Listen gesondert gekennzeichnet.
- eine ausführliche Grammatikübersicht zum Nachschlagen
- die Lösungen und Musterlösungen zum Arbeitsbuch
  Der Lösungsschlüssel soll Sie unterstützen, die richtige Lösung zu finden. Und er enthält an vielen Stellen zusätzliche Hinweise und Erklärungen, die Ihnen helfen, die sprachlichen Mittel anzuwenden und zu verstehen, welche Mittel man in bestimmten Situationen verwendet.
  Er ist jedoch kein Mittel um festzustellen, wie viele Aufgaben Sie korrekt gelöst haben. Oftmals gibt es mehrere korrekte Lösungen oder ganz individuelle Lösungsmöglichkeiten.
- die Hörtexte im Arbeitsbuch im MP3-Format
- ein Lerner-Portfolio: Dieses führt Sie durch die Lektionen. Es erklärt Ihnen die Lernziele, unterstützt Sie dabei, Ihren Lernfortschritt und zu kontrollieren und zu dokumentieren und Ihre Lerntechniken zu analysieren.

**Die Hörtexte**

Die Hörtexte befinden sich auf der Lerner-CD-ROM als MP3-Dateien (s. Beschreibung der Lerner-CD-ROM oben). Sie sind aber auch separat unter der Nummer 691674–4 erhältlich.

**Die Lösungen**

Die Lösungen und Musterlösungen zum Arbeitsbuch befinden sich auf der Lerner-CD-ROM (siehe oben). Sie sind aber auch separat unter der Nummer 681674 erhältlich.

# B Schwarzfahren ist unfair

WORTSCHATZ: öffentlicher Verkehr / Verkehrsmittel ·······▶ zu Kursbuch Seite 11

WIEDERHOLUNG

## Verkehrsmittel

**a** Wie heißen die Verkehrsmittel? Ordnen Sie zu.

1 U-Bahn ■ 2 Bus/Omnibus ■ 3 Flugzeug ■ 4 Fähre ■ 5 Obus (Oberleitungsomnibus) ■
6 S-Bahn ■ 7 Regionalbahn ■ 8 Taxi ■ 9 Straßenbahn/Tram ■ 10 Seilbahn/Gondel

**b** Ergänzen Sie die passende Präposition und/oder das Artikelwort, wo nötig.

**1** sein/sitzen

*im*............... Zug, ...................... Straßenbahn, ...................... Fähre, ...................... Bus, ...................... Seilbahn,

...................... U-Bahn, ...................... Taxi, ...................... Flugzeug, ...................... Gondel

**2** nehmen

*den*............... Zug, ...................... Straßenbahn, ...................... Fähre, ...................... Bus, ...................... Seilbahn,

...................... U-Bahn, ...................... Taxi, ...................... Flugzeug

**3** fahren

*mit dem*.... Zug, ...................... Straßenbahn, ...................... Fähre, ...................... Bus, ...................... Seilbahn,

...................... U-Bahn, ...................... Taxi

**4** einsteigen in

*den*............... Zug, ...................... Straßenbahn, ...................... Fähre, ...................... Bus, ...................... Seilbahn,

...................... U-Bahn, ...................... Taxi, ...................... Flugzeug

**5** aussteigen aus

*dem*............... Zug, ...................... Straßenbahn, ...................... Bus, ...................... Seilbahn, ...................... U-Bahn,

...................... Taxi, ...................... Flugzeug

**c** Ergänzen Sie die passenden Präpositionen.

Achtung an Gleis 7: Der ICE 731 ........................ München ........................ Hamburg ........................ Nürnberg,
Würzburg, Kassel, Göttingen und Hannover wird voraussichtlich fünf Minuten später eintreffen.

**2** **ⓐ** Was gehört zusammen?

Wo finde ich / Wo gibt es ...? Ordnen Sie zu.

| | | | |
|---|---|---|---|
| 1 | Straßenbahn, Linie 3 | a | Bahnsteig 12 |
| 2 | Flug LH 431 | b | Gate 3 |
| 3 | ICE von Zürich nach Klagenfurt | c | Haltestelle Wiener Platz |
| 4 | Taxi | d | beim Fahrer oder am Automaten |
| 5 | Fahrkarten | e | Standplatz |

**ⓑ** Und welche Personen gibt es dort? Kreuzen Sie an. Es gibt mehrere Möglichkeiten.

1 im Flugzeug: Durchsage der
  Sicherheitsbestimmungen durch

  a die Schaffnerin ☐
  b die Flugbegleiterin ☐
  c die Kontrolleurin ☐
  d die Stewardess ☐

2 Während der Fahrt ist
  das Sprechen mit ... nicht gestattet.

  a dem Schaffner ☐
  b dem Fahrer ☐
  c dem Zugbegleiter ☐
  d dem Kapitän ☐

3 Die ... werden gebeten, die Fahrscheine
  am Automaten zu lösen.

  a Fahrgäste ☐
  b Reisenden ☐
  c Passagiere ☐
  d Gäste ☐

4 Für unsere Bodenseeflotte
  suchen wir noch freundliche ...

  a Matrosen. ☐
  b Zugführer. ☐
  c Kapitäne. ☐
  d Flugbegleiter. ☐
  e Chauffeure. ☐

**ⓒ** Und was muss ich da tun? Kreuzen Sie die passenden Verben an.
Es gibt manchmal mehrere Möglichkeiten.

1 Am Karlsplatz müssen Sie ☐ umsteigen ☐ absteigen ☐ aussteigen ☐ einsteigen. Achten Sie
  auf die Durchsage!

2 Mach doch schneller! Wir müssen den Zug unbedingt ☐ kriegen ☐ erreichen ☐ verpassen ☐ fangen.

3 Ah, du hast die Bordkarte schon! Warte einen Augenblick, ich muss (mich) nur noch ☐ anmelden
  ☐ einchecken ☐ abgeben ☐ auschecken.

4 Lass mich kurz nachsehen, wann das Flugzeug ☐ landet ☐ erreicht ☐ ankommt ☐ einfährt.

5 Hast du auch wirklich nachgesehen? Bist du sicher, dass wir vom Südbahnhof ☐ auschecken
  ☐ abfliegen ☐ abfahren ☐ erreichen müssen?

**ⓓ** Welche Kombinationen sind möglich? Kreuzen Sie an.

| | anreisen | rufen | nehmen | fliegen | einsteigen | aussteigen | umsteigen | fahren |
|---|---|---|---|---|---|---|---|---|
| mit dem Flugzeug | ☐ | ☐ | ☐ | ☐ | ☐ | ☐ | ☐ | ☐ |
| den City Airport Train | ☐ | ☐ | ☐ | ☐ | ☐ | ☐ | ☐ | ☐ |
| ein Taxi | ☐ | ☐ | ☐ | ☐ | ☐ | ☐ | ☐ | ☐ |
| mit der U-Bahn | ☐ | ☐ | ☐ | ☐ | ☐ | ☐ | ☐ | ☐ |
| in die S-Bahn | ☐ | ☐ | ☐ | ☐ | ☐ | ☐ | ☐ | ☐ |
| aus dem Bus | ☐ | ☐ | ☐ | ☐ | ☐ | ☐ | ☐ | ☐ |
| am Potsdamer Platz | ☐ | ☐ | ☐ | ☐ | ☐ | ☐ | ☐ | ☐ |
| bis zum Schottenring | ☐ | ☐ | ☐ | ☐ | ☐ | ☐ | ☐ | ☐ |

9

**e** Ergänzen Sie passende Adjektive (in der richtigen Form).

---
eng ■ klimatisiert ■ unruhig ■ angenehm ■ überfüllt ■ leer ■ anstrengend
---

1 Tagtäglich Realität auf dem Schulweg: ............................ Schulbusse.

2 Busreisen mit Wiegandt: Reisen Sie komfortabel in unseren ............................ Bussen.

3 Zwischen acht und neun Uhr sind die S-Bahnen voll, danach wieder ............................ .

4 Eine ............................ Reise war das: ein ............................ Flug aufgrund von Turbulenzen,
............................Sitze und drei Stunden Verspätung.

5 Wir wünschen Ihnen einen ............................ Flug!

**f** In dieser Werbung sind die Adjektive durcheinandergeraten.
Formulieren Sie sinnvolle Möglichkeiten.

In unseren reinsten Zügen mit ihren anstrengende Abteilen und
neuen Sitzen wird auch eine komfortablen Reise zur bequemen Erholung.

## 3 Verschiedene Situationen

**a** Automatische Telefonansage eines Hotels in Wien:
Ergänzen Sie die fehlenden Wörter im Text.

„... wenn Sie mit dem ............................ anreisen, nehmen Sie am besten den *City Airport Train* – in der

Ankunftshalle sehen Sie gleich die Schilder mit der Aufschrift CAT. ............................ Sie bis „Wien Mitte“.

Hier haben Sie zwei Möglichkeiten: Entweder Sie ............................ gleich ein Taxi, das Sie direkt zum Hotel

bringt, oder aber Sie ............................ mit der U-Bahn Linie U4 Richtung „Heiligenstadt“ zur Station

Schottenring. Nehmen Sie dort den Ausgang „Salztorbrücke“, nach 200 Metern sind Sie da.

Für Reisende mit dem ............................ ist es am besten, sie steigen am Westbahnhof in die U3

............................ Simmering und fahren bis zum Volkstheater, dort ............................ sie um in die Linie U2

und fahren dann zwei Stationen bis zum Schottenring.“

**b** Lesen Sie die Grafik und ergänzen Sie die fehlenden Wörter im Text.

Die Grafik spricht eine eindeutige Sprache: ............................ spielen beim Weg zur Arbeit nur eine untergeordnete

Rolle. Die überwiegende Mehrheit der Befragten pendelt mit dem eigenen ............................ zur Arbeit, gerade

einmal 12 % steigen täglich in die ............................ oder nehmen den ............................ . Mit der ............................ fahren

ganze 7 %. Immerhin 15 % fahren täglich mit dem Velo – wie die Schweizer ihr ............................ nennen – zum

Büro. Das sind zwar mehr als in Österreich oder in Deutschland, wo der Anteil der Radfahrer bei unter

10% liegt, aber eigentlich immer noch zu wenig. Dass nur ganze 7 % ............................ gehen, hängt wohl mit der

Entfernung zum Arbeitsplatz zusammen.

**c** Ergänzen Sie die Verben.

---
aussteigen ■ fahren ■ kommen ■ nehmen (2x) ■ umsteigen (2x)
---

● Und wie ........................ (1) wir jetzt zum Museumsquartier?

■ Schau doch, ganz einfach, wir ........................ (2) die U3.

● Hast du nicht gesagt, wir müssen nach zwei Stationen ........................ (3)?

■ Nicht ........................ (4), sondern ........................ (5) und auch nicht nach zwei Stationen, sondern nach zwanzig Minuten! Hast nur halb zugehört.

● ........................ (6) du jeden Tag mit dem Bus zur Arbeit?

■ Eher selten, meistens geh' ich zu Fuß. Nur wenn's regnet, dann ........................ (7) ich meistens sogar ein Taxi.

---

**GRAMMATIK: Verlaufsform** ········▶ zu Kursbuch Seite 11

········▶ zu Kursbuch Seite 11

EDERHOLUNG

**4** **Lesen Sie die Sätze und kreuzen Sie an.**
**Das macht man (gern) (1). Das macht man, während man spricht (2).**

|  | 1 | 2 |
|---|---|---|
| a  Ich spiele Gitarre. | ☐ | ☐ |
| b  Ich spiele gerade Gitarre. | ☐ | ☐ |
| c  Ich schreibe Bücher. | ☐ | ☐ |
| d  Ich arbeite im Moment an einem neuen Buch. | ☐ | ☐ |
| e  Ich höre Musik. | ☐ | ☐ |
| f  Ich höre gerade die Dritte von Beethoven. | ☐ | ☐ |

**5** „Verlaufsform": Was man jetzt tut: verschiedene Möglichkeiten

1 **a** Hören Sie vier Aussagen. In welcher Aussage werden die folgenden Wendungen und Ausdrücke verwendet? Notieren Sie.

1  am … sein          Aussage ............

2  beim … sein        Aussage ............

3  gerade dabei sein  Aussage ............

4  gerade             Aussage ............

**b** Unterstreichen Sie die Formen, die betonen, was man gerade tut.

„Warum ich so außer Atem bin? Ich bin gerade dabei, unseren Rasen zu mähen, aber nicht wie du glaubst: Minitraktor und Motor. Ich bin die ganze Zeit am Schieben und am Laufen!"

**c** Formulieren Sie die unterstrichenen Teile um. Verwenden Sie *gerade*, *am … sein* und *gerade dabei sein, … zu ….*

1  Immer wenn ich dich sehe, malst du.

2  Stör mich nicht, ich lerne.

3  Ich kann jetzt nicht. Ich räume auf.

4  Wenn der Chef kommt: Tu immer so, als würdest du arbeiten.

**6** Verwendung von *am* + Infinitiv und *gerade dabei sein, … zu …*

**ⓐ** Lesen Sie die Dialoge. Übersetzen Sie die Antworten in Ihre Muttersprache.
In der gesprochenen Sprache hört man die kürzere Version mit *am … sein* häufiger.

1 Was machst du denn die ganze Zeit?
   **a** Ich bin gerade dabei zu putzen, falls du es noch nicht gemerkt hast.
   **b** Ich bin gerade am Putzen, falls du es noch nicht gemerkt hast.

2 Kommst du mal, bitte?
   **a** Stör mich nicht, ich bin am Telefonieren.
   **b** Stör mich nicht, ich bin gerade dabei zu telefonieren.

**ⓑ** Was glauben Sie: Welche Sätze sind möglich? Kreuzen Sie an und
verleichen Sie mit dem Lösungsschlüssel.

1 Ich bin am Lesen. (*am* + Infinitiv) ☐
2 Ich bin am Zeitunglesen. (*am* + Nomen + Infinitiv) ☐
3 Ich bin am den Lokalteil der Zeitung lesen. (*am* + mehrere Teile + Infinitiv) ☐

**ⓒ** Formulieren Sie Antworten mit den angegebenen Möglichkeiten.
(Die Ziffern beziehen sich auf Aufgabe 5a.)

1 Kannst du mir mal schnell helfen? – Nein, ..................................................... (Fahrrad reparieren – 1, 3, 4).

2 Kannst du mir Filzstifte besorgen? – Gern, ..................................................... (sowieso in die Stadt fahren – 4).

3 Was macht ihr denn da? – ..................................................... (einen Ausflug nach Zürich planen – 3, 4).

4 Was sitzt du so allein im dunklen Wohnzimmer? – ..................................................... (nachdenken – 1, 4).

5 Wo ist denn Hans schon wieder? – ..................................................... (Fußball spielen – 2, 4).

**GRAMMATIK: *aber* und *nämlich* als zweite Konjunktion** ┈┈┈▶ zu Kursbuch Seite 12

**7** **ⓐ** Unterstreichen Sie die zweite Konjunktion in den Sätzen.

1 Tut mir leid, ich schaff's nicht bis fünf, *weil* ich nämlich schon wieder im Stau stehe
   und nicht weiterkomme.
2 Also, der Tom, der ist wirklich ein verlässlicher Kerl, *obwohl* du über die anderen
   aber auch nichts Schlechtes sagen kannst.
3 *Damit* du das aber wirklich verstehst, erkläre ich es dir noch einmal.
4 *Weil* du das aber nicht rechtzeitig gemacht hast, werden wir Schwierigkeiten bekommen.
5 Das hätten wir ahnen müssen, *weil* das nämlich so ist, wie es ist!
6 *Als* ich es aber versucht habe, wusste ich nicht mehr, wie es geht.
7 *Wenn* du das nämlich so machst, geht es viel leichter.
8 Jetzt hör mal zu! *Während* du nämlich geschlafen hast, habe ich die ganze Arbeit erledigt.

**ⓑ** Welche Bedeutung hat die zweite Konjunktion im Satz? Kreuzen Sie an.

|  | Begründung | Gegensatz |
|---|---|---|
| 1 aber | ☐ | ☐ |
| 2 nämlich | ☐ | ☐ |

**c** *nämlich* oder *aber* oder beides? Ergänzen Sie.

1 Als ich ......................... versucht habe, die Tür zu öffnen, habe ich gemerkt, dass der Schlüssel verschwunden ist.

2 Ich habe völlig vergessen, dich anzurufen, weil ich ......................... den ganzen Nachmittag geschlafen habe.

3 Weil ich das ......................... nicht gewusst habe, habe ich auch keine Schuld.

4 Du hättest das ganz anders machen können, obwohl es ......................... auch so geht.

5 Wenn du ......................... denkst, hier zu machen, was du willst, dann hast du dich getäuscht.

6 Diese Strecke fährt sich entspannter, obwohl man ......................... auch die andere wählen kann.

---

**SÄTZE BAUEN: Kompromisse aushandeln** ----**4** zu Kursbuch Seite 12

**8** Wendungen und Ausdrücke

**a** Lesen Sie die folgenden Wendungen und Ausdrücke.

☐1 Aber muss man denn jetzt wirklich …  
☐ Aber Sie wissen doch auch, …  
☐ Da gibt es nun mal Vorschriften.  
☐ Da kann ich leider keine Ausnahme machen.  
☐ Da könnte ja jeder kommen.  
☐ Das geht leider wirklich nicht.  
☐ Das kann doch nicht sein, …  
☐ Das tut mir leid.

☐ Die Sache ist die: …  
☐ Finden Sie es jetzt wirklich in Ordnung, dass …?  
☐ Ich weiß natürlich auch …  
☐ Ich weiß wirklich nicht, was Sie noch wollen, …  
☐ Sie haben ja recht, aber …  
☐ Sie können es mir wirklich glauben, …  
☐ Wissen Sie, das Ganze ist einfach ein Missverständnis: …  
☐ Und was ich noch sagen wollte: …

**b** Hören Sie dann mehrmals vier kurze Szenen. Notieren Sie in a, welche Wendungen und Ausdrücke Sie in den vier Szenen gehört haben. Drei bleiben übrig.

2–5

**c** Wie könnten die beiden folgenden Gespräche verlaufen?
Lesen Sie und verbinden Sie jeweils drei Sprechblasen zu einem Dialog.

Lesen Sie die Überschrift und die Sprechblase (1). Welche Antwort (a–d) empfinden Sie als angemessen?
Wählen Sie aus. Ziehen Sie eine Linie. Lesen Sie dann wieder die Antwortmöglichkeiten (2–5).
Welche Reaktion passt nun? Ziehen Sie wieder eine Linie.

1 Im Bürgerbüro, zehn Minuten nach den Sprechzeiten

1 Tut mir leid, unsere Sprechzeiten sind Montag bis Dienstag von acht bis zwölf Uhr. Kommen Sie bitte morgen wieder.

a Das ist doch unmöglich, da muss ich ja morgen extra noch mal wiederkommen. Könnten Sie nicht einmal eine Ausnahme machen?

b Entschuldigung, da habe ich wohl was missverstanden. Dann komme ich morgen um acht.

c Finden Sie das jetzt wirklich in Ordnung, dass Sie mich wegschicken, wo Sie doch hier im Büro sind und Zeit hätten?

d Ist schon okay.

2 Danke für Ihr Verständnis. Und vergessen Sie nicht, gleich eine Nummer zu ziehen. Dann müssen Sie sicher nicht lange warten.

3 Auf Wiedersehen.

4 Aber Sie wissen doch, dass wir hier keine Ausnahmen machen können. Ich muss Sie bitten, morgen wiederzukommen.

5 Ich kann ja verstehen, dass Sie den Weg umsonst gemacht haben, aber Sie müssen sich wie alle anderen an die Zeiten halten, sonst könnte ja jeder kommen, wann er will.

2 Auf der Post, Abholschalter für Einschreibsendungen

1 Tut mir leid, wenn Sie keinen Personalausweis dabeihaben, kann ich Ihnen die Sendung nicht geben.

a Oh Mann, das gibt's doch nicht! Ich habe doch die Benachrichtigung, dann können Sie mir den Brief doch geben.

b Ich kann ja verstehen, dass Sie sich an die Vorschriften halten müssen. Aber ich brauche den Brief unbedingt, und zwar jetzt, weil das nämlich so ist, dass ich damit noch auf das Gericht muss, und …

c Tut mir leid, das wusste ich nicht. Ich hole schnell meinen Ausweis. Wie lange haben Sie denn noch offen? Ich brauche den Brief nämlich unbedingt noch heute.

d Finden Sie das jetzt wirklich in Ordnung, dass Sie mich wegen einem Brief schikanieren? Geben Sie mir die Sendung doch einfach – und fertig.

e Tut mit leid, das war wohl ein Missverständnis. Ich habe nur meinen Pass dabei.

2 Das ist doch gar kein Problem. Zeigen Sie mir Ihren Pass und ich hole Ihnen Ihre Sendung.

3 Ich kann Ihnen die Sendung nicht geben, weil das nämlich so ist, dass die nur persönlich ausgehändigt werden darf oder an eine Person mit einer gültigen Vollmacht. Das ist die Vorschrift, damit keiner die Post von jemand anderem holen kann.

4 Nein, das geht nicht. Das können Sie mir glauben. Ich werde doch nicht für Sie meinen Job riskieren.

5 Wenn Sie sich beeilen – wir haben bis zwölf Uhr auf. Das müssten Sie doch schaffen. Kommen Sie dann einfach direkt zu mir zum Schalter. Ich lege die Sendung schon mal hierhin.

6 Aber Sie wissen doch, dass das nicht geht.

Neue Übung: Wie könnte das Gespräch verlaufen, wenn Sie eine andere Antwort bzw. Reaktion auswählen würden? Verbinden Sie mit einer anderen Farbe. Vergleichen Sie dann mit dem Lösungsschlüssel.

VERTIEFUNG

**d** Ein Student hat sich an der Universität nicht rechtzeitig für das folgende Semester angemeldet und ist deshalb nicht mehr Student an der Universität. Lesen Sie seine Bitte.
Welche Antworten der Angestellten im Universitätsbüro scheinen Ihnen angemessen (+), welche eher unangemessen (-)? Übersetzen Sie dann die Sätze in Ihre Muttersprache. Versuchen Sie, den Stil der Antworten zu treffen.

1 ⬚ Na – von mir aus, kommen Sie, aber sagen Sie es niemandem.

2 ⬚ Da gibt's halt einfach Vorschriften. So ist das nun mal.

3 ⬚ Nein, das geht ganz sicher nicht.

9 ⬚ Aber Sie wissen doch, dass das nicht geht. Stellen Sie einen Antrag an das Dekanat. Die Formulare finden Sie dort drüben.

Ich hab's einfach übersehen, ist Ihnen sicherlich auch schon passiert. Kann ich mich nicht doch jetzt noch anmelden? Bitte, nur dieses eine Mal.

4 ⬚ Ich kann ja verstehen, dass man nicht immer an alles denken kann. Aber das geht leider zu weit.

8 ⬚ Ich glaube, Sie wollen mich nicht verstehen.

7 ⬚ Da könnte doch jeder kommen!

6 ⬚ Ich weiß nicht, was Sie wollen, …

5 ⬚ Das geht leider wirklich nicht.

**e** Welche Aussage ist richtig? Kreuzen Sie an.

☐ Formulierungen sind entweder angemessen oder nicht angemessen, das hängt von der Grammatik ab.

☐ Intonation und Betonung allein bestimmen darüber, ob jemand angemessen oder unangemessen reagiert.

☐ Viele Formulierungen können durch Intonation und Betonung je nach Situation mal angemessen, mal aber auch unangemessen sein.

**9**

Schreiben Sie Kurzdialoge. Welche Wendungen und Ausdrücke passen?
Wählen Sie aus und formulieren Sie die Antworten mithilfe der Informationen.
Es gibt mehrere Möglichkeiten.

**Verständnis zeigen (mit Einschränkung):**

Ja gut, von mir aus. ■ Ja, Sie haben ja recht, aber … ■ Ich kann ja verstehen, dass …, aber …

**Unverständnis zeigen:**

Da könnte ja jeder kommen. ■ Das gibt's doch nicht. ■ Das geht wirklich nicht. ■
Ich kann's nicht fassen. ■ Da kann ich keine Ausnahme machen. ■
Ich weiß wirklich nicht, was Sie wollen. ■ Finden Sie das jetzt wirklich in Ordnung, dass …?

**auf Problemdarstellung reagieren:**

Wissen Sie, das Ganze ist einfach ein Missverständnis: … ■ Da gibt es Vorschriften … ■
Ja schon, aber könnten Sie nicht vielleicht eine Ausnahme machen? ■ Tut mir leid, aber …

**Problem darstellen:**

Es ist nämlich so, dass … ■ Weil das nämlich so ist, dass … ■ Und was ich noch sagen wollte: … ■
Die Sache ist die: … ■ Aber Sie wissen doch, dass … ■ Sie können mir das wirklich glauben.

1 **Auf einer Bank in der Schalterhalle einer Sparkasse:**

▲ Sie dürfen hier nicht sitzen bleiben, das ist nur für Sparkassenkunden.

● .................................................................................... (recht geben, Herzprobleme haben, ein bisschen ausruhen müssen)

2 **Sie betreten ein schon volles Café und wollen schnell etwas trinken.**

▲ Tut mir leid, wir haben heute eine geschlossene Gesellschaft. Sie können hier jetzt keinen Kaffee trinken.

*Geschlossene Gesellschaft*

● .................................................................................... (kein Schild draußen, Zug fährt gleich, Durst haben)

▲ .................................................................................... (keine Ausnahme machen können, Kasse nicht auf, alles auf eine Rechnung gehen)

VERTIEFUNG

3 **Vor einem Geschäft für Drogerieartikel, 17.53 Uhr.**
**Die Tür ist geschlossen, das Geschäft ist normalerweise**
**von 9.30 bis 18.00 Uhr geöffnet, der Besitzer öffnet ein Fenster.**

*INVENTUR*

▲ *Ich kann's nicht fassen. Es müsste doch noch offen sein. Ich brauch mein Shampoo!* (Unverständnis, weil das Geschäft noch offen sein müsste, Sie brauchen unbedingt ein bestimmtes Shampoo)

● .................................................................................... (Inventur, leider nicht bedienen können)

▲ .................................................................................... (Unverständnis, nur eine Flasche, Allergie, deshalb nur dieses Shampoo verwenden)

● .................................................................................... (Vorschrift, kein Verkauf, wenn Inventur)

▲ .................................................................................... (Ärger nimmt zu, brauchen Shampoo)

● .................................................................................... (Besitzer bietet kostenloses Pröbchen für eine Haarwäsche an)

▲ .................................................................................... (zufrieden)

**10** Variationen zu einem Thema

**ⓐ** Lesen Sie die Inhaltskarten eines Gesprächs.

| Person A | Person B |
| --- | --- |
| ● Hier dürfen Sie nicht rauchen. | ▲ Hier ist niemand. |
| Da, das Schild. | Bin gleich fertig. Stört niemanden. |
| Geht nicht. Vorschrift. | Nur ich. Sonst keiner. |
| Hier Rauchverbot. Vorschrift. | Bin gleich fertig. |

**ⓑ** Wo könnte so ein Gespräch stattfinden? Wählen Sie einen Ort aus.

 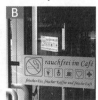    

☐   ☐   ☐   ☐   ☐   ☐

**ⓒ** Wer könnten die Personen sein?
Entscheiden Sie sich für einen Raucher und einen Kritisierer.

Jugendliche/r     Renter/in     Mutter mit Kind          Lehrer/in          Hausmeister/in

Polizist/in       Chef/in       Sicherheitsbeauftragte/r  Installateur/in    Angestellte/r

**ⓓ** Schreiben Sie mithilfe der Wendungen und Ausdrücke in Übung 9 ein Gespräch,
das zu Ihrem Foto und zu Ihren Personen passt. Überlegen Sie sich gegebenenfalls
auch noch Argumente.

**ⓔ** Wählen Sie jetzt einen neuen Ort und neue Personen.
Variieren Sie Ihr Gespräch mithilfe der Wendungen und Ausdrücke.
Überlegen Sie sich gegebenenfalls auch noch Argumente.

**PHONETIK** ········▶ zu Kursbuch Seite 12

**11** Guter Kontrolleur – böser Kontrolleur

 **ⓐ** Hören Sie die Sätze und entscheiden Sie: streng oder verständnisvoll?

|  | Satz 1 | Satz 2 | Satz 3 | Satz 4 | Satz 5 | Satz 6 | Satz 7 | Satz 8 |
| --- | --- | --- | --- | --- | --- | --- | --- | --- |
| streng: | ☐ | ☐ | ☐ | ☐ | ☐ | ☐ | ☐ | ☐ |
| verständnisvoll: | ☐ | ☐ | ☐ | ☐ | ☐ | ☐ | ☐ | ☐ |

**b** Sprechen Sie die folgenden Sätze zuerst unfreundlich-streng und danach freundlich-verständnisvoll.

Machen Sie dabei einen deutlichen Unterschied bei

- Lautstärke,
- Sprechtempo,
- Pausen,
- Satzmelodie.

1 Da könnte ja jeder kommen.

2 Das geht leider nicht.

3 Da kann ich leider keine Ausnahme machen.

4 Das sind unsere Vorschriften.

5 Können Sie nicht lesen?

6 Der Zonenplan hängt an jeder Haltestelle.

7 Das höre ich jeden Tag drei Dutzend Mal.

8 Wenn Sie nicht gleich zahlen, muss ich Sie leider mitnehmen.

**c** Erweitern Sie jetzt die Sätze an passender Stelle mit den folgenden zusätzlichen Ausdrücken, mit denen Sie zeigen, dass Sie eigentlich für den Fahrgast Verständnis haben (Satz 5 geht nicht).

Ausdrücke am Satzanfang:

Es tut mir sehr leid, aber ... ■ Ich fürchte, ... ■ Schauen Sie, ... ■ Wissen Sie, ... ■ Verstehen Sie doch, ...

**d** Hören Sie dann einige Beispiele und vergleichen Sie. Wiederholen Sie Übung c.

# C   „Ist doch nicht so schlimm ...“

GRAMMATIK: *haben ... zu*   ········▶ zu Kursbuch Seite 14

**12**   *haben ... zu*

**a** Welche Bedeutung haben die Sätze? Kreuzen Sie an.

1 Selbstverständlich hat sich jeder an die Verkehrsregeln zu halten, Herr Minister.

   a ☐ Jeder sollte sich an die Verkehrsregeln halten.

   b ☐ Jeder muss sich an die Verkehrsregeln halten.

   c ☐ Jeder soll sich an die Verkehrsregeln halten.

2 Ich bin gleich bei dir. Ich habe nur noch eine Kleinigkeit zu erledigen.

   a ☐ Ich muss noch eine Kleinigkeit erledigen.

   b ☐ Ich möchte noch eine Kleinigkeit erledigen.

   c ☐ Ich will noch eine Kleinigkeit erledigen.

3 Ich habe eine spezielle Diät einzuhalten. Kann ich Ihr Produkt
zur Gewichtsreduzierung dort verwenden?

   a ☐ Ich kann eine spezielle Diät einhalten.

   b ☐ Ich muss eine spezielle Diät einhalten.

   c ☐ Ich habe eine spezielle Diät eingehalten.

**b** Welche Bedeutung haben diese Sätze aus dem Alltag?
Kreuzen Sie an.

1 Kaum hab' ich nichts mehr zu tun, wird es mir sofort langweilig.

    **a** ☐ Kaum darf ich nichts mehr tun, wird es mir sofort langweilig.

    **b** ☐ Kaum hab' ich keine Beschäftigung mehr, wird es mir sofort langweilig.

2 Sie haben hier gar nichts zu sagen!

    **a** ☐ Sie dürfen hier nichts sagen.

    **b** ☐ Sie dürfen hier nichts bestimmen.

**c** Formulieren Sie die Sätze mit *haben … zu*.

1 **Büro**: das bis morgen erledigen – ich

   Ich ........................................................................................

2 **Finanzamt**: Steuererklärung abgeben, 31. Mai – man

   ........................................................................................

3 **Ihr Auftrag**: für Ruhe und Ordnung sorgen – Sie

   ........................................................................................

4 **Hier**: sich an meine Regeln halten – Sie

   ........................................................................................

**d** Was bedeutet *sein … zu*? Bilden Sie Sätze wie im Beispiel.

VERTIEFUNG

Der Fehler *ist* bis morgen *zu* beheben, und zwar von Ihnen.
*Sie haben den Fehler bis morgen zu beheben.*

1 Leider ist noch viel zu viel zu tun.

   Ich ........................................................................................

2 Die Vorschriften sind unbedingt zu beachten.

   Man ........................................................................................

3 Die Unterlagen sind bis zum 15. März einzureichen.

   Wir ........................................................................................

4 Regeln zur Abrechnung der Betriebskosten: Das Abrechnungsjahr ist einzuhalten.

   Die Hausverwaltung ........................................................................................

   ........................................................................................

   ........................................................................................

**13** Verwendung von *anscheinend* und *scheinbar*

**a** Was bedeuten *anscheinend* und *scheinbar* in den Sätzen? Kreuzen Sie an.

1 Komm, wir können rein. Anscheinend / Scheinbar ist niemand zu Hause.

2 Sie waren anscheinend / scheinbar unbeobachtet, und so drangen sie in das Haus ein.

3 Sie waren anscheinend / scheinbar in Sicherheit

   A ⬚ Etwas ist in Wirklichkeit so.

   B ⬚ Etwas ist möglicherweise so.

**b** Übersetzen Sie die Sätze 1–3 in a in Ihre Muttersprache.

**c** Vor attributiven Adjektiven kann nur *scheinbar* stehen. Lesen Sie die Sätze.

1 Sie blickten in die scheinbar unendlichen Weiten des Atlantiks.

2 Und dann erstaunte sie ihr Publikum mit einem scheinbar einfachen Trick.

**d** Nach *nur* kann nur *scheinbar* stehen. Lesen Sie die Sätze.

1 Diese Lösung war nur scheinbar richtig.

2 Er war nur scheinbar Arzt. In Wirklichkeit war er ein Hochstapler.

**14** Gemischte Übung: Ergänzen Sie *anscheinend* und/oder *scheinbar*.

1 Oh, es ist ja ganz weiß draußen. ............................ hat's letzte Nacht geschneit.

2 Wir befanden uns in einer ............................ ausweglosen Situation.

3 Die Firma war nur ............................ pleite. In Wirklichkeit wurde das gesamte Vermögen

   ins Ausland gebracht.

4 ............................ war diese Entscheidung doch richtig.

WIEDERHOLUNG

**15** Stimmt's oder stimmt's nicht? Ihre Meinung ist gefragt.
Formulieren Sie in a–d Ihre Reaktionen mithilfe der Argumente.
Verwenden Sie die folgenden Wendungen und Ausdrücke.

**a** Aussagen einschränken. Lesen Sie die Behauptung und reagieren Sie.

Ja schon, aber ... ▪ Ich habe zwar meine Zweifel, aber ... ▪ Mag ja sein, dass ..., aber ...

Wer überhaupt kein Fleisch und
keine anderen tierischen Produkte wie Eier,
Milch, Käse usw. isst, lebt am gesündesten.

   – es gibt Menschen, die Fleisch brauchen

   – dann fehlen einem einige Vitamine und Mineralien

   – ungesund für Kinder

   – die Forschung hat es bewiesen

   – keine Freude am Essen

   – Fleisch schmeckt gut

9

**ⓑ Gegensätze formulieren. Lesen Sie die Behauptung und reagieren Sie.**

Obwohl ... ▪ ..., trotzdem ... ▪ Trotz ...

„Was Hänschen nicht lernt, lernt Hans nimmermehr."

- Kinder lernen wirklich leichter / oft fehlt Kindern das Interesse
- alte Menschen haben kein so gutes Gedächtnis / viele Erfahrungen
  erleichtern das Lernen
- schlechtes Gedächtnis / gute Erfolge durch hohe Motivation

**ⓒ Missfallen äußern. Wie empfinden Sie die folgende Äußerung? Reagieren Sie.**

Also, mir persönlich gefällt das ja nicht, wenn ... behauptet / geschrieben / ... wird. ▪
Mir persönlich gefällt das ja nicht, wenn jemand einfach behauptet / schreibt / ..., dass ... ▪
Ich finde es unangenehm / ungerecht / schrecklich / ..., wenn gesagt / geschrieben / ... wird, dass ...

> Diese jungen Leute haben überhaupt
> keine Erziehung mehr. Überall lassen
> sie ihren Müll liegen.

**ⓓ Argumente ergänzen. Lesen Sie die folgende Aussage und reagieren Sie.**

Zum einen ..., zum anderen ... ▪ Einerseits ..., andererseits ... ▪
Darüber hinaus ... ▪ Dazu kommt noch ... ▪ Außerdem sollte man ... darauf hinweisen, dass

> Es ist für Kinder auf jeden Fall
> besser, in einem kleinen Dorf auf
> dem Land aufzuwachsen.

gute Luft – Natur erleben – viel Bewegung – Tiere und Pflanzen kennenlernen –
Menschen sind hilfsbereiter – gesündere Nahrung – die Jahreszeiten erleben – weniger Schulen –
schlechtere ärztliche Versorgung – weniger individuelle Entwicklungsmöglichkeiten –
keine Kinderbetreuung – man kann sich die Freunde nicht aussuchen –
kein großes Angebot an Hobbys – für ältere Kinder kein Freizeitangebot –
schlechtere Kommunikationsmöglichkeiten, z. B. langsames Internet usw.

**16** Stellung nehmen. Reagieren Sie auf die Aussagen in der jeweiligen Sprechblase.
Verwenden Sie dabei die angebotenen Wendungen und Ausdrücke.
Variieren Sie. Wenn Sie Argumente brauchen, finden Sie sie bei den Aussagen.

---

Es stimmt nicht ganz, dass … ■ Es stimmt schon, dass …, aber … ■ Mag ja sein, dass …, aber … ■
Natürlich hast du recht, dass …, aber … ■ Man liest / hört immer wieder, dass …, aber … ■
Ja schon, aber … ■ Ich habe zwar meine Zweifel, aber … ■ Ich bezweifle, dass … ■ Ich glaube (kaum), dass …

---

**1**

Alte Leute fahren einfach schlechter Auto als junge.

- sie fahren langsamer
- haben weniger Unfälle
- gehen kein Risiko ein
- die schlimmsten Unfälle verursachen junge Autofahrer
- sie haben viel Erfahrung
- manche Versicherungen behaupten das

**2**

Gesetze müssen eingehalten werden, und zwar alle.

- manche Gesetze sind sinnlos
- es gibt zu viele Gesetze
- man muss auch frei entscheiden können
- sonst funktioniert eine Demokratie nicht

**3**

Die Statistik zeigt eindeutig, dass wir viel zu ungesund essen.

- es gibt viele Bio-Läden
- das ist nicht bewiesen
- die meisten essen doch ziemlich gesund
- die Statistik muss stimmen
- wer isst dann all die gesunden Sachen?

**4**

Die Lehrer in Deutschland arbeiten zu wenig und haben viel zu viel Freizeit.

- die Arbeit ist sehr anstrengend
- sie haben eine große Verantwortung
- sie müssen viel korrigieren
- sich vorbereiten
- sich in der Arbeit stark konzentrieren
- Lehrer arbeiten wirklich weniger

**17** Postings schreiben

**a** Lesen Sie den Zeitungsartikel und das Posting (Kommentar).
Das Posting ist etwas durcheinandergeraten. Notieren Sie die richtige Reihenfolge.

### Kinder unterrichten Kinder

**So versucht eine Stadt ihren Lehrermangel zu beheben**

An vielen Schulen unterrichten neuerdings Studentinnen und Studenten, die später, nach ihrem zweiten Staatsexamen, mal Lehrer werden wollen, unsere Kinder. Obwohl sie kaum älter als die Schüler sind, obwohl sie ihr Fach noch nicht gelernt haben, obwohl sie noch keine Unterrichtspraktika bei Lehrern gemacht haben. Das ist ein Skandal. Die Bildungslandschaft in Deutschland entwickelt sich zur Bildungswüste.

5️ 2️ ☐ ☐ ☐

**Kommentar**

1 Aber es stimmt nicht ganz, dass die Studentinnen und Studenten noch keine Erfahrung im Unterrichten haben. Sie müssen nämlich schon während des Studiums Praktika machen. Erst danach dürfen sie als Aushilfslehrer arbeiten.

2 Es stimmt schon, dass diese neuen „Aushilfslehrer" ihr Fach oder ihre Fächer noch nicht zu Ende studiert haben.

3 Ich glaube aber kaum, dass ältere Menschen aus der Industrie oder arbeitslose Manager die besseren Lehrer sind. Da glaube ich eher, dass junge Leute, die den Lehrerberuf gewählt haben, mehr Engagement mitbringen und mehr Interesse daran haben, unseren Kindern etwas beizubringen.

4 Man hört ja oft, dass die Eltern stattdessen lieber erfahrene Fachkräfte aus der Wirtschaft als Aushilfslehrer hätten, weil die so viel über die Arbeitswelt wüssten.

5 Natürlich haben Sie recht, wenn Sie kritisieren, dass nun Aushilfslehrkräfte eingestellt werden, die mit der Ausbildung noch nicht fertig sind. Aber es ist doch immer noch besser, als die Stunden ausfallen zu lassen.

**b** Politiker müsste man sein.

**1** Lesen Sie die Schlagzeile zu einer Leserbefragung und die Listen mit Argumenten und Gegenargumenten.

### Die Meinung unserer Leser:
**Politiker arbeiten zu wenig und verdienen zu viel.**

**Diese Argumente werden genannt:**

- Politiker verdienen zu viel.
- Sie machen sich die Gesetze, die sie brauchen, selbst.
- Politiker denken nur an sich.
- Es gibt keine Kontrolle.
- Wir werden das nicht ändern.
- Das war schon immer so.

**Mögliche Gegenargumente:**

- Politiker arbeiten auch hart.
- Die Arbeit wird immer mehr.
- Dass sie auch an sich denken, ist legitim.
- Die Kontrolle von außen sind die Gerichte, die Medien, die Wähler.
- Wenn wir politisch aktiv sind, können wir fast alles ändern.
- Das Leben der Politiker ist gefährlich.
- Politiker haben kein Privatleben.

2 Wählen Sie jetzt fünf Argumente aus. Bringen Sie sie in eine sinnvolle Reihenfolge. Suchen Sie sich in Übung 15 und 16 die passenden Wendungen und Ausdrücke.

3 Schreiben Sie nun Ihr Posting.

**C Und nun ist Ihre persönliche Meinung gefragt. Schreiben Sie Ihr ganz persönliches Posting.**

1 Hören Sie ein Radiogespräch zum Thema kostenlose Online-Spiele. Notieren Sie die genannten Argumente.

2 Wählen Sie jetzt die Argumente aus, die Sie gut finden.

3 Welche Wendungen und Ausdrücke passen zu Ihren Argumenten?

4 Schreiben Sie jetzt Ihr Posting in einem Forum, in dem dieses Radiogespräch diskutiert wird.

# D Und jetzt?

GRAMMATIK: *irgend-* ········▸ zu Kursbuch Seite 16

**18** *irgend-* als Adverb

**a Welche Fortsetzung passt? Verbinden Sie.**

1 Es bleibt nicht mehr viel Zeit.

2 Das gibt's doch nicht, mein Pulli ist weg!

3 Wir sollten mal den Keller aufräumen.

4 Wo ist denn nur meine Brille?

a Irgendwo hier muss er doch liegen.

b Ich habe sie irgendwohin gelegt. Aber wohin? Wenn ich das nur wüsste.

c Wir müssen jetzt irgendwie zu einer Lösung kommen. Hat jemand eine Idee?

d Aber nicht jetzt. Das machen wir irgendwann einmal.

**b Ergänzen Sie.**

irgendwann (2x) ■ irgendwo ■ irgendwie ■ irgendwohin

**Ein „besonderes" Vorstellungsgespräch**

1 ▲ Wann sind Sie denn mit Ihrem Studium voraussichtlich fertig?

● Keine Ahnung. ........................................ . Wissen Sie, ich lege mich ungern fest.

2 ▲ Wo sehen Sie sich in fünf Jahren?

● In fünf Jahren? Hm, keine Ahnung – ........................................ . Das weiß ich jetzt noch nicht, das wird sich zeigen.

3 ▲ Wie sind Sie eigentlich auf unser Unternehmen gekommen?

● Rein zufällig, also ........................................ beim Surfen im Internet.

4 ▲ Danke für das Gespräch. Wir werden uns dann ........................................ bei Ihnen melden.

● Ja, hier ist meine Nummer. Wohin soll ich die Karte legen?

▲ Ach, einfach hierhin. Ich werde sie später ........................................ stecken.

**19** *irgend-* als Artikelwort und Pronomen

**a** Artikelwort (A) oder Pronomen (P)? Kreuzen Sie an.

A  P

1 a  Man kann machen, was man will! *Irgendeiner* ist immer dagegen.  ☐ ☒

  b  Da hat gerade *irgendein* Typ angerufen.  ☒ ☐

2 a  *Irgendeine* Person muss hier doch zuständig sein!  ☐ ☐

  b  Wenn du dich zwischen den Vasen nicht entscheiden kannst,
    dann nimm doch einfach *irgendeine*.  ☐ ☐

3 a  Haben Sie *irgendein* Mittel gegen Kopfschmerzen?  ☐ ☐

  b  Schau mal diese Bilder hier. Gefällt dir *irgendeins* davon?  ☐ ☐

4 a  Du, wir haben keine Nudeln mehr! – Doch, da müssen noch *irgendwelche* sein.  ☐ ☐

  b  Haben Sie noch *irgendwelche* Wünsche?  ☐ ☐

**b** Was stimmt? Kreuzen Sie die richtigen Aussagen an.

1  Das Artikelwort    Das Pronomen

    ☐           ☐         steht vor einem Nomen.

    ☐           ☐         steht allein und ersetzt ein Nomen.

2  Artikelwörter und Pronomen

  a ☐ haben immer dieselbe Endung.

  b ☐ können unterschiedliche Endungen haben.

  c ☐ haben immer unterschiedliche Endungen.

**c** *irgendetwas* und *irgendjemand/irgendwer*. Ergänzen Sie.

1  Haben Sie gerade ………………………………………… gesagt?

2  Hier noch ………………………………… ohne Fahrschein?

3  ………………………………… hat mit meinem Handy telefoniert!

4  Setzen Sie sich doch. Möchten Sie ………………………………………… trinken?

5  ………………………………… ist hier faul. Das spüre ich. Hier geht es nicht mit rechten Dingen zu.

**d** Lesen Sie die Beispiele mit den Kurzformen *irgendwas*, *was* und *wer*.

Was ist?
Hast du was
gesehen?

Pass auf! Da vorn,
da muss irgendwas
passiert sein!

Hallo,
ist da wer?

**e** Betrachten Sie die Bilder in d. Was ist richtig?
Kreuzen Sie an und vergleichen Sie mit dem Lösungsschlüssel.

*irgendwas*, *was* und *wer*

1 ☐ kann man immer verwenden.

2 ☐ verwendet man vor allem in der gesprochenen Sprache.

3 ☐ verwendet man vor allem in der geschriebenen Sprache.

**20** Was passt? Ergänzen Sie *irgend-* (*irgendwo, irgendwer* usw.).

1 Auf dem Stuhl hier hängt ............................................................. Pulli. Wem gehört der?

2 Sie hat ............................................................. gesagt, aber ich hab's nicht verstanden.

3 Hör mal! Da hat ............................................................. an die Tür geklopft.

4 Jetzt tu doch endlich .............................................................!

5 Schnell, bring mir ............................................................. Lappen, ich habe den Kaffee verschüttet.

6 Welche Bücher du einpacken sollst? Egal, ............................................................., ich lese alles.

7 Können wir uns ............................................................. mal treffen?

8 Wir müssen das ............................................................. schaffen. Egal, mit welchen Mitteln.

---

**SÄTZE BAUEN: einen Kompromiss aushandeln** ·······→ zu Kursbuch Seite 16

**21** *„Du, ich habe ein Problem ...“*

**a** Angemessen reagieren. Was passt? Ergänzen Sie.

1 Ich habe da ein Problem ■ Hören Sie mal

............................................................. : Jeden Abend, wenn ich nach Hause komme, steht unsere Haustür weit offen.

Ich finde, das ist ziemlich gefährlich. Man weiß doch nicht, wer da alles einfach reinkommt.

2 Ich kann mich wirklich nicht konzentrieren. ■ Ich falle wegen dir garantiert durch.

Ich schreibe gerade an meiner Diplomarbeit und da stört mich, sei mir nicht böse, deine laute Musik.

............................................................. .

3 Das stört mich wirklich nicht ■ Das tut mir wirklich leid

Hörst du meine Musik denn tatsächlich so laut? ............................................................. .

4 Mir ist beides recht ■ Geht in Ordnung

● Frau Meier, Ihre Waschmaschine, die macht wirklich immer noch einen großen Lärm. Vor allem wenn

Sie nachts waschen, hört man es sehr laut. Könnten Sie vielleicht nach zwanzig Uhr nicht mehr waschen?

◆ ............................................................. .

5 Ist das denn auch für Sie in Ordnung? ■ Danke für Ihr Verständnis.

● Gut, dass ich Sie treffe, Herr Müller. Wegen unserem Garagentor – wir haben da jetzt einen

Elektromotor einbauen lassen, der ist ganz leise, das Tor dürfte jetzt keinen Lärm mehr verursachen.

◆ ............................................................. .

6 Warum machen wir es nicht so ... ■ Könnten Sie nicht eine Ausnahme machen ...

(Polizist) ● Sie dürfen hier nicht parken. Hier ist Halteverbot.

(Student) ◆ Ich weiß, tut mir leid, aber ich ziehe gerade um. .............................................................?

Ich bin in spätestens einer Stunde wieder weg.

7 wirklich nur sehr ungern ■ das geht wirklich nicht

(Angestellte) ▲ Also, ich soll den Hund nicht mehr mit ins Büro nehmen, das ist es doch, worum es geht, oder?

Na gut, dann bleibt er zu Hause, aber ............................................................. .

**ⓑ  Welche zwei Antworten finden Sie angemessen? Kreuzen Sie an.**

**1  In einer Universitätsbibliothek**

◆ Entschuldigt, dass ich euch unterbreche. Aber, wisst ihr, ich lerne gerade für meine Diplomprüfung, und ich kann mich wirklich nicht konzentrieren, wenn ihr dauernd quatscht. Tut mir leid, aber …

☐ Echt, hörst du das wirklich so laut? Ich dachte, wir reden so leise. Aber kein Problem, wir können ja auch rausgehen.

☐ Gott, musst du gestresst sein! Aber an uns wird's wohl nicht liegen, wenn's nicht klappt.

☐ Das ist jetzt aber echt ein Problem, weil wir die Bücher doch nicht mit rausnehmen dürfen. Vielleicht geht's, wenn wir uns andere Plätze suchen?

**2  Im Großraumbüro, an zwei benachbarten Schreibtischen**

◆ Michael, sag mal, musst du wirklich dauernd telefonieren? Ich kann dabei nicht arbeiten. Ich soll hier einen Projektvorschlag ausarbeiten und du planst seit Wochen nur deine Hochzeit, langsam wird es wirklich ein bisschen zu viel des Guten.

☐ Ach Juli, das kann doch nicht wahr sein! Hier sitzen fünfzehn Leute und arbeiten, und ausgerechnet meine Gespräche stören dich.

☐ Tut mir wirklich leid, aber ich muss das jetzt mit dem Hochzeitsessen klären, sonst geht noch etwas schief.

☐ Tut mir leid Juli, ich nehme das Handy und klär' das draußen auf dem Gang. Ich wollte euch wirklich nicht stören.

**3  Zu Hause, am frühen Abend**

◆ Du Philip, ich schreibe doch gerade an diesem Artikel für die Zeitung, du weißt schon, und die Kinder stören mich dauernd und du sitzt vor dem Fernseher. Könntest du nicht mal …

☐ Da kommt gerade eine Reportage, aber egal, von mir aus: Hey Jungs, kommt, wir gehen auf den Spielplatz, zieht euch an. Eure Mutter braucht Ruhe.

☐ Das ist jetzt aber wirklich schlecht, ich brauche noch einige Informationen für mein Meeting morgen. Die Reportage geht aber nur noch zwanzig Minuten. Ist das okay?

☐ Steck dir doch was in die Ohren, das wäre auf jeden Fall besser, als hier rumzumeckern.

**4  Zwei Kollegen, die den Firmenwagen benötigen**

◆ Sie wissen doch, ich muss morgen Mittag unbedingt nach Karlsruhe zu diesem neuen Kunden. Da muss ich spätestens um zwölf Uhr hier weg. Der Herr Haring meint, Sie könnten das Auto bis dahin wieder hier abgeben. Stimmt das?

☐ Das ist nicht mein Problem. Nehmen Sie doch Ihr eigenes Auto. Ich kann da wirklich keine Ausnahme machen. Wer zuerst da ist, hat das Auto. So ist das nun mal.

☐ Nein, das geht nicht. Wissen Sie, ich muss die ganzen Werbematerialien in die Stadt fahren und dann gleich zu einem Termin in das Rathaus. Aber warum machen wir es nicht so: Sie kommen um Viertel vor zwölf zum Rathaus und nehmen von dort das Auto mit. Ich kann ja mit der Straßenbahn zurückkommen.

☐ Und wenn Sie vielleicht ausnahmsweise mit Ihrem eigenen Auto fahren würden? Ich würde wirklich nur sehr ungern öffentlich zu meinem Termin fahren, mit dem schweren Musterkoffer.

**5  Zwei Nachbarn am Gartenzaun**

◆ Herr Meier, eh, ich weiß gar nicht, wie ich das sagen soll, aber ich habe folgendes Problem: Sie mähen doch immer samstags, so gegen drei, den Rasen, und jeden Samstag wacht mein Sohn dann auf und schreit. Er schläft doch sowieso so wenig. Könnten Sie nicht vielleicht ein wenig später Rasen mähen? Es wäre doch nur für diesen Sommer, solange er noch so klein ist.

[ ] Hören Sie das denn wirklich so laut da drüben? Ich dachte, das wäre die beste Uhrzeit. Aber kein Problem, ich kann ihn auch vormittags mähen, ist zwar nicht ideal, wegen dem Einkaufen, aber geht schon irgendwie, ist schon in Ordnung.

[ ] Na ja, von mir aus. Irgendwie müssen wir uns ja einigen. Ab wann wäre es denn für Sie in Ordnung? Wann wacht denn der Kleine normalerweise auf?

[ ] Na und? Ist das mein Kind? Machen Sie doch die Fenster zu! So einfach geht das.

## 22 Büroalltag. Wer spült das schmutzige Geschirr?

**9 a** Ordnen Sie die Abschnitte 1–4 den Dialogteilen zu. Hören Sie dann und korrigieren Sie.

1 Tut mir leid, also wirklich nicht. Das ist nun wirklich nicht mein Job, hinter den anderen herzuspülen, und deiner auch nicht, wenn du mich fragst.

2 Das stimmt auch wieder. Und die Leute von der Putzfirma?

3 Von mir aus. Das wäre auf alle Fälle besser, als die Sachen von den anderen zu spülen. Aber du hast recht, das Problem muss gelöst werden. Oder es muss eine Spülmaschine her.

4 Was, das Geschirr? Ach so, das überrascht mich jetzt aber. Ich hätte nicht gedacht, dass du das so ungern machst! Ich dachte immer, für dich ist das eine Art Entspannung, nach dem Stress im Büro. Dann lass es doch einfach stehen.

◆ Du, Martina, ich wollte mal mit dir reden. Es stört mich, ehrlich gesagt, dass ich immer abends das Geschirr spülen und wegräumen muss.  ● [ ]

◆ Nein, das geht nicht. Wie sieht das denn dann morgens aus, wenn alle kommen? Und manchmal kommen ja auch Kunden, und da steht dann das Geschirr rum, dreckig.  ● [ ]

◆ Die spülen doch nicht, die machen doch nur den Boden. Aber weißt du was, warum machen wir es denn nicht so: Einen Abend spüle ich, den anderen Abend spülst du.  ● [ ]

◆ Und wenn wir das vielleicht auch mit den anderen besprechen? Dass vielleicht jeder sein eigenes Zeug spült?  ● [ ]

◆ Bleibt immer noch das Problem, wer die einräumt.

**10 b** Wie ist die Reihenfolge? Lesen Sie die Sätze 1–7 der Mitarbeiterin und a–f der Chefin. Bringen Sie die Dialogteile dann in die richtige Reihenfolge in die unten stehende Leiste. Hören Sie dann und vergleichen Sie.

Mitarbeiterin: [ ] [ ] [ ] [1] [ ] [ ] [ ]
Chefin:    [ ] [ ] [b] [f] [ ] [ ]

Mitarbeiterin

1 ◆ Die spülen doch nicht, die machen doch nur den Boden, das ist doch ein Teil des Problems. – Aber wenn wir die Frau Rosendorfer bitten würden, mit mir abwechselnd zu spülen, dann …

2 ◆ Frau Meier, entschuldigen Sie die Störung. Darf ich kurz hereinkommen?

3 ◆ Ich habe da ein kleines Problem. Ehrlich gesagt stört es mich, dass ich immer abends das ganze Geschirr spülen und wegräumen muss.

4 ◆ Nein, das geht nicht. Wie sieht das denn dann morgens aus, wenn alle kommen? Und manchmal kommen ja auch Kunden, und da steht dann das Geschirr rum, dreckig.

5 ◆ Nein, nein, Frau Meier, das konnten Sie doch nicht wissen, und so ist das doch okay. Danke …

6 ◆ Nein. Und wenn Sie mal mit den Kollegen sprechen würden, dass jeder sein eigenes Geschirr spült?

7 ◆ Und wenn man vielleicht eine Spülmaschine anschaffen würde, ich meine, …

**Chefin**

a ● Ach so, darum geht es. Tut mir leid, ich dachte immer, das wäre für Sie eine Art Entspannung, nach dem Stress im Büro. Ich hätte nie gedacht, dass es Sie belastet. Dann lassen Sie es doch einfach stehen.

b ● Da haben Sie wiederum recht. Das stimmt, das geht nicht. Und die Leute von der Putzfirma?

c ● Das wäre auf alle Fälle besser, als dass Sie die Sachen von den anderen spülen und dann unzufrieden und frustriert sind. Setzen Sie das doch auf unsere Tagesordnung für die nächste Besprechung am Dienstag. Sonst noch etwas?

d ● Hmm, das ist jetzt schlecht, weil das Budget gerade verabschiedet ist. Aber vielleicht bringen wir das noch nachträglich unter … Ich versuch's also mal. Danke, Frau Sauer, und tut mir leid, dass ich nicht selbst darauf gekommen bin, aber …

e ● Hmm, das ist jetzt ziemlich schlecht. Ich habe da gleich eine Besprechung. Aber egal, kommen Sie herein. Worum geht es denn?

f ● Nein, Frau Sauer, tut mir leid. Also das geht wirklich nicht. Die Frau Rosendorfer hat keine Zeit, das Geschirr von den anderen zu spülen, und wenn wir ehrlich sind, ist das auch nicht Ihr Job, oder …

**23  Wie sagen Sie es Ihrem Mitmenschen?**

**ⓐ Reagieren Sie angemessen auf eine Problemsituation. Wie schildern Sie Ihr Problem? Was würden Sie sagen? Die folgenden Wendungen und Ausdrücke helfen Ihnen.**

Es ist nämlich so, dass … ■ … weil es nämlich so ist, dass … ■ Und was ich noch sagen wollte: … ■
Die Sache ist die: … / Das Problem ist folgendes: … ■ Ich habe da folgendes Problem: … ■
(Aber) Sie wissen / du weißt doch, dass … ■ Ich … gerade für … und kann mich nicht konzentrieren / …

Ihr Nachbar, Herr Sauter, renoviert seine Wohnung. Es ist Sonntag.
Sie müssen sich auf eine Prüfung vorbereiten.

Die Tochter Ihrer Nachbarin übt jeden Nachmittag stundenlang auf ihrer E-Gitarre. Sie können nicht arbeiten.

Ihre Partnerin / Ihr Partner ist Köchin / Koch. Sie/Er macht jeden Tag Überstunden und kommt erst spätabends heim. Sie müssen jeden Tag die Kinder versorgen und abends ins Bett bringen. Außerdem können Sie keinen Abend gemeinsam planen.

*Die Sache ist die:*
*…*

*…*

*…*

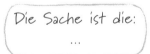

*…*

*…*

Ihr Nachbar stellt den ganzen Keller mit seinen Möbeln voll. Sie kommen mit Ihrem Fahrrad nicht mehr durch.

Ihre Tochter sitzt jeden Abend noch stundenlang an den Hausaufgaben, weil die Lehrerin so viel aufgibt. Die Lehrerin behauptet, dass sie so viel aufgeben muss, weil die Schülerinnen und Schüler im Unterricht nicht genug mitarbeiten.

**ⓑ** Schauen Sie sich die folgenden Situationen und die Lösungsvorschläge an.
Reagieren Sie dann. Wählen Sie dazu aus den angegebenen Wendungen und
Ausdrücken aus. Passen Sie diese der Situation an (Du / Sie).

---

Ja gut, von mir aus. Das wäre auf alle Fälle besser als … ■ Ist das denn auch für dich in Ordnung? ■
Na ja, ist nicht ideal, aber ist schon o.k. Irgendwie müssen wir uns ja einigen. ■ Mir ist beides recht. ■
Dann machen wir es so, wie … ■ Geht in Ordnung. ■ Danke auch für dein Verständnis. ■
Tut mir echt leid, aber … ■ Nein, das geht nicht. ■ Nur sehr ungern. ■ Und wenn du vielleicht … ■
Weißt du was? Warum machen wir es denn nicht so: …

---

Jeden Abend machen Sie nach dem Essen die
Küche. Dazu haben Sie nun endgültig keine Lust
mehr. Ihre Partnerin / Ihr Partner schlägt Ihnen
vor, dass Sie spülen und sie/er abtrocknet.

Ein Lieferwagen blockiert seit einer halben Stunde Ihre
Einfahrt. Sie müssen dringend weg, kommen aber mit dem
Auto nicht raus. Eine Angestellte der Firma, die Sie über
die Telefonnummer auf dem Lieferwagen erreichen, empfiehlt Ihnen, die Straßenbahn oder den Bus zu nehmen.

Jeden Sonntag grillt Ihr Nachbar im Stockwerk
unter Ihnen auf dem Balkon. Als Sie ihm Ihr Problem mit der Rauch- und Geruchsbelästigung
schildern, schlägt er Ihnen vor, nur noch jeden
zweiten Sonntag zu grillen und Sie einmal im
Monat dazu einzuladen.

Jeden Nachmittag spielen und toben die Kinder aus dem
Haus auf der Rasenfläche vor dem Haus. Da steht jedoch
ein Schild: Rasen betreten verboten. Sie sprechen mit den
Eltern. Sie stört, dass die Vorschrift nicht eingehalten
wird. Die Eltern schlagen Ihnen vor, das Schild zu entfernen.

---

**PHONETIK** ·······→ zu Kursbuch Seite 16

**24**

**11**

Kleine Bitte: „Leih mir bitte dein Auto!"

**ⓐ** Hören Sie sich das Gedicht zuerst an.
Achten Sie dabei auf die Angaben zur Sprechweise vor dem Gedicht.

**ⓑ** Sprechen Sie dann nach, zuerst Strophe für Strophe, dann als Ganzes.
Übertreiben Sie. Spielen Sie Theater.
Haben Sie keine Angst, zum Ende hin (*vor* der letzten Zeile) auch sehr laut zu werden!

Männer sprechen das Gedicht mit der süße Alt (Sängerin mit tiefer Stimme),
Frauen mit der blonde Bass (Sänger mit tiefer Stimme) (vierte Strophe) und
wählen das Personalpronomen entsprechend aus.

(beiläufig-locker)      Hast du heut' Abend etwas vor?
                     Ich meine: Brauchst du deinen Wagen?
                     Wenn ja, dann brauchst du's nur zu sagen.

(sachlich)      Heut' abend probt der Kirchenchor.
                Zu Fuß geh' ich drei Viertelstunden …
                Ich habe Angst vor fremden Hunden.

| | |
|---|---|
| (bittend) | Es wäre schon sehr nett von dir,<br>mir heute dein Gefährt zu geben.<br>Du weißt doch: Singen ist mein Leben! |
| (vertraulich) | Besonders, seit der süße Alt / der blonde Bass<br>rechts in der zweiten Reihe singt<br>und mich ganz durcheinanderbringt. |
| (schwärmerisch) | Es überläuft mich heiß und kalt,<br>wenn ich in meiner Reihe stehe<br>und sie / ihn so nahe singen sehe. |
| (intensiv bittend) | Ich bitte dich, gib mir das Auto!<br>Ich könnte sie / ihn dann nach dem Singen<br>vielleicht zu sich nach Hause bringen! |
| (auf den Knien,<br>verzweifelt) | Ich fleh' dich an: Sag endlich ja!<br>Mein Schicksal liegt in deiner Macht! |
| (überrascht, vergnügt) | Oh! Vielen Dank! Ciao! Gute Nacht! |

**TEXTE BAUEN: ein Problem darlegen und einen Lösungsvorschlag unterbreiten** ·······▶ zu Kursbuch Seite 16

**25** Eine Problemsituation schriftlich beschreiben. Wie schildern Sie Ihr Problem?
Welchen Vorschlag haben Sie? Verwenden Sie die folgenden Wendungen und Ausdrücke
und formulieren Sie die E-Mail. (Eine/einer passt jeweils nicht).

**ⓐ Renovierungsarbeiten**

Ihr Nachbar, Herr Sauter, renoviert seit einer Woche seine Wohnung. Es ist
Sonntagabend, 21 Uhr, aber Sie wissen nun, dass Herr Sauter jeden Abend bis
23 Uhr renoviert. Sie wissen auch, dass Herr Sauter noch zehn Tage Renovierungsarbeiten vor sich hat. Sie müssen sich aber auf eine wichtige Prüfung vorbereiten.
Außerdem arbeiten Sie tagsüber, sodass Sie nur am Abend lernen können. Sie
haben mit Herrn Sauter schon einmal darüber gesprochen, es hat sich aber nichts
geändert. Schreiben Sie Herrn Sauter eine E-Mail. Schildern Sie Ihr Problem und
schlagen Sie ihm vor, nach 17 Uhr nur noch Renovierungsarbeiten durchzuführen,
die keinen Lärm verursachen oder früher Feierabend zu machen.

Da gibt es aber auch noch Vorschriften: … ■ Wissen Sie, das Ganze ist leider ein Missverständnis: … ■
Leider musste ich aber feststellen, dass … ■ Oder wenn Sie vielleicht ganz … ■ Es ist aber wirklich so, dass
… ■ Ich lerne gerade für … ■ Und Sie wissen doch, dass … ■ Könnten Sie deshalb … ■ Mit freundlichen Grüßen

Sehr geehrter Herr Sauter, ich bin Ihr direkter Nachbar auf diesem Stockwerk. Wir haben schon miteinander gesprochen. Ich dachte, dass damit das Problem gelöst ist.

.......................................... (Sie renovieren und machen noch immer bis 23 Uhr Lärm)
.......................................... (der Lärm ist sehr störend)
.......................................... (eine Prüfung – und kann mich nicht konzentrieren)
.......................................... (ich muss tagsüber arbeiten – kann nur abends lernen)
.......................................... (Sie dürfen abends und nachts laut Hausordnung keinen Lärm machen)
.......................................... (am Abend Arbeiten durchführen, die keinen Lärm machen?)
.......................................... (auf das Renovieren am Abend verzichten würden?)

Damit wäre wahrscheinlich dem ganzen Haus geholfen. Ich könnte mir vorstellen, dass die anderen
Nachbarn nicht so verständnisvoll sind wie ich.

Michael Munter

### ❺ Hausmusik

Hannah, die Tochter Ihrer Nachbarin, mit der Sie per Du sind, übt jeden Nachmittag stundenlang auf ihrer E-Gitarre. Sie werden fast wahnsinnig. Ihre Nachbarin ist beruflich sehr beschäftigt und kommt abends erst spät nach Hause. Schreiben Sie ihr eine E-Mail. Beschreiben Sie Ihr Problem und machen Sie einen Vorschlag: nur eine Stunde laut und sonst mit Kopfhörer üben.

Warum machen wir es nicht so: … ■ Du kannst mir glauben, … ■ Die Sache ist die: … ■
Ich musste aber leider feststellen, dass … ■ Aber du weißt doch, … ■ Gruß Silke

Liebe Maria, leider habe ich Dich seit Wochen nicht gesehen. Ich weiß natürlich, dass Du in der Klinik wahnsinnig viel zu tun hast. Deshalb schreibe ich Dir jetzt diese Mail. Ich hoffe, Du bist mir deshalb nicht böse.

........................................................ (Deine Tochter übt doch jeden Tag stundenlang auf ihrer E-Gitarre.) ........................................................ (Ich finde das eigentlich gut, aber der Krach macht mich leider wahnsinnig.) Ich habe schon mit ihr darüber gesprochen. ........................................ (sie übt seitdem noch lauter). Ich habe über unser Problem nachgedacht und habe auch eine Idee. ........................ (Hannah übt von drei bis vier laut, und sonst mit Kopfhörern, dann hört sie die Musik und mich stört es nicht). ........................

### ❻ Hausaufgaben

Ihre Tochter sitzt jeden Abend noch stundenlang an den Hausaufgaben, weil die Lehrerin so viel aufgibt. Die Lehrerin behauptet, dass sie so viel aufgeben muss, weil die Schülerinnen und Schüler im Unterricht nicht genug mitarbeiten. Schreiben Sie der Lehrerin einen Brief. Ihr Vorschlag: einen Elternabend mit der Schulleitung organisieren, auf dem das Problem besprochen und gelöst wird.

Sie können mir wirklich glauben, … ■ Sie könnten doch auch … ■ Warum machen wir es dann nicht so, … ■
Könnten Sie nicht … ■ Leider musste ich feststellen, … ■ Aber Sie wissen doch, … ■ Und was ich noch sagen
wollte: … ■ Und warum … nicht … ■ Mit freundlichen Grüßen

Sehr geehrte Frau Hammer,

wir haben schon öfter über das Problem Hausaufgaben gesprochen. ...............................
(die Hausaufgaben werden immer mehr und nicht weniger). ........................................... (meine
Tochter) sitzt jeden Abend bis acht Uhr an den Hausaufgaben. ................................. (Kinder brauchen
Erholung und Zeit zum Spielen). ..................................... (viele Kinder haben noch viel größere
Probleme, weil sie nicht so gut in der Schule sind wie meine Tochter). ............................. (doch weniger
Hausaufgaben aufgeben)? ..................... (können die Kinder einen Teil der Aufgaben in der Schule
machen)? Ich weiß, Sie haben gesagt, dass der Lehrplan so viel Lernstoff enthält und dass die Kinder in der
Schule nicht gut genug mitarbeiten. ................................. (eine Elternversammlung mit der Schulleitung
organisieren und das Problem gemeinsam lösen)? Ich bin überzeugt davon, dass wir das Problem aus der Welt
schaffen können.

.........................

*Ulrike Ansfelder* (Mutter von Michaela Ohnesorg)

# E Die liebe Technik!

SÄTZE BAUEN: Beschwerde am Telefon ·······▶ zu Kursbuch Seite 17

**26** Sich telefonisch beschweren (bei einem Kundenservice)

**a** Worum geht es in den einzelnen Abschnitten? Ordnen Sie zu.

**A** Das Problem darstellen ■ **B** Sagen, wer man ist und worum es geht ■ **C** Reaktion auf einen Vorschlag formulieren ■ **D** Erwartung / Forderung formulieren ■ **E** Einen Vorschlag machen

◆ Kundenservice Hausgeräte GmbH, Feuer. Was kann ich für Sie tun?

1 ☐ ● Hier spricht Ulrike Ahrend aus Münster. Sind Sie zuständig für Kühlschränke, für automatische Kühlschränke?

◆ Ja.

● Wir haben vor einer Woche den vollautomatischen Kühlschrank geliefert bekommen, wissen Sie, den, der auch selbstständig bestellt, wenn etwas fehlt.

◆ Sie meinen den Mega X 3.125 SE?

2 ☐ ● Ja, ich glaube, so heißt das Modell. Also, wir haben seit einer Woche diesen Kühlschrank und mussten nun leider feststellen, dass er nicht funktioniert. Stellen Sie sich vor: Er bestellt ständig Joghurt. Wir haben schon den ganzen Kühlschrank voll: Erdbeerjoghurt, Heidelbeerjoghurt, Schoko- und Kaffeegeschmack, mit und ohne Müsli und …

◆ Und haben Sie schon die Fehlersuche in der Betriebsanleitung …

● Und was ich noch sagen wollte: Er bestellt nicht nur, er piepst auch ununterbrochen. Er hört nicht auf mit diesem Warnsignal. Wir können nachts nicht mehr schlafen, wir können tagsüber nicht mehr arbeiten. Sie müssten es eigentlich am Telefon auch hören. Also, statt uns den Alltag zu erleichtern, macht uns das Gerät wahnsinnig.

◆ Und haben Sie die Fehlersuche in der Betriebsanleitung durchgesehen? Vielleicht haben Sie ja nur …

● Selbstverständlich haben wir die Betriebsanleitung durchgesehen und alles kontrolliert.

◆ Hmm, vielleicht müsste man das Gerät überprüfen lassen …

3 ☐ ● Nein, ich möchte, dass Sie das Gerät sofort wieder abholen. Wir möchten es nicht behalten. Es funktioniert nicht.

4 ☐ ◆ Und wenn ich Ihnen doch erst einmal einen Monteur vorbeischicke, der alles noch einmal überprüft? Unser Kühlschrank ist eigentlich sehr gut und sehr zuverlässig. Und wenn er ihn nicht reparieren kann, dann können wir Ihnen natürlich kostenlos ein neues Gerät liefern, also das defekte Gerät austauschen. Der Monteur ist in der nächsten Stunde bei Ihnen.

5 ☐ ● Na gut, von mir aus. Wenn der Monteur gleich kommt. Also, entweder er kann das Gerät reparieren, oder er nimmt es sofort mit. Wir wollen das Gerät auf keinen Fall noch länger in der Wohnung haben, wenn es nicht funktioniert.

◆ In Ordnung, Frau Ahrend. Unser Monteur Herr Hunger ist schon auf dem Weg zu Ihnen.

● Da bin ich ja gespannt. Auf Wiederhören.

◆ Auf Wiederhören, Frau Ahrend.

**ⓑ** Welche Wendungen und Ausdrücke sind angemessen?
Hören Sie sie und kreuzen Sie an.

**1 Sagen, wer man ist und worum es geht**

☐ Hören Sie mal, ich habe da von Ihnen so einen …

☐ Guten Tag, hier spricht … Ich rufe an wegen …

☐ Hier ist … Es geht um meine Bestellung vom letzten …

☐ Guten Tag, hier spricht … Ich habe bei Ihnen … gekauft und …

**2 Das Problem darstellen**

☐ Hör mal, das Gerät funktioniert nicht richtig …

☐ Die Sache ist die: Gestern wurde … geliefert,
aber es ist leider das falsche Gerät.

☐ Wir haben ein Problem mit …

☐ Das kann doch nicht wahr sein, das mit Ihrem …

☐ Ich finde das unmöglich, was …

☐ Wir haben seit drei Tagen … und mussten leider feststellen, dass …

☐ Wir haben vor … bestellt und noch immer nicht geliefert bekommen.

**3 Erwartung / Forderung formulieren**

☐ Ich würde … gern zurückschicken und mein Geld zurückbekommen.

☐ Ich würde … gern umtauschen. Geht das?

☐ Schicken Sie mir deshalb bitte umgehend …

☐ Also, jetzt, und zwar jetzt und sofort, wird das abgeholt. Ist das klar?

☐ Könnte ich ein neues Gerät bekommen?

☐ Deshalb möchte ich Sie bitten …

**4 Einen Lösungsvorschlag machen**

☐ Sie machen das jetzt folgendermaßen: … Alles klar?

☐ Und wenn Sie vielleicht …

☐ Und jetzt sag ich Ihnen klipp und klar, wie wir das Problem lösen:
Also, hören Sie …

☐ Warum bringen Sie uns nicht einfach …

☐ Erstens: Sie schicken das Gerät zurück. Zweitens: …

☐ Könnten wir das vielleicht so machen: …

☐ Ich hätte da einen Vorschlag: …

**5 Reaktion auf einen Vorschlag formulieren**

☐ In Ordnung, dann …

☐ Könnten Sie da vielleicht eine Ausnahme machen?

☐ Na ja, ich hätte zwar gern sofort mein Geld zurück,
aber dann machen wir es eben so.

☐ Könnten Sie nicht doch …?

☐ Ach, hören Sie bloß auf.

☐ Und gäbe es vielleicht auch eine andere Möglichkeit?

☐ Das können Sie mit mir nicht machen.

☐ Das ist jetzt aber ziemlich schlecht, weil …

☐ Vielleicht könnten wir es ja so machen, dass …

**c** Ergänzen Sie passende Wendungen und Ausdrücke aus a, die Sie ausgewählt haben.

**1 Sagen, wer man ist und worum es geht.**

a ........................................ der Rechnung Nummer 27345, meine Kundennummer ist die 45637760/456.

b ........................................ einen Föhn ........................................ musste zu Hause leider feststellen,
dass er nicht funktioniert. Was muss ich jetzt machen?

c ........................................ Dienstag. Sie hatten versprochen, dass ich die Bücher spätestens heute
direkt in die Schule geliefert bekomme. Jetzt sagt mir meine Frau gerade am Telefon, dass sie zu mir
nach Hause geliefert wurden.

**2 Das Problem darstellen**

a Guten Tag, hier Meyer, mit e-Ypsilon. – ........................................ dem neuen Fernseher, den wir
bei Ihnen gekauft haben. Aus irgendeinem Grund bekommen wir nicht alle Programme rein.

b ........................................ den Papagei Anton bei uns hier in der Wohnung ........................................ er
uns weder versteht noch dass er spricht, wie Sie versprochen haben. Er ist nett, er fühlt sich wohl, aber er
sagt kein Wort.

c Guten Tag, hier Söker. ........................................ drei Wochen den neuen Computer Superhirn
........................................ . Die Bestätigung über den Eingang der Bestellung haben wir aber sofort erhalten.

d Hallo, hier noch mal Söker. Ja, also, ........................................ ein Computer ........................................ .

**3 Erwartung / Forderung formulieren**

a ........................................ das von mir bestellte Modell zu. Ich brauche es dringend.

b ........................................ den Föhn ........................................ .

c Es geht schon wieder um den Papagei Anton. Nein, er spricht noch immer nicht. Und er sollte doch
unserer Oma Gesellschaft leisten, während wir in der Arbeit sind. ........................................ den Papagei
zurückzunehmen und mir das Geld zurückzuzahlen.

**4 Einen Lösungsvorschlag machen**

a ........................................ den Pullover zurück, vielleicht noch heute, und wir tauschen ihn sofort um.

b ........................................ . Sie schicken uns die kaputten Fotoapparate und wir überweisen Ihnen sofort
nach Eingang Ihr Geld. Natürlich erstatten wir Ihnen auch die Portokosten.

c ........................................ doch damit einverstanden wären, dass wir Ihnen unseren Monteur schicken?
Herr Meier könnte gleich morgen bei Ihnen vorbeikommen.

d ........................................ Wir sind morgen in Frankfurt auf der Messe. Kommen Sie doch zu uns auf den
Messestand, dann können wir das Problem gemeinsam mit unserem Vertriebsleiter lösen.

**5 Reaktion auf einen Vorschlag formulieren**

a Ich weiß, dass man Pflanzen nicht zurückgeben kann. Aber ........................................ ?
Es ist nämlich so, dass ich gerade gegen diese Pflanze allergisch bin. ........................................
ich diese Pflanze zurückbringe und mir eine andere aussuche, gegen die ich nicht allergisch bin.
Ich habe ja vorher auch nichts davon gewusst, dass ich Allergiker bin.

b ........................................ bringe ich den Papagei Anton zurück und suche mir einen Hasen aus. –
Ach so, die spricht auch nicht. Da haben Sie natürlich recht. ........................................
........................................ ich ja was für meine Mutter brauche. Hmm – ........................................
einen Hund besorgen, auch wenn Sie sonst nicht mit Hunden handeln?

**d** Hören Sie jetzt das Telefongespräch aus a als „Lücken-Dialog". Sprechen Sie die Rolle der Kundin. Versuchen Sie möglichst frei zu formulieren – mit den Wendungen und Ausdrücke aus b.

---

**GRAMMATIK: Bedingungssätze: *wenn* und *falls*** ········▶ zu Kursbuch Seite 17

**27** Verwendung von *wenn* und *falls*

**a** Wann passiert das? Formulieren Sie die markierten Ausdrücke mit *wenn*.

1 Wir brechen morgen bei Sonnenaufgang zum Gipfel auf.

   *Wir brechen morgen zum Gipfel auf, wenn die Sonne aufgeht.*

2 Die Veranstaltung findet auch bei schlechtem Wetter statt.

   ...................................................................................................

3 Vorsicht bei der Einfahrt des Zuges.

   ...................................................................................................

4 Bei Spielbeginn müssen alle Spieler auf dem Platz sein.

   ...................................................................................................

**b** Lesen Sie Ihre Lösungen in a. Was drückt der *wenn*-Satz jeweils aus? Ordnen Sie zu.

   a ☐ Bedingung          b ☐ Zeit

**c** Lesen Sie die Sätze aus Beschwerdebriefen. Was drücken die *wenn*-Sätze hier aus? Kreuzen Sie an.

1 Wir werden rechtliche Schritte einleiten, wenn Sie Ihren Zahlungsverpflichtungen nicht nachkommen.
2 Bitte tauschen Sie das Gerät aus, wenn es sich um einen elektronischen Defekt handelt.

   a ☐ Bedingung          b ☐ Zeit

**d** Übersetzen Sie die Sätze in b und c in Ihre Muttersprache. Wie übersetzen Sie *wenn*?

**e** Lesen Sie die Sätze. Was bedeutet *falls*? Kreuzen Sie A oder B an.

1 Holst du mich ab, falls ich nicht am Ostbahnhof ankomme?
2 Bitte ruf mich an, falls du noch eine Frage hast.
3 Falls die Sonne noch einmal über uns aufgeht, werde ich in ein Kloster gehen.
4 Bitte programmieren Sie das Gerät neu, falls es sich doch um einen Softwarefehler handelt.

A ☐ Man erwartet etwas nicht.
B ☐ Man rechnet fest mit einer Möglichkeit.

**f** *falls* kann die Bedeutung von Bedingungen verstärken. Formulieren Sie die Sätze mit *falls*.

1 Wenn mein Telefon morgen immer noch nicht funktioniert, werde ich zu einem anderen Anbieter wechseln.
2 Bitte senden Sie mir ein neues Gerät, wenn eine Reparatur nicht möglich ist.
3 Sie können mir auch einen Gutschein schicken, wenn Sie die Kosten nicht erstatten können.
4 Bitte informieren Sie mich über die Höhe der Kosten, wenn Sie den Fehler finden.

WIEDERHOLUNG

**28** *entweder ... oder.* Formulieren Sie wie im Beispiel.

1 umgehend funktionierende Parkhilfe zusenden / Geld zurückzahlen

*Bitte senden Sie mir entweder umgehend eine funktionierende Parkhilfe zu oder zahlen Sie mir das Geld zurück.*

2 das Gerät in der gewünschten Farbe liefern / einen Preisnachlass gewähren

*Entweder* ........................................................................................................

3 innerhalb von vierzehn Tagen liefern / wir vom Vertrag zurücktreten

........................................................................................................

4 umgehend Ersatzhandy zusenden / ich zu einem anderen Anbieter wechseln

........................................................................................................

5 umgehend Fehler beseitigen / Leihwagen zur Verfügung stellen

........................................................................................................

**29** Modale Angaben: *(an)statt dass / (an)statt zu / stattdessen / statt* + Genitiv

**a** Sehen Sie sich die Bilder an und lesen Sie die Texte.

> Ich hatte einen MP3-Spieler bestellt, aber Sie haben einen Rasierapparat geliefert.

*Sehr geehrte Damen und Herren,*
*vielen Dank für Ihre Lieferung. Leider war das falsche Gerät in Ihrem Paket.*

Variante 1: Statt eines MP3-Spielers haben Sie mir einen Rasierapparat geliefert.
Variante 2: Anstatt/Statt dass Sie einen MP3-Spieler geliefert haben, haben Sie mir einen Rasierapparat geschickt.
Variante 3: Anstatt/Statt einen MP3-Spieler zu liefern, haben Sie mir einen Rasierapparat geschickt.
Variante 4: Sie haben leider keinen MP3-Spieler geliefert. Stattdessen haben Sie mir einen Rasierapparat geschickt. / Sie haben mir stattdessen einen Rasierapparat geschickt.

**b** Formulieren Sie die Sätze mit den Varianten 2–4 aus a und vergleichen Sie mit dem Lösungsschlüssel.

1 Vorsicht vor Kredit-Betrügern – statt des eigenen Hauses hohe Schulden

*Anstatt dass Sie ein neues Haus bekommen, haben Sie hohe Schulden.*
*Statt ein neues Haus zu bekommen, haben Sie hohe Schulden.*
*Sie bekommen kein Haus. Stattdessen haben Sie hohe Schulden. / Sie haben*
*stattdessen hohe Schulden.*

2 nach der Wahl – leere Versprechungen statt neuer Gesetze

........................................................................................................
........................................................................................................
........................................................................................................

**3** Statt des versprochenen Ersatzteils erhielt ich leider eine Rechnung.

........................................................................................................

........................................................................................................

........................................................................................................

**4** Statt hochwertiger Ware erhielt ich ein Billigprodukt.

........................................................................................................

........................................................................................................

........................................................................................................

**c** Wortstellung. Machen Sie eine Tabelle und tragen Sie Beispielsätze aus a und b ein.

**1** (an)statt dass, (an)statt zu

Anstatt dass Sie ein neues Haus bekommen, haben Sie hohe Schulden.
Statt ein neues Haus zu bekommen, haben Sie hohe Schulden.

| Konjunktion | Satzteile | Verb | Rest des Satzes |
|---|---|---|---|
| Anstatt dass | Sie ein neues Haus | bekommen, | haben Sie hohe Schulden |

**2** stattdessen

Sie bekommen kein Haus. Stattdessen haben Sie hohe Schulden. / Sie haben stattdessen hohe Schulden.

| Satzanfang | Verb | weitere Satzteile |
|---|---|---|
| Stattdessen | haben | Sie hohe Schulden |
| Sie | haben | stattdessen hohe Schulden |

**9**

---

**30** Setzen Sie ein: (an)statt dass, statt (...) zu, stattdessen, statt + Genitiv.

**1** ............................ der Staubsauger saugt, bläst er.

**2** Sie haben mir einen günstigeren Handytarif zugesagt. ............................ ist der Tarif viel teurer als vorher.

**3** Ihr Haushaltsroboter produziert noch mehr Arbeit, ............................ mir die Hausarbeit ............................
erleichtern.

**4** Ich hatte von Ihnen eine Ausführung der Arbeiten in perfekter Qualität erwartet. ............................ schließen
jetzt die Wohnungstüren nicht mehr richtig.

**5** Warum haben Sie rechtliche Schritte eingeleitet, ............................ Sie mir eine Mahnung schicken?

**6** Ihr Glasreiniger macht die Fenster nicht sauber. Er macht ............................ hässliche Streifen.

**7** ............................ einer guten Druckqualität produziert Ihr Gerät nur Streifen auf dem Papier.

**8** ............................ einer einwöchigen Gebirgstour haben wir einen gemütlichen Strandurlaub gemacht.

**31** **a** Wie wirken die Aufforderungen auf Sie?
Welche der folgenden Begriffe passen Ihrer Meinung nach am besten zu den Äußerungen?
Lesen Sie die Sätze und kreuzen Sie an. Vergleichen Sie mit dem Lösungsschlüssel.

1  Senden Sie mir bitte ein Ersatzgerät zu.
2  Könnten Sie mir bitte ein Ersatzgerät zusenden?
3  Senden Sie mir umgehend ein Ersatzgerät zu.
4  Ich sage nur eins: Ersatzgerät zusenden.
5  Sie könnten mir auch ein Ersatzgerät zusenden.
6  Ich wäre Ihnen sehr verbunden, wenn Sie mir ein Ersatzgerät zusenden könnten.

|  | 1 | 2 | 3 | 4 | 5 | 6 |
|---|---|---|---|---|---|---|
| unangemessen (zu höflich) | ☐ | ☐ | ☐ | ☐ | ☐ | ☐ |
| angemessen (höflich, neutral) | ☐ | ☐ | ☐ | ☐ | ☐ | ☐ |
| unangemessen (unhöflich) | ☐ | ☐ | ☐ | ☐ | ☐ | ☐ |

🔘 14 **b** Aufforderungen im beruflichen (B) und im privaten (P) Bereich.
Lesen Sie die Situationen 1–12. Welche Sätze passen? Kreuzen Sie an.
Hören Sie dann und überprüfen Sie Ihre Lösungen.

1  B  Wären Sie bitte so freundlich und würden hier dann vielleicht noch unterschreiben? –
   Ganz vielen herzlichen Dank.  ☐

2  P  Also, so geht es nicht weiter! Du wirst mir jetzt bitte zuhören!  ☐

3  B  Links! Noch ein Stückchen! Stopp! Jetzt wieder ein bisschen rechts! Stopp!
   So, jetzt langsam runterlassen.  ☐

4  B  Kommen Sie doch mal bitte her, Frau Müller.  ☐

5  P  Du kommst jetzt her und entschuldigst dich bei mir!  ☐

6  B  Gut, nachdem die letzten Fragen geklärt sind, beauftragen wir Sie mit der Planung unserer
   neuen Gemeindehalle.  ☐

7  B  Sie sollen hier vor der Tür nicht rauchen, wie oft soll ich das denn noch sagen!  ☐

8  B  ● Hat's geschmeckt?  ☐
   ▲ Ja, sehr gut. Die Rechnung, bitte.  ☐

9  B  Sehr geehrte Damen und Herren von der Presse, ich fordere Sie auf, den Gerichtssaal
   umgehend zu verlassen.  ☐

10  B  Mund noch etwas weiter öffnen! Noch etwas! Hier stärker absaugen. Amalgam.  ☐

11  P  Räum doch bitte mal das Geschirr zur Seite. Ich bringe gleich den Nachtisch.  ☐

12  P  Aua! Verflixt! Zum letzten Mal: Du sollst dein Handy nicht immer auf dem Boden rumliegen lassen.  ☐

**c** Welche Sätze in Aufgabe b sind zu höflich, welche sind zu unhöflich? Notieren Sie.
Vergleichen Sie dann mit dem Lösungsschlüssel.

zu höflich ..............................................................................................................

zu unhöflich ..........................................................................................................

**32** Aufforderungen richtig verstehen

**ⓐ** Lesen Sie die Sätze. Welche hört man eher in der gesprochenen (a),
welche liest man eher in der geschriebenen Sprache (b)? Manchmal geht beides.
Kreuzen Sie an und vergleichen Sie mit dem Lösungsschlüssel.

|   | a | b |
|---|---|---|
| 1 Wir bitten Sie, uns bis nächste Woche Bescheid zu geben. | ☐ | ☐ |
| 2 Bitte sorgen Sie dafür, dass Ihr Müll nicht immer vor der Haustüre steht. | ☐ | ☐ |
| 3 Ich fordere Sie zum letzten Mal dazu auf, den Raum sofort zu verlassen. | ☐ | ☐ |
| 4 Wir erwarten von Ihnen, dass Sie sich bis morgen entschuldigen. | ☐ | ☐ |
| 5 Es wurde eine dreitägige Staatstrauer angeordnet. | ☐ | ☐ |
| 6 Hiermit beauftrage ich Sie mit diesem Fall. | ☐ | ☐ |
| 7 Und ich erwarte von dir, dass du pünktlich zu Hause bist! | ☐ | ☐ |
| 8 Sie haben von mir verlangt, dass ich das Geld bis übermorgen bezahle! | ☐ | ☐ |

**ⓑ** Welche Aufforderungen passen? Kreuzen Sie an. Es gibt manchmal mehrere Möglichkeiten.

1 **Beim Möbelhändler**
   a ☐ Könnten Sie den Schrank bitte am nächsten Mittwoch liefern?
   b ☐ Sie liefern den Schrank bitte am nächsten Mittwoch.
   c ☐ Sie sollen den Schrank bitte am nächsten Mittwoch liefern.
   d ☐ Bitte liefern Sie den Schrank am nächsten Mittwoch.

2 **Auf der Baustelle**
   a ☐ Komm, heb mal – bisschen höher – jetzt rüber – vorsichtig ablassen!
   b ☐ Könntest du das mal mit mir hochheben? – Jetzt heb noch ein bisschen höher, bitte. –
       Und jetzt gehen wir hier rüber damit. – Und jetzt lass es wieder runter, das wäre nett.

3 **In einem Geschäftsbrief**
   a ☐ Wir wären Ihnen sehr dankbar, wenn Sie Ihrem Vermieter den
       noch ausstehenden Betrag in den nächsten Wochen überweisen könnten.
   b ☐ Wir fordern Sie auf, Ihrem Vermieter den noch ausstehenden Betrag binnen einer Frist
       von vierzehn Tagen zu überweisen.
   c ☐ Sie werden Ihrem Vermieter den noch ausstehenden Betrag bis in vierzehn Tagen überweisen.
   d ☐ Sie sollen Ihrem Vermieter den noch ausstehenden Betrag binnen vierzehn Tagen überweisen.

4 **In einem Beschwerdebrief**
   a ☐ Ich bitte Sie daher, mir baldmöglichst ein Ersatzgerät zur Verfügung zu stellen.
   b ☐ Seien Sie doch bitte so gut und schicken Sie mir ein Ersatzgerät.
   c ☐ Ich fordere Sie auf, mir umgehend ein Ersatzgerät zur Verfügung zu stellen.
   d ☐ Sie sollen mir ein Ersatzgerät zur Verfügung stellen. Verstanden?

5 **Versicherungsberater zu seinem Kunden**
   a ☐ Hätten Sie die Güte, hier noch zu unterschreiben?
   b ☐ Ihre Unterschrift, bitte!
   c ☐ Ich bekomme dann noch eine Unterschrift.
   d ☐ Bitte unterschreiben Sie noch hier unten.

6 **Im Restaurant**
   a ☐ Die Getränkekarte, bitte.
   b ☐ Wie wäre es, wenn Sie uns eine Getränkekarte bringen könnten?
   c ☐ Bringen Sie uns jetzt die Getränkekarte.
   d ☐ Könnten Sie uns bitte noch die Getränkekarte bringen?

7 **In der WG-Küche**
   a ☐ Susi, würdest du auch mal den Müll runterbringen?
   b ☐ Susi, bringst du mal den Müll runter?
   c ☐ Du wirst jetzt sofort den Müll runterbringen, Susi!
   d ☐ Du sollst den Müll runterbringen, Susi!

9

**c** Lesen Sie die Situationsbeschreibungen.
Formulieren Sie dann geeignete Aufforderungen.

1 Ihre Nachbarin renoviert seit Wochen ihre Wohnung und schlägt bis spät in die Nacht Nägel in die Wände.
Sie möchten sie bitten, die Renovierungsarbeiten leiser und zu anderen Zeiten durchzuführen.

2 In Ihrer Stadt gibt es wegen eines Feuers eine gefährliche Rauchentwicklung. Sie müssen als Bürgermeister
eine Ausgangssperre bis 6 Uhr bekannt geben.

3 Ihre Waschmaschine funktioniert nach der dritten Reparatur immer noch nicht richtig.
Sie sind ungeduldig und wollen, dass der Fehler endlich behoben wird.

4 Sie teilen sich ein Auto mit einem Freund. Aber immer, wenn Sie das Auto brauchen, ist es nicht da,
obwohl Sie vereinbart haben, dass Sie in einem Kalender notieren, wann das Auto gebraucht wird.
Sie bitten Ihren Freund, sich an diese Abmachung zu halten und seine geplanten Fahrten in den Kalender
einzutragen.

**33** Die folgenden Briefausschnitte sind ziemlich unhöflich formuliert.
Formulieren Sie die Ausdrücke angemessener. Vergleichen Sie sie dann mit dem Lösungsschlüssel.

*... und schicken Sie mir das Ersatzteil umgehend zu.*

*... daher sollen Sie sofort einen Techniker schicken, der das Gerät prüft.*

*Sie werden mir den Rechnungsbetrag sofort erstatten, sonst komme ich mit dem Rechtsanwalt.*

*Tauschen Sie das Gerät aus!*

*Sie haben das falsche Modell geschickt. Tauschen Sie es aus.*

*Ich fordere Sie auf, den Schaden umgehend zu beheben.*

**TEXTE BAUEN: schriftliche Beschwerde**  ········▶ zu Kursbuch Seite 17

**34** Die „gelungene" Beschwerde

**a** Wie formuliert man ein gutes Beschwerdeschreiben? Lesen Sie die Tipps.
Welche der Tipps empfinden Sie als besonders wertvoll? Kreuzen Sie an.

> **So haben Sie mit Ihrer Beschwerde Erfolg!**
> **Sieben Tipps für das perfekte Beschwerdeschreiben.**
>
> 1 Achten Sie auf die richtige Form.
> Ein formal korrektes Schreiben wirkt immer professioneller als ein formloses Schreiben. ☐
>
> 2 Beginnen Sie Ihre schriftliche Beschwerde mit etwas Positivem (zum Beispiel, dass Sie bisher
> immer zufrieden waren / dass Sie die Produkte der Firma gern benutzen). ☐
>
> 3 Bleiben Sie immer höflich und korrekt. Dies bedeutet konkret:
>   a Auch wenn Sie sehr verärgert sind: Anrede- und Grußformeln gehören in jeden Brief. ☐
>   b Keine Befehle, sondern Bitten ☐
>   c Keine Schuldzuweisungen („Sie haben ... nicht geschickt."), sondern aus der
>   Ich-Perspektive schreiben („Ich habe ... noch nicht erhalten.") ☐
>   d Keine Beleidigungen! ☐
>
> 4 Stellen Sie das Problem sachlich dar. Beschreiben Sie zum Beispiel genau,
> was Sie festgestellt oder beobachtet haben. ☐
>
> 5 Machen Sie Lösungsvorschläge und zeigen Sie sich kompromissbereit. ☐
>
> 6 Machen Sie aber deutlich, dass Sie eine Reaktion erwarten. (Setzen Sie eventuell eine Frist). ☐
>
> 7 Stellen Sie gegebenenfalls eine Bedingung für den Fall, dass Ihre Lösungsvorschläge
> nicht akzeptiert werden. ☐

**b** Welche der Tipps hat der Verfasser des folgenden Schreibens *nicht* beachtet?

1 äußere Form des Briefes ☐
2 Anrede- und Grußformel ☐
3 Beginn des Schreibens ☐
4 höflich-sachliche Darstellung ☐
5 Lösungsvorschlag ☐
6 Frist / Reaktion fordern ☐
7 Bedingung stellen ☐

---

C h r i s t o p h e r  G a s s e r · V o e r d e r  S t r a ß e  2 1 7 · 1 0 1 2 3  M i t t e l h a u s e n

5. April 20..

**Computer Technologie GmbH**
23045 Unterstadt

**Zehn Computer-Bildschirme TM 906, Bestellung vom 15. März 20..**

Vielen Dank für Ihre pünktliche Lieferung der zehn Computer-Bildschirme TM 906
am 3. April 20..

Leider mussten wir feststellen, dass drei der gelieferten Bildschirme beschädigt sind
(siehe beiliegende Fotos).

Wir bitten Sie, die beschädigten Geräte abholen zu lassen und uns bis zum 11. April 20..
neue Bildschirme zu liefern, da dann unsere nächsten Seminare starten und wir die Bildschirme
dringend benötigen.

Bitte informieren Sie mich innerhalb von zwei Tagen, falls Sie keine Ersatzgeräte liefern
oder den Termin nicht einhalten können.

**Christopher Gasser**

**Anhang: Fotos der beschädigten Computer-Bildschirme**

---

**c** Das Fast-Food-Abonnement hat nicht gehalten, was es versprochen hat?
Formulieren Sie Ihren Beschwerdebrief. Zu jedem Abschnitt werden Ihnen
verschiedene Formulierungsmöglichkeiten angeboten.
Wählen Sie jeweils den passenden Textbaustein und setzen Sie Ihren eigenen Text
zusammen.
Beachten Sie die Tipps aus a.

 Fast Food: Wenig Kalorien, alle wichtigen Vitamine und
Mineralstoffe enthalten. Essen Sie, so viel Sie wollen, und
Sie nehmen garantiert ab, auf gesunde Weise. Jeden
Morgen kommt die Tagesportion mit Kurier zu Ihnen nach
Hause. Nach einem Monat ist die Wirkung verblüffend.

Sie haben das Angebot für ein Fast-Food-Abonnement angenommen. Sie haben jeden Morgen
Ihr Fast-Food-Paket bekommen. Sie haben sich einen Monat lang an die Diät gehalten.
Ihr Arzt hat bei Ihnen nun Vitamin- und Mineralienmangel festgestellt. Außerdem haben Sie
fünf Kilo zugenommen. Schreiben Sie einen Beschwerdebrief. Orientieren Sie sich an den
vorgeschlagenen Inhalten, wählen Sie aus.

**Betreff**
Ihr Betrug ▪ Ihr Fast-Food-Abonnement ▪ Ha, ha, abnehmen soll man damit

## Anrede

Sehr geehrte Damen und Herren, ◼ Hallo, ◼ Liebe Damen und Herren, ◼
Liebe Herren, ◼ Damen und Herren, Sie …

## Beginn

wie bestellt habe ich seit 1. April meine Fast-Food-Lieferungen pünktlich erhalten. ◼
klar habe ich meine Fast-Food-Lieferungen pünktlich erhalten, habe sie ja auch bestellt. ◼
So, erhalten habe ich diesen ungesunden Mist ja pünktlich. Hab' ihn ja auch bezahlt, oder?

## Beschreibung des Problems

Wie in Ihrem Ernährungsplan beschrieben, habe ich jeden Tag so viel von Ihrem Produkt gegessen,
dass ich abends satt war. Leider musste ich aber am Ende meines Abonnements feststellen, dass ich
in diesem Monat fünf Kilo zugenommen habe. Außerdem hat mir mein Arzt gesagt, dass ich Vitamin-
und Mineralienmangel habe, weil ich mich ungesund ernährt habe. ◼ Ihr Produkt hat mich krank gemacht,
jawohl, krank. Das hat mein Arzt festgestellt und ich auch. Sie sind schuld, dass ich jetzt Vitaminmangel
habe. Und dass mir meine Sachen nicht mehr passen! Sie und Ihr Fast-Food-Abonnement.

## Lösungsvorschlag

Ich zeige Sie an wegen Betrugs und weil Sie mich dick gemacht haben. ◼ Ich schlage Ihnen vor, dass Sie Ihr
Produkt vom Markt nehmen oder verändern und dass Sie mir die Kosten für mein Fast-Food-Abonnement
zurückzahlen. ◼ Fressen Sie Ihren Mist doch selbst!! ◼ Ich möchte Sie bitten, mir die Kosten für mein
Abonnement zurückzuzahlen. Außerdem fordere ich Sie hiermit auf, mir die anstehenden Kosten für
Vitaminpräparate und Mineralientabletten zu ersetzen, weil sie von der Krankenkasse nicht gezahlt
werden. ◼ Ich fordere Sie hiermit auf, das Produkt sofort vom Markt zu nehmen, weil die Diät nicht
funktioniert. Außerdem erwarte ich, dass Sie mir die Kosten für das Fast-Food-Abonnement zurückzahlen.
Und senden Sie mir bitte umgehend die notwendigen Vitamin- und Mineralientabletten zu, die ich in den
kommenden Monaten nehmen muss, damit ich wieder gesund werde. Die Rechnung für mein Fitnessstudio,
in das ich nun gehe, um wieder abzunehmen, schicke ich Ihnen auch zu.

## Bedingungen stellen

Wenn Sie Ihr Produkt nicht vom Markt nehmen, werde ich Sie beim Verbraucherschutz anzeigen. ◼
Falls Sie mir die Kosten nicht erstatten, werde ich mich an eine Zeitung wenden und Ihr Produkt
genau beschreiben. ◼ Wenn Sie mir die Vitamin- und Mineralienpräparate nicht bezahlen, werde ich mir
einen Rechtsanwalt nehmen. Aber Sie können mir statt der Kosten für das Fitnessstudio auch einen
Einkaufsgutschein bei einem Kleidungsversandhaus schicken. ◼ Entweder gehen Sie auf meine Forderungen
ein, oder ich werde Sie wegen Betrugs verklagen. ◼ Entweder gehen Sie auf meine Forderungen ein, oder Sie
bieten mir stattdessen eine Entschädigung an.

## Frist setzen

Also kapiert? Und ich krieg dann bis Samstag eine Antwort von Ihnen! ◼ Bitte bestätigen Sie mir innerhalb
von drei Tagen den Eingang meines Schreibens.

## Grußformel

Mit freundlichen Grüßen, Ihr (Name) ◼ Mit freundlichen Grüßen (Name) ◼ Alles Gute, Ihr (Name) ◼
Auf Wiedersehen (Name) ◼ (Name)

## Anlage

Attest vom Arzt ◼ Damit Sie sehen, was Sie verschuldet haben.

**35** Lesen Sie die Situationsbeschreibung und schreiben Sie dann eine angemessene Beschwerde. Beachten Sie auch die formalen Kriterien.

Situation: Sie bestellen Ihre Garderobe seit vielen Jahren bei dem **Versandhaus prompt und sicher** in Frankfurt, Sonnenstraße 13 A, E-Mail: kundenservice@prompt-und-sicher.de

Sie haben drei Sommerkleider bestellt.
Diese sind zwei Wochen zu spät geliefert worden.
Statt Größe 36 haben die Kleider Größe 52.
Die drei Kleider sollen abgeholt werden.
Sie möchten die drei Kleider in der richtigen Größe geliefert bekommen.
Sie möchten eine Expresslieferung, weil Sie in drei Tagen in Urlaub fahren.
Sie möchten die Expresslieferung kostenlos.
Das geht nicht?! Dann möchten Sie die Kleider an die Urlaubsadresse geliefert bekommen.

## FOKUS GRAMMATIK: Test

**36** Mittendrin in einer Handlung (Verlaufsformen)

**ⓐ** Welche der kursiven Sätze drücken aus, dass jemand in diesem Augenblick etwas macht? Kreuzen Sie an.

1 Könnten Sie später noch einmal anrufen? *Frau Müller spricht gerade.* ☐
2 Kommst du bitte mal her? *Ich möchte mit dir sprechen.* ☐
3 *Der hat geredet und geredet.* Der hat gar nicht mehr aufgehört. ☐
4 *Der ist mal wieder am Reden.* Da kannst du lange warten, bis er aufhört. ☐
5 *Sie ist gerade dabei,* sich auf ihr Gespräch vorzubereiten. ☐
6 Einen Moment. *Sie ist gerade beim Essen.* ☐

**ⓑ** Welche Formen verwendet man eher in der mündlichen Sprache (a), welche in der Schriftsprache und in der mündlichen Sprache (b)? Kreuzen Sie an.

|  | a | b |  |  | a | b |
|---|---|---|---|---|---|---|
| 1 gerade | ☐ | ☐ | 4 *am* + nominalisierter Infinitiv | | ☐ | ☐ |
| 2 im Moment / Augenblick | ☐ | ☐ | 5 *beim* + nominalisierter Infinitiv | | ☐ | ☐ |
| 3 dabei sein, etwas zu tun | ☐ | ☐ | | | | |

**37** Aufforderungen im Kontext

**ⓐ** Welche Aufforderungen sind unangemessen (zu höflich, zu unhöflich)? Kreuzen Sie an.

1 Komm mal! Ich brauche deine Hilfe! ☐
2 Hammer. – Nagel. – Da, halt mal eben. – Bisschen höher. – Gut so! ☐
3 Hättest du die Freundlichkeit, mir beim Tragen zu helfen? ☐
4 Frau Müller, könnten Sie eben mal bei mir vorbeikommen? ☐
5 Komm jetzt endlich! Es ist schon spät! ☐
6 Sie erledigen das bitte bis morgen. Verstanden? ☐
7 Hiermit beauftragen wir Sie mit der Planung dieses Projekts. ☐
8 Dann müssen Sie hier nur noch unterschreiben, und der Vertrag ist perfekt. ☐

**ⓑ** Welche Aussage stimmt? Kreuzen Sie an.

1 Im Deutschen gibt es verschiedene Möglichkeiten, Aufforderungen auszudrücken. ☐
2 Der Konjunktiv wirkt immer höflich. ☐
3 Es hängt von der Situation und dem Gesprächspartner an, welche Form man verwendet. ☐
4 Der Imperativ ist immer unhöflich. ☐

**ÜBUNG ZU PRÜFUNGEN: Steht das im Text?**

**38**

Lesen Sie die folgenden Aussagen. Lesen Sie danach den Text.
Entscheiden Sie dann: Stimmt die Aussage (ja), stimmt die Aussage nicht (nein)
oder sagt der Text dazu nichts aus (?). Kreuzen Sie an.

# Fairer Handel mit System

**Die Verbindung ging auf und bescherte dem Franchise-Unternehmen Contigo dank hochwertigem Fair-Trade-Kaffee, Röstung vor den Augen der Gäste und Handwerkskunst aus aller Welt satte Umsätze.**

Ein intensiver Geruch nach geröstetem Kaffee empfängt den Besucher des Contigo Fair Trade Shops in Göttingen. Handwerkskunst und Schmuck liegen im weitläufigen Shoppingbereich aus. Die großen gelben Keramikschütten ziehen den Blick des Betrachters sofort auf sich. Kaffee aus aller Welt sowie mehrere Melange- und Espresso-Spezialitäten finden sich hier. Sortenrein und mit Sorgfalt von Kleinbauern erzeugt, die für ihren Kaffee fair entlohnt wurden. Die Bar und Degustationsstation[1] im Hintergrund ermöglicht es Kaffeeliebhabern, in afrikanische oder mittelamerikanische Welten einzutauchen.

Seit 1975 gibt es die sogenannten Weltläden mit dem Motto „Gerechte Preise für die Dritte Welt". Frischen Wind in die Entwicklung der fairen Non-Profit-Läden bringt das Unternehmen Contigo seit 1993. Das Konzept ist ein Fachgeschäft für fairen Handel, das in den Innenstadtlagen unternehmerisch und ergebnisorientiert arbeiten soll. 1994 entstand in Göttingen das erste Geschäft und bereits in der Vorbereitungszeit wurde auf ein Franchisekonzept gesetzt. Nach einem halben Jahr erreichte der Gründer und ehemalige gepa[2]-Geschäftsführer Ingo Herbst das angestrebte Umsatzniveau. 1998 kam es zu Neugründungen in Herborn, Bremen und Lübeck; danach folgten Kassel, Berlin, Bonn und Hannover. Parallel entstand die Contigo Beteiligungs GmbH, die Finanzierung, Wareneinkauf und Existenzgründung der Partner unterstützt.

[1] degustieren = probieren
[2] Name einer Firma

| | ja | nein | ? |
|---|---|---|---|
| 1  Der Kaffee wird in den Contigo Fair Trade Shops selbst geröstet. | ☐ | ☐ | ☐ |
| 2  Im Contigo Fair Trade Shop kann man zahlreiche Kaffeesorten probieren. | ☐ | ☐ | ☐ |
| 3  In Deutschland gab es bis 1993 keine Unternehmen wie die Contigo Fair Trade Shops. | ☐ | ☐ | ☐ |
| 4  In den Contigo Fair Trade Shops dürfen nur Produkte verkauft werden, die ohne Kinderarbeit produziert werden. | ☐ | ☐ | ☐ |
| 5  Contigo Fair Trade Geschäfte sind Fachgeschäfte, die in den Innenstädten liegen und deshalb großen Gewinn machen müssen. | ☐ | ☐ | ☐ |
| 6  Es wurde viel Werbung gemacht, und deshalb konnte das geplante Umsatzniveau schnell erreicht werden. | ☐ | ☐ | ☐ |
| 7  Auch in anderen Städten wurden Contigo Fair Trade Shops eröffnet. | ☐ | ☐ | ☐ |

**39** Welche Links würden Sie wem empfehlen? Ordnen Sie zu.

**A** „Nächsten Monat fang ich meinen Job in Österreich an. Und jetzt wollen die wissen, wohin sie mein Geld in Österreich überweisen sollen. Keine Ahnung." ...................

**B** „Wie soll ich das denn bezahlen, wenn ich was im Ausland kaufe und mir zuschicken lasse?" ...................

**C** „Ich würde mir so gern eine Wohnung kaufen, aber ..." ...................

**D** „Ich heirate doch morgen – und dann muss ich doch wahrscheinlich irgendwie meine Familie absichern und wie das dann mit den Steuern ist. Isi bringt ja auch zwei Kinder mit in die Ehe." ...................

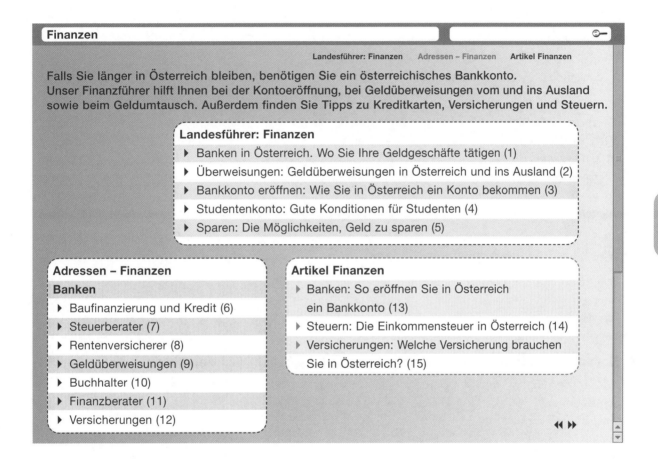

**Finanzen**

Landesführer: Finanzen    Adressen – Finanzen    Artikel Finanzen

Falls Sie länger in Österreich bleiben, benötigen Sie ein österreichisches Bankkonto.
Unser Finanzführer hilft Ihnen bei der Kontoeröffnung, bei Geldüberweisungen vom und ins Ausland
sowie beim Geldumtausch. Außerdem finden Sie Tipps zu Kreditkarten, Versicherungen und Steuern.

**Landesführer: Finanzen**
▸ Banken in Österreich. Wo Sie Ihre Geldgeschäfte tätigen (1)
▸ Überweisungen: Geldüberweisungen in Österreich und ins Ausland (2)
▸ Bankkonto eröffnen: Wie Sie in Österreich ein Konto bekommen (3)
▸ Studentenkonto: Gute Konditionen für Studenten (4)
▸ Sparen: Die Möglichkeiten, Geld zu sparen (5)

**Adressen – Finanzen**

**Banken**
▸ Baufinanzierung und Kredit (6)
▸ Steuerberater (7)
▸ Rentenversicherer (8)
▸ Geldüberweisungen (9)
▸ Buchhalter (10)
▸ Finanzberater (11)
▸ Versicherungen (12)

**Artikel Finanzen**
▸ Banken: So eröffnen Sie in Österreich ein Bankkonto (13)
▸ Steuern: Die Einkommensteuer in Österreich (14)
▸ Versicherungen: Welche Versicherung brauchen Sie in Österreich? (15)

◂◂ ▸▸

# B Farbenspiel

**WORTSCHATZ: Farben** ········▶ zu Kursbuch Seite 25

**1** Rund um Farben

**ⓐ** Mehr oder weniger Farbe? Tragen Sie den passenden Buchstaben ein.

a wenig Farbe
b viel Farbe
c andere Bedeutung

| | | | | | |
|---|---|---|---|---|---|
| 1 hellgelb ☐ | 4 blassgelb ☐ | 7 tiefgrün ☐ |
| 2 knallrot ☐ | 5 mattschwarz ☐ |
| 3 dunkelgrün ☐ | 6 zartgrün ☐ |

| | | | |
|---|---|---|---|
| 8 ein frisches Grün ☐ | 15 ein sattes Grün ☐ |
| 9 ein schrilles Gelb ☐ | 16 ein warmes Blau ☐ |
| 10 ein grelles Orange ☐ | 17 ein kaltes Grün ☐ |
| 11 ein dezentes Grau ☐ | 18 ein freundliches Blau ☐ |
| 12 ein zartes Blau ☐ | 19 ein dunkles Rot ☐ |
| 13 ein quietschendes Grün ☐ | 20 ein elegantes Blau ☐ |
| 14 ein leuchtendes Rot ☐ | |

**ⓑ** Was bedeuten die Farbkombinationen?

blaugrün   *ein bläuliches Grün*

rotbraun   .................................................

schwarzbraun   .................................................

**ⓒ** Nomen und Farben. Welche Kombinationen sind möglich? Kreuzen Sie an.

| | grün | rot | gelb | braun | grau | blau | weiß |
|---|---|---|---|---|---|---|---|
| maus | ☐ | ☐ | ☐ | ☐ | ☐ | ☐ | ☐ |
| apfel | ☐ | ☐ | ☐ | ☐ | ☐ | ☐ | ☐ |
| blüten | ☐ | ☐ | ☐ | ☐ | ☐ | ☐ | ☐ |
| blut | ☐ | ☐ | ☐ | ☐ | ☐ | ☐ | ☐ |
| gold | ☐ | ☐ | ☐ | ☐ | ☐ | ☐ | ☐ |
| gras | ☐ | ☐ | ☐ | ☐ | ☐ | ☐ | ☐ |
| himmel | ☐ | ☐ | ☐ | ☐ | ☐ | ☐ | ☐ |
| kirsch | ☐ | ☐ | ☐ | ☐ | ☐ | ☐ | ☐ |
| nuss | ☐ | ☐ | ☐ | ☐ | ☐ | ☐ | ☐ |
| schnee | ☐ | ☐ | ☐ | ☐ | ☐ | ☐ | ☐ |
| zitronen | ☐ | ☐ | ☐ | ☐ | ☐ | ☐ | ☐ |

**ⓓ** Wer sind ...? Ordnen Sie zu.

| | | | |
|---|---|---|---|
| 1 die Schwarzen | a linke Parteien |
| 2 die Roten | b Partei für ältere Menschen |
| 3 die Gelben | c christlich-konservative Parteien |
| 4 die Grünen | d liberale Partei |
| 5 die Grauen | e ökologische Parteien |

**e** Ergänzen Sie die passenden Verben.

Frisch gestrichen!

---

abfärben ■ anmalen ■ ausmalen ■
brennen ■ färben (2x) ■ kleiden ■ streichen

---

1 Im Herbst sind die Wälder bei uns besonders schön. Da ............................ sich alle Blätter in bunten Farben.

2 Und in diesem Jahr ............................ wir den Gartenzaun wieder hellgrün, mein Lieber!

3 Die Gewinnerin war bei der Preisverleihung ganz in Schwarz/Rot ............................ .

4 Das rote Hemd hatte in der Waschmaschine ............................ , sodass er jetzt immer mit hellroten

statt mit weißen Hemden ins Büro kam.

5 Schau mal, Mama. Ich hab' das Schulheft vom Peter gelb ............................ .

6 Und jetzt ............................ ich meine Haare rot. Und zwar sofort.

7 Das Bild mit dem Clown hast du aber schön ............................ .

8 Eine braun ............................ Haut ist nicht immer erholt und gesund.

RTIEFUNG

**2**

## Lesen Sie die folgenden Ausdrücke und Wendungen mit Farben und ordnen Sie die Bedeutungen zu.

**a** Blau

---

**a** falsche Beratung ■ **b** Ausflug ohne vorher bekanntes Ziel ■ **c** schlimme Konsequenzen ■
**d** nicht zur Arbeit gehen

---

1 Ab Mai wieder jeden Samstag bei Omnibus-Kramer: Fahrt ins Blaue. ☐

2 Mit diesen Aktien Gewinne machen? Da hat dir dein Bankberater wohl das Blaue
vom Himmel versprochen. ☐

3 Auf keinen Fall sollte man am Tag nach einer betrieblichen Weihnachtsfeier blaumachen. ☐

4 Wenn du so weitermachst, wirst du noch dein blaues Wunder erleben. ☐

**b** Schwarz

---

**a** gedruckt ■ **b** keine Hoffnung ■ **c** Arbeit ohne Anmeldung ■ **d** unendlich lange ■ **e** total

---

1 Es kommt jetzt kein Bus mehr, da kannst du warten, bis du schwarz wirst. ☐

2 Das wird nicht besser! Da seh' ich schwarz. ☐

3 Hier, lies doch. Da steht's doch schwarz auf weiß. ☐

4 Und am Ende hat der gegnerische Torwart alle Elfmeter gehalten.
Die haben sich schwarzgeärgert, die Fans. ☐

5 Schwarzarbeit führt zu Steuerausfällen in Milliardenhöhe. ☐

**c** Rot

---

**a** verlegen ■ **b** Platzverweis ■ **c** totale Ablehnung ■ **d** sehr zornig

---

1 Wenn ich den schon sehe! Der ist für mich absolut ein rotes Tuch. ☐

2 Als die mich alle so angeschaut haben – ich glaube, da bin ich ganz schön rot geworden. ☐

3 Noch ein Foul, dann gibt's die Rote Karte. ☐

4 Der hat sich so geärgert. Der ist ganz rot angelaufen. ☐

**d) Grün**

a unerfahren ■ b erfolglos ■ c aufs Land ■ d in Ordnung

1 Mit deiner Faulheit kommst du nie auf einen grünen Zweig.  ☐
2 Und, wie läuft's? Kein Problem, alles im grünen Bereich!  ☐
3 Und am Sonntag machen alle eine Fahrt ins Grüne.  ☐
4 Komm, hör auf, hier so klug rumzureden. Du bist doch noch ganz grün hinter den Ohren.  ☐

**e) weitere Farben**

a wolkenverhangen ■ b große Sorgen ■ c Führender bei der Tour de France ■ d zu positive Perspektive ■
e ohne Bedeutung für die Praxis ■ f nichts Unrechtes getan haben

1 Was Sie hier behaupten, ist doch alles nur graue Theorie.  ☐
2 Unser Vereinsvorstand hat eine weiße Weste. Da können Sie ganz sicher sein.  ☐
3 Durch die rosarote Brille gesehen werden alle Probleme ein Stückchen kleiner.  ☐
4 So ein kleiner Verlust an der Börse lässt mir noch keine grauen Haare wachsen.  ☐
5 So ein grauer Himmel ist für Sonnenhungrige im Urlaub wirklich das Letzte.  ☐
6 Im gelben Trikot möchte so mancher nach Paris.  ☐

**GRAMMATIK: Wortbildung Nomen** ⟶ zu Kursbuch Seite 26

WIEDERHOLUNG

**3** -heit, -keit, -er, -erin, -nis, -ung, -ei, -lein, -chen, -e

**a) Lesen Sie die Wörter, ergänzen Sie und kreuzen Sie an.**

|  | kommt von | Nomen | Verb | Adjektiv | Endung | m | f | n |
|---|---|---|---|---|---|---|---|---|
| Heiterkeit | heiter | ☐ | ☐ | ☒ | keit | ☐ | ☒ | ☐ |
| Bäcker | | ☐ | ☐ | ☐ | | ☐ | ☐ | ☐ |
| Tänzerin | | ☐ | ☐ | ☐ | | ☐ | ☐ | ☐ |
| Klugheit | | ☐ | ☐ | ☐ | | ☐ | ☐ | ☐ |
| Verständnis | | ☐ | ☐ | ☐ | | ☐ | ☐ | ☐ |
| Meinung | | ☐ | ☐ | ☐ | | ☐ | ☐ | ☐ |
| Bäckerei | | ☐ | ☐ | ☐ | | ☐ | ☐ | ☐ |
| Häuslein | | ☐ | ☐ | ☐ | | ☐ | ☐ | ☐ |
| Würstchen | | ☐ | ☐ | ☐ | | ☐ | ☐ | ☐ |
| Wärme | | ☐ | ☐ | ☐ | | ☐ | ☐ | ☐ |

**b) Ergänzen Sie die Artikelregeln.**

1 Nomen mit den Endungen ............................................ sind immer maskulin.

2 Nomen mit den Suffixen ............................................ sind immer feminin.

3 Nomen mit den Endungen ............................................ sind immer neutral.

**4** -ität, -schaft, -ion, -ismus: Lesen Sie die Wörter, ergänzen Sie und kreuzen Sie an.

|  | kommt von | Nomen | Verb | Adjektiv | Endung | m | f | n |
|---|---|---|---|---|---|---|---|---|
| Autorität | autoritär | ☐ | ☐ | ☒ | ität | ☐ | ☐ | ☐ |
| Seriosität | seriös | ☐ | ☐ | ☒ | | ☐ | ☐ | ☐ |
| Aktivität | | ☐ | ☐ | ☐ | | ☐ | ☐ | ☐ |

| | kommt von | Nomen | Verb | Adjektiv | Endung | m | f | n |
|---|---|---|---|---|---|---|---|---|
| Aggressivität | aggressiv | ☐ | ☐ | ☒ | | ☐ | ☐ | ☐ |
| Nervosität | | ☐ | ☐ | ☐ | | ☐ | ☐ | ☐ |
| Neutralität | | ☐ | ☐ | ☐ | | ☐ | ☐ | ☐ |
| Qualität | qualitativ | ☐ | ☐ | ☒ | | ☐ | ☐ | ☐ |
| Leidenschaft | | ☐ | ☐ | ☐ | | ☐ | ☐ | ☐ |
| Bekanntschaft | | ☐ | ☐ | ☐ | | ☐ | ☐ | ☐ |
| Verwandtschaft | | ☐ | ☐ | ☐ | | ☐ | ☐ | ☐ |
| Hilfsbereitschaft | | ☐ | ☐ | ☐ | | ☐ | ☐ | ☐ |
| Intuition | intuitiv | ☐ | ☐ | ☒ | | ☐ | ☐ | ☐ |
| Aggression | aggressiv | ☐ | ☐ | ☒ | | ☐ | ☐ | ☐ |
| Kombination | | ☐ | ☐ | ☐ | | ☐ | ☐ | ☐ |
| Inspiration | inspirieren | ☐ | ☒ | ☐ | | ☐ | ☐ | ☐ |
| Individualismus | individuell | ☐ | ☐ | ☒ | | ☐ | ☐ | ☐ |
| Egoismus | egoistisch | ☐ | ☐ | ☒ | | ☐ | ☐ | ☐ |
| Sozialismus | | ☐ | ☐ | ☐ | | ☐ | ☐ | ☐ |

**5** Weitere Endungen

**a** Was machen diese Personen? Übersetzen Sie die Wörter in Ihre Muttersprache.

1 Direktor, Autor, Doktor, Professor
2 Redakteur, Jongleur, Regisseur
3 Student, Präsident, Agent, Absolvent
4 Praktikant, Demonstrant
5 Journalist, Artist, Zivilist, Terrorist, Polizist

**b** Welchen Artikel haben die Wörter in a? Notieren Sie die weiblichen Formen.

**c** Lesen Sie die Sätze. Internationalismen lassen sich oft leicht verstehen.
Was bedeuten die unterstrichenen Wörter.

1 Mata Hari wurde wegen angeblicher Spionage zum Tode verurteilt.
2 Meinen Mann können Sie jetzt nicht sprechen. Der ist die ganze Woche auf Montage.
3 Die ganze Konkurrenz war auf der Konferenz und zeigte Präsenz. Es gab aber keine Differenzen.
4 Ich darf nun die nächsten Kandidaten begrüßen: ...
5 Das Resultat seiner Politik war ein Attentat auf seine Person.

**6** Achtung: Vorsicht vor „falschen Freunden"! Manchmal sind Wörter
in Ihrer Muttersprache ähnlich, bedeuten aber etwas anderes.
Lesen Sie die Wörter und klären Sie ihre Bedeutung mit dem Wörterbuch.

1 Direktor – Regisseur
2 Student – Schüler
3 Genie – Flaschengeist
4 Präservativ – Konservierungsmittel

WIEDERHOLUNG

**7** *nicht* und *kein-*

**a** Ergänzen Sie *nicht* oder *kein-*.

1 Ich komme heute ...................... .

2 Dieser Zug fährt heute ...................... nach Hamburg.

3 Nein, leider kam ...................... Taxi.

4 Nein, heute brauche ich das Auto ...................... .

5 Also, so geht das wirklich ...................... .

6 Ist das kalt! Und ich habe ...................... Handschuhe dabei.

7 Mir geht's heute ...................... gut.

8 Hast du mich denn ...................... gesehen?

**b** *nicht* oder *kein-*? Negieren Sie die Sätze.

1 Ich mag diesen Sänger.

2 Ich mag Walzermusik.

3 Das ist ein schöner Titel.

4 Aber ich kenne ihn.

**c** Was ist richtig? Ergänzen Sie *nicht / kein-*.

1 Einen ganzen Satz negiert man mit .............................. .

2 Unbestimmte Satzteile negiert man mit .............................. .

Wo steht *nicht*? Wo steht *kein-*? Machen Sie eine Tabelle und tragen Sie die Sätze aus a ein. Kreuzen Sie dann die richtige Antwort an.

| Satzanfang | Verb | Satzmitte | Satzende/Verb |
|---|---|---|---|
| Ich | komme | heute nicht | |
| Dieser Zug | fährt | heute nicht | nach Hamburg |

**d** In der Regel steht *nicht*

a ☐ direkt nach dem Verb.

b ☐ vor dem Satzende.

**e** Ergänzen Sie *noch nicht*, *schon* und *kein- ... mehr*.

1 Nein, wir sind .............................. zu Hause.

2 Jetzt sind wir .............................. zehn Stunden unterwegs.

3 Kein Problem, es ist .............................. zu spät.

4 Ich habe aber .............................. Lust .............................. .

5 Und außerdem bin ich .............................. ziemlich müde.

6 Nein, ich habe jetzt wirklich .............................. Zeit .............................. .

**8** Weitere Negationswörter

**ⓐ** Notieren Sie das Gegenteilwort.

1  nichts                  *etwas*......................

2  nirgends, nirgendwo        ..................................

3  nie, niemals                 ..................................

4  nein                        ..................................

5  niemand, keiner            ..................................

6  keinesfalls, auf keinen Fall, keineswegs    ..................................

**ⓑ** Ergänzen Sie eine passende Antwort.

Das Verhör

1  ● Störe ich Sie gerade?               ■ Nein,       ..............................

2  ● Haben Sie jemanden gesehen?       ■ Nein,      *niemanden*..........

3  ● Haben Sie etwas gehört?            ■ Nein,       ..............................

4  ● Sind Sie schon einmal dort gewesen?    ■ Nein, noch ..............................

5  ● Ich habe Sie schon einmal gesehen.     ■ Nein,       ..............................

**ⓒ** Ergänzen Sie *nicht* oder *nichts*.

1  Wenn man ........................ tut, kann sich auch ........................ ändern.

2  Nein, dich meine ich ........................ .

3  Sie ist immer noch ........................ da. Ich hoffe nur, es ist ........................ passiert.

4  Komm, machen wir weiter. Alles oder ........................ .

**9** Negation mit Vorsilben und Nachsilben

**ⓐ** Irgendetwas stimmt hier nicht. Korrigieren Sie die Aussagen mit passenden Vorsilben.

1  Niemand lachte. Da sah der Clown ziemlich glücklich aus.
2  Der Kuchen schmeckt überhaupt nicht. Der ist einfach genießbar.
3  Wenn du dich nicht so verständlich ausgedrückt hättest, wäre das Ganze nicht passiert.
4  Ein Sprung aus 50 Zentimeter Höhe ist ziemlich gefährlich.
5  Das habe ich so nicht gesagt. Da hast du mich verstanden.

**ⓑ** Lesen Sie die Wörter. Welche Nachsilben drücken eine Negation aus?
Kreuzen Sie an und notieren Sie die Bedeutung.

☐ liebevoll           ..................................................

☐ erfolglos          *ohne Erfolg*............................

☐ inhaltsleer        ..................................................

☐ kalorienreich      ..................................................

☐ alkoholfrei        ..................................................

☐ kalorienarm       ..................................................

☐ fetthaltig/fettreich    ..................................................

**10** Bilden Sie Sätze mit *weder ... noch*.

1 Kaum zu glauben: Manche Menschen besitzen kein Handy und keinen Computer.

*Kaum zu glauben: Manche Menschen besitzen weder ein Handy noch einen Computer.*

2 Viele Menschen können nicht schreiben und nicht lesen.

.................................................................................................................................

3 Außer in Filmen gibt es keine Außerirdischen und keine Ufos.

.................................................................................................................................

4 Eine Reklamation ist zulässig, wenn nach dem Umzug Telefon und Internet nicht funktionieren.

.................................................................................................................................

**11**

Verstärkung der Negation. Ergänzen Sie *gar, überhaupt, auch*.
Es gibt mehrere Möglichkeiten. Hören Sie dann alle Möglichkeiten.

1 Sie haben also ........................... nichts gehört?

2 Und ........................... niemanden gesehen?

3 Darüber hinaus sind Sie ........................... nie an diesem Platz gewesen?

4 Dann habe ich ........................... keine Fragen mehr!

**12**

Kurze Anworten
Lesen Sie die folgenden Dialoge. Die Antworten sind zu lang.
Hören Sie dann die Dialoge und streichen Sie, was Sie nicht gehört haben.

1 ● Liebling, hast du mich gerufen?
  ■ Ja, ich habe dich gerufen.
  ● Was ist denn?
  ■ Ach nichts ist! Schon gut.

2 ● Soll ich dir beim Tragen helfen? Komm, ich nehme dir die Tasche ab.
  ■ Halt! Nimm mir die Tasche nicht ab! Oh je. Die Eier!

3 ● Wie soll ich das verstehen? Frau Stock wurde gekündigt?
  ■ Keineswegs haben wir Frau Stock gekündigt. Wir haben sie befördert, und sie hat jetzt ein neues Büro.
  ● Ach, Frau Stock ist tatsächlich befördert worden?

4 ● So, jetzt geh' ich aber mal wieder. Ich habe dich lange genug aufgehalten.
  ■ Du hast mich überhaupt nicht aufgehalten. Komm doch wieder mal vorbei.

5 ● Glaubst du, dass sie mit ins Konzert gehen darf?
  ■ Das wird ihr Vater kaum erlauben.

6 ● Gehen wir nächste Woche ins Theater?
  ■ Es ist mir recht, dass wir nächste Woche ins Theater gehen.

7 ● Würden Sie mir für morgen früh zehn Brötchen und sechs Hörnchen zurücklegen?
  ■ Es geht in Ordnung, dass ich Ihnen zehn Brötchen und sechs Hörnchen zurücklege!

8 ● Wo willst du hin zum Essen? Zum Italiener oder zum Thailänder?
  ■ Es ist mir beides recht, wenn wir zum Italiener gehen oder zum Thailänder.

9 ● Über welches Thema soll ich denn schreiben?
  ■ Es ist uns eigentlich egal, über welches Thema Sie schreiben wollen. Hauptsache,
    es kommt ein spannender Artikel dabei raus.

**13 ⓐ Dada-Liquid-Farbengedicht**
**Hören Sie das Gedicht. Hören Sie noch einmal und sprechen Sie nach.**

orange rosa purpurrot
karmesin zinnober
umbra ocker braungebrannt

hellblond falb neapelgelb
elfenbein gold silber
violett lila kobaltblau

preußischblau ultramarin
chromgelb krapplack olivgrün
scharlachrot zitronengelb

sepia siena indigo
cyan weiß magenta

graue schwarze nacht

**ⓑ Chamäleon-Buchstaben**

① Hören Sie die beiden Textauszüge. Sortieren Sie dann die Wörter, in denen ein Buchstabe
farbig markiert ist, nach der Aussprache dieses farbigen Buchstabens im betreffenden Wort.

In einer besonders schwungvollen Passage seiner Erzählung „Genie und Gentleman" zeigt der Autor,
wie seine Protagonistin, eine ehemalige Miss Germany, sich mächtig geniert,
weil es ihr nicht gelingt, bei minus zehn Grad Quittengelee auf ihr Butterbrot zu schmieren.

| 1 schwungvoll | 2 Passage | 3 Gentleman | 4 zeigt | 5 mächtig |
|---|---|---|---|---|
| Erzählung | | | | |

Nur eben mal so zwischen Lunch und Abendbrot lässt sich ein Techno-Hit nicht aus dem Hut zaubern.
Die Popmusik-Branche steckt viel Mühe und Technologie in dieses organisierte Chaos aus Klang und Rhythmus.
Doch nur wenn die Chemie stimmt, wird aus einem Sound auch ein Erfolg.

| 6 Lunch | 7 sich | 8 Techno | 9 doch |
|---|---|---|---|
| | | | |

② Hören Sie noch einmal und sprechen Sie nach.

③ Gibt es Wörter, die Ihnen wegen Ihrer Muttersprache besonders leichtfallen?
Und gibt es auch welche, die Ihnen genau deshalb besonders schwerfallen? Üben Sie diese gesondert.

**14** Kurze Antworten

**20 a** Hören Sie die Kurzgespräche.
Hören Sie noch einmal und sprechen Sie die Antworten nach.

1 Diese Bluse würde mir an dir sehr gefallen. Kauf sie doch, bitte! – Auf keinen Fall!
2 Schau, hier ist ein Modegeschäft. Was brauchst du? – Gar nichts.
3 Was kostet der Anzug überhaupt? – Keine Ahnung.
4 Ich finde, dieser Rock ist viel zu kurz. – Keineswegs.
5 Würdest du eine solche Hose tragen? – Niemals!
6 Das Hemd dort, das solltest du zu deiner Abiturfeier tragen. – Nie im Leben!
7 Hast du dich schon für einen Pullover entschieden? – Noch nicht.
8 Ich finde, dass dieses Kleid mich dicker macht. – So ein Quatsch!
9 Ist dir die Jacke vielleicht zu modisch? – Überhaupt nicht!
10 Was gefällt dir denn hier? – Überhaupt nichts.
11 Die Farbe macht dich nicht blass. – Wirklich nicht?
12 Würdest du diesen Verkäufer in deinem Laden einstellen? – Wohl kaum.

**21 b** Hören Sie die Kurzgespräche.
Hören Sie noch einmal und sprechen Sie die Antworten nach.

1 Diese Bluse würde mir an dir sehr gefallen. Kauf sie doch, bitte! – Wenn du meinst.
2 Schau, hier ist ein Modegeschäft. Was brauchst du? – Alles!
3 Was kostet der Anzug überhaupt? – Ist doch egal, geht schon.
4 Ich finde, dieser Rock ist viel zu kurz. – Ich weiß.
5 Würdest du eine solche Hose tragen? – Ja sicher!
6 Das Hemd dort, das solltest du zu deiner Abiturfeier tragen. – Einverstanden.
7 Was, du nimmst alle Pullis? – Ja, damit wäre das Thema für die nächsten Jahre erledigt.
8 Macht mich dieses Kleid nicht kleiner und dicker? – Beides.
9 Ist dir die Jacke vielleicht zu modisch? – Ja, auf jeden Fall.
10 Was gefällt dir denn hier? – Ach, ich weiß noch nicht so genau, vielleicht die Bluse da.
11 Die Farbe macht dich blass. – Schon, oder?
12 Würdest du diesen Verkäufer in deinem Laden einstellen? – Sofort.

**SÄTZE BAUEN: verkürzte Sätze** ·······▶ zu Kursbuch Seite 26

**15** Verkürzte Sätze

**a** Reagieren Sie negativ. Es gibt manchmal mehrere Möglichkeiten.

Niemals! ■ Heute nicht. ■ Jetzt nicht. ■ Jetzt nicht! ■ Weder, noch. ■ Bestimmt nicht. ■
Noch nicht. ■ Auf keinen Fall. ■ Nie im Leben.

1 Gehst du mit ins Schwimmbad?
2 Kannst du mir mal bitte helfen?
3 Willst du ans Meer oder in die Berge?
4 Kommst du morgen Abend pünktlich nach Hause?
5 Hast du deine Hausaufgaben schon gemacht?
6 Gehst du am Sonntag mit zu Müllers? Wir sind eingeladen.

**b** Reagieren Sie positiv. Es gibt manchmal mehrere Möglichkeiten.

Ja, gern. / Gern. ■ Klar. ■ Beides. ■ Sowohl als auch. ■ Glaube ja. ■
Wahrscheinlich. ■ Gleich.

1 Gehst du mit ins Schwimmbad?
2 Kannst du mir mal bitte helfen?
3 Willst du ans Meer oder in die Berge?
4 Kommst du morgen Abend pünktlich nach Hause?
5 Hast du deine Hausaufgaben schon gemacht?
6 Gehst du am Sonntag mit zu Müllers? Wir sind eingeladen.

**c** Antworten Sie. Welche Antwort passt? Manchmal gibt es mehrere Möglichkeiten.

Sagt mir nichts. ■ Tatsächlich? ■ Einverstanden! ■ Macht nichts. ■ Ach, ich weiß nicht. ■ Wirklich nicht? ■ Egal! ■ Nicht wirklich, oder? ■ Macht doch nichts. ■ Klar!

1 ● Du kennst doch Rosi Mittermeier, die weltberühmte Skifahrerin, oder?

   ■ Nein. ...................................................

   ● ................................... Auf jeden Fall wäre die doch als Werbeträgerin für unser Sporthotel geeignet. Finde ich.

2 ■ Stell dir vor, Udo ist befördert worden.

   ● .......................................................

3 ● Ich hab' deine Tasse kaputtgemacht.

   ■ ................................... Konnte sie sowieso nicht leiden.

4 ■ Jetzt ist die Suppe versalzen. Und ausgerechnet heute, an deinem Geburtstag. Und ich hab' mir

   solche Mühe gegeben.

   ● .......................................................

5 ● Sollen wir deine Mitarbeiter mal zu einem Grillfest auf unserem Seegrundstück einladen?

   ■ .......................................................

6 ● Ich war noch nie im Leben betrunken. Im Ernst: Ich hatte nicht mal einen Schwips.

   ■ .......................................................

7 ● Mama, wenn ich heute Abend die Spülmaschine einräume, hilfst du mir dann, den Schal fertig zu stricken?

   ■ .......................................................

**10**

# C    Das passt nicht mehr!?

**WORTSCHATZ: Kleidung, Konfektion**    ┈┈▶ zu Kursbuch Seite 28

EDERHOLUNG

**16**    Kleidungsstücke
Welche Kleidungsstücke und Accessoires gehören zu Ihrer Garderobe? Kreuzen Sie an.
Tragen Sie Ihre Auswahl in eine Tabelle ein.

| | | | | |
|---|---|---|---|---|
| 1 Abendkleid ▢ | 11 Gürtel ▢ | 21 Kappe ▢ | 31 Regenmantel ▢ | 41 Strumpfhose ▢ |
| 2 Anzug ▢ | 12 Haarspange ▢ | 22 Kostüm ▢ | 32 Rock ▢ | 42 Trainingsanzug ▢ |
| 3 Armband ▢ | 13 Halstuch ▢ | 23 Krawatte ▢ | 33 Sakko ▢ | 43 T-Shirt ▢ |
| 4 Badehose ▢ | 14 Handschuhe ▢ | 24 Mütze ▢ | 34 Sandalen ▢ | 44 Turnschuhe ▢ |
| 5 BH ▢ | 15 Handtasche ▢ | 25 Nachthemd ▢ | 35 Schal ▢ | 45 Unterhemd ▢ |
| 6 Bikini ▢ | 16 Hausschuhe ▢ | 26 Ohrring ▢ | 36 Schlafanzug ▢ | 46 Unterhose ▢ |
| 7 Blazer ▢ | 17 Hemd ▢ | 27 Perlenkette ▢ | 37 Skianzug ▢ | 47 Unterrock ▢ |
| 8 Bluse ▢ | 18 Hut ▢ | 28 Pullunder ▢ | 38 Smoking ▢ | 48 Weste ▢ |
| 9 Brosche ▢ | 19 Jeans ▢ | 29 Pumps ▢ | 39 Socke ▢ | 49 Wintermantel ▢ |
| 10 Fliege ▢ | 20 Jogginganzug ▢ | 30 Pyjama ▢ | 40 Stiefel ▢ | |

| Damenoberbekleidung Damengarderobe | Herrenoberbekleidung Herrengarderobe | Sportbekleidung | Schuhe | Accessoires Schmuck | Unterwäsche Nachtwäsche |
|---|---|---|---|---|---|
| | | | | | |

**Kleidungsstücke in Verbindung mit Verben**

**ⓐ Welche Verben passen? Schreiben Sie.**

absetzen ■ anlegen ■ anziehen ■ aufknöpfen ■ aufmachen ■ aufsetzen ■ abnehmen ■
auftragen ■ ausziehen ■ binden ■ tragen ■ wechseln ■ zuknöpfen ■ zumachen ■ umbinden

1 den Hut / die Mütze  *aufsetzen, absetzen, tragen*

2 die Jacke / das Jackett / den Mantel ..................................

3 die Kleider ..................................

4 die Krawatte ..................................

5 den Reißverschluss ..................................

6 den Schmuck ..................................

7 das Parfüm / Make-up ..................................

8 den Schal / das Halstuch ..................................

**ⓑ Wie gehen Sie aus dem Haus? Beschreiben Sie Ihr Outfit.**

**18 Kleidungsstücke: Muster, Farben, Qualität**

**ⓐ Welche Bezeichnung passt zu den Stoffmustern? Ordnen Sie zu.**

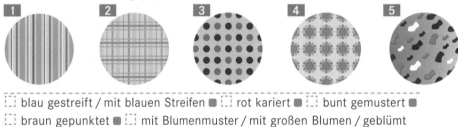

☐ blau gestreift / mit blauen Streifen ■ ☐ rot kariert ■ ☐ bunt gemustert ■
☐ braun gepunktet ■ ☐ mit Blumenmuster / mit großen Blumen / geblümt

**ⓑ Lesen Sie die Fragen und ordnen Sie die passenden Antworten zu.**

1 Aus welchem Material ist denn die Hose?

2 Ist die Tasche aus echtem Leder?

3 Ist die Bluse aus reiner Seide?

4 Ich suche einen warmen Wintermantel.

5 Ich möchte eine Jeans, möglichst ausgewaschen.

a Ja, das ist eine ganz besonders edle Qualität.

b Dieses Jahr ist aber ein gepflegtes Äußeres in, ausgewaschene Jeans sind „mega-out", junger Mann.

c Die ist aus reiner Baumwolle.

d Wie wäre es hier mit diesem, der ist aus einem ganz besonders dicken Stoff?

e Nein, das ist Kunstleder.

**19 Kleidergrößen**
**Ergänzen Sie die Kleidergrößen in Ihrem Heimatland.**

| Damen | | | Herren | | |
|---|---|---|---|---|---|
| Deutschland | international | Heimatland | Deutschland | international | Heimatland |
| 36 | XS | | 42 | XXS | |
| 38 | S | | 44 | XS | |
| 40 | M | | 46 | S | |
| 42 | L | | 48 | M | |
| 44 | XL | | 50 | M | |
| 46 | XXL | | 52 | L | |
| 48 | XXXL | | 54 | L | |
| | | | 56 | XL | |
| | | | 58 | XXL | |
| | | | 60 | XXXL | |

**20** In einer Abteilung für Damenbekleidung / Herrenbekleidung ...

22–25 **ⓐ** Hören Sie vier kurze Dialoge beim Einkaufen und entscheiden
Sie: Sind die Aussagen richtig oder falsch?

|  | | richtig | falsch |
|---|---|:---:|:---:|
| 1 | a Die Kundin findet, dass die Hose nicht richtig sitzt. Sie möchte die Hose eine Nummer größer probieren. | ☐ | ☐ |
|  | b Die Verkäuferin sagt, dass man die Hosen jetzt so trägt. | ☐ | ☐ |
|  | c Die Freundin sagt, dass ihr die Farbe gut steht. | ☐ | ☐ |
|  | d Die Kundin kauft die Hose. | ☐ | ☐ |
| 2 | a Die Kundin sucht einen warmen Blazer aus dickem/festem Stoff. | ☐ | ☐ |
|  | b Die Verkäuferin zeigt ihr verschiedene Modelle. | ☐ | ☐ |
|  | c Der Kundin gefällt ein Blazer, aber der ist viel zu teuer. | ☐ | ☐ |
|  | d Die Verkäuferin findet, dass der Blazer der letzte Schrei ist, deshalb muss man auch etwas mehr dafür ausgeben. | ☐ | ☐ |
| 3 | a Die Kundin hat vor einer Woche eine rote Bluse gekauft und möchte sie umtauschen. | ☐ | ☐ |
|  | b Als die Kundin am Abend zu Hause war, hat sie gemerkt, dass die Bluse zu eng ist. | ☐ | ☐ |
|  | c Die Kundin möchte die gleiche Bluse, aber in Gelb. | ☐ | ☐ |
|  | d Die Verkäuferin findet, dass Gelb der Kundin sehr gut steht. | ☐ | ☐ |
| 4 | a Der Kunde möchte einen Anzug umtauschen, den seine Mutter für ihn gekauft hat. | ☐ | ☐ |
|  | b Der Anzug passt nicht. Er ist zu weit. | ☐ | ☐ |
|  | c Die Verkäuferin möchte den Kassenbon sehen. | ☐ | ☐ |
|  | d Der Kunde möchte doch keinen neuen Anzug, sondern lieber einen Gutschein. | ☐ | ☐ |

**10**

**ⓑ** Ein Gespräch rekonstruieren
Verbinden Sie die „Gesprächsblasen" zu einem sinnvollen Dialog. Sie können auch Felder in
einer Ebene verbinden, ergänzen Sie dann *und*, *aber* ... . Sie haben mehrere Möglichkeiten.

In der Abteilung für Damenbekleidung

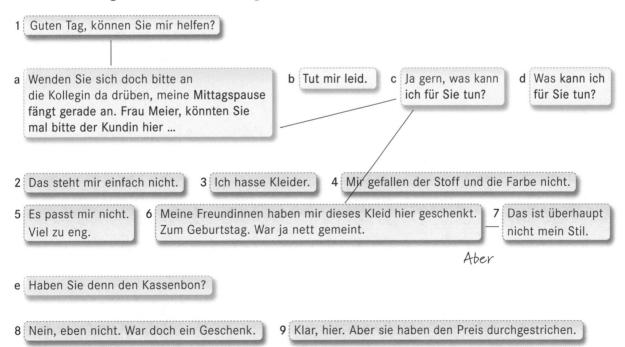

| f | Das macht doch nichts. Hauptsache, wir haben den Bon. | g | Dann kann ich leider nichts machen. Ohne Kassenbon kein Umtausch. | h | Oh, das war ja ein Sonderangebot. Also, reduzierte Ware ist grundsätzlich vom Umtausch ausgeschlossen. |

| i | So, ich kann Ihnen einen Gutschein geben oder Sie suchen sich etwas anderes in der Preisklasse aus. | j | Möchten Sie das Kleid vielleicht mal in einer anderen Farbe probieren? Und vielleicht eine Nummer kleiner? Ich glaube, das würde Ihnen in Blau sehr gut stehen. | k | Wir haben noch andere Modelle dieser Werbeaktion, alle in derselben Preislage. Da könnte ich eine Ausnahme machen. |

| 10 | Super, danke. Ich habe da ein süßes, blaues Kleid gesehen, wenn ich das mal in meiner Größe anprobieren könnte? | 11 | Oh je. Was mache ich denn da jetzt? | 12 | Nein, ich würde mir lieber einen Sommerpulli aussuchen, wenn das geht. |

**c** Lesen Sie die Sätze und ergänzen Sie. Überlegen Sie sich, welche Antwort passen könnte. Schreiben Sie.

1 ◆ Guten Tag, ich habe hier gestern die Bluse gekauft. Leider hat sie einen Fleck.

● ....................................................................................................................................

◆ Nein, den kann ich nicht finden. Aber ich habe mit Kreditkarte bezahlt. Da können Sie doch

nachgucken in Ihrem System, oder?

2 ◆ ....................................................................................................................................

● Gefällt mir ja gut, aber irgendwie habe ich das Gefühl, dass sie etwas enger sein dürfte.

◆ ....................................................................................................................................

3 ● Toller Schnitt, tolle Farbe. Aber irgendwie nicht mein Stil, was meinst du?

◆ ....................................................................................................................................

4 ◆ Die Form passt, aber die Farbe – entschuldigen Sie meine Offenheit – das Rot passt nicht zu Ihren

roten Haaren.

● ....................................................................................................................................

◆ Ja, hier, in Grün, ein ganz besonderes Grün. Schauen Sie mal hier, am Fenster, bei Tageslicht,

das steht Ihnen doch super.

● ....................................................................................................................................

**d** Modenschau: Abendkleider

Was könnte der Verkäufer sagen, um Werbung für seine Modelle zu machen?
Ergänzen Sie die Sprechblasen.
Verwenden Sie dazu auch die angebotenen Wendungen und Ausdrücke.

A

B

C

Modell Mara
in Gold oder Silber
mit Glitzer und Rüschen.
Bunte Stoffblumen in
Regenbogenfarben

Modell Olivia
eleganter Satin in den
Trendfarben der Saison:
rot, blau, weiß mit
Perlmuttperlen bestickt

Modell Flora
elegantes Rot,
changiert in Orange
auch in blau-türkis mit
Abendmantel erhältlich

10

... ist der letzte Schrei. ■ ... ist/liegt voll im Trend ■ mit ... liegen Sie voll im Trend ■
... ist die neue Trendfarbe für Abendkleider / Taschen / Schuhe / ... ■ Im Trend liegen in
diesem Frühjahr vor allem kräftige / zarte / leuchtende / grelle / helle / dunkle / ... Farben wie ...

**e** Überzeugen Sie die Kundin von einem der oben gezeigten Kleider.
Verwenden Sie auch die folgenden Wendungen und Ausdrücke.

... ist sehr elegant / sportlich / modisch / schick / ... ■ ... ist auf keinen Fall zu weit /
zu groß / zu eng / zu kurz / zu lang ... ■ Das trägt man in dieser Saison so.

Modell Mara

Modell Olivia

Modell Flora

**21** Modalpartikeln in Fragen

26 **a** Hören Sie die Fragen. Welche klingen freundlich (a), welche unfreundlich (b)?
Kreuzen Sie an.

|  | a | b |
|---|---|---|
| 1 Wie geht's dir denn? | ☐ | ☐ |
| 2 Was wollen Sie denn hier? | ☐ | ☐ |
| 3 Was ist mit dir? Bist du etwa krank? | ☐ | ☐ |
| 4 Der Schlüssel ist schon wieder weg! Wo hast du nur deinen Kopf? | ☐ | ☐ |
| 5 Die Soße ist lecker. Wie machst du die eigentlich? | ☐ | ☐ |
| 6 Haben Sie etwa gewusst, dass wir kurz vor der Pleite stehen? | ☐ | ☐ |
| 7 Was suchen Sie da eigentlich in meinem Schreibtisch? | ☐ | ☐ |

27 **b** Wie sind diese Fragen gemeint? Hören Sie und ordnen Sie zu.

A Man ist etwas ratlos.
B Man erwartet keine Antwort, sondern eine Bestätigung (rhetorische Frage).

1 Was soll ich bloß machen? ☐
2 Wie geht das nur? ☐
3 Habe ich dich vielleicht nicht unterstützt, als du meine Hilfe gebraucht hast? ☐
4 Was wäre ich bloß ohne dich? ☐
5 Bin ich denn an allem schuld? ☐
6 Habe ich das etwa nicht gesagt? ☐

28 **c** Welche Modalpartikeln passen? Kreuzen Sie an.
Es gibt manchmal mehrere Möglichkeiten.
Hören Sie anschließend die Sätze.

bloß ■ denn ■ doch ■ etwa ■ nur ■ vielleicht ■ eigentlich

1 Was machst du ☐denn ☐etwa ☐eigentlich gerade? (freundlich, interessiert)

2 Willst du ☐eigentlich ☐etwa ☐denn schon gehen? (Man erwartet keine positive Antwort.)

3 Was machst du ☐vielleicht ☐eigentlich ☐bloß die ganze Zeit? (ratlos)

4 Was hast du dir ☐etwa ☐bloß ☐eigentlich ☐denn ☐nur ☐vielleicht dabei gedacht? (unfreundlich)

5 Wollen Sie ☐eigentlich ☐nur ☐denn ☐vielleicht ☐etwa schon Schluss machen?

Wir sind noch nicht fertig! (unfreundlich)

6 Was wäre ich ☐nur ☐vielleicht ☐bloß ohne dich? (rhetorische Frage)

7 Was ist hier ☐nur ☐denn ☐eigentlich ☐bloß ☐etwa los? (ratlos)

8 Was ist hier ☐nur ☐denn ☐eigentlich ☐bloß ☐etwa los? (interessiert)

9 Habe ich dir ☐bloß ☐denn ☐etwa kein Geld gegeben? (rhetorische Frage)

**22** Modalpartikeln in Aussagen

29 **a** Hören Sie die Sätze. Was drückt man damit aus (a oder b)? Kreuzen Sie an.

1 Das macht doch nichts!
   a ☐ Das ist nicht so schlimm.
   b ☐ Du musst mehr tun.

2 Das gibt's doch nicht!
   a ☐ Hier gibt es nichts.
   b ☐ Mist! Was ist denn hier passiert?

3 Das kann doch nicht so schwer sein!
   a ☐ Das ist nicht schwer. Also mach es besser.
   b ☐ Vielleicht ist das zu schwer für dich.

30 **b** Hören Sie die Sätze. Was drückt man damit aus (a oder b)? Kreuzen Sie an.

1 Das ist ja schade!
   a ☐ Das ist schlecht, und das weißt du auch.
   b ☐ Das finde ich jetzt wirklich schade.

2 Das ist aber nett von Ihnen.
   a ☐ Das ist wirklich nett. Das hätte ich nicht erwartet.
   b ☐ Das ist nett, glauben Sie es mir.

3 Das Essen hier ist einfach nicht gut.
   a ☐ Das Essen hier ist einfach, und es ist auch nicht gut.
   b ☐ Das Essen hier ist nicht gut, das kannst du mir glauben.

4 Du bist ja doch gekommen!
   a ☐ Es ist eine Überraschung, dass du gekommen bist.
   b ☐ Ich will nicht, dass du kommst.

5 Wenn dir das rote Hemd nicht gefällt, dann nimm halt das blaue.
   a ☐ Du kannst das rote oder das blaue Hemd nehmen. Das ist mir egal.
   b ☐ Ich schlage vor, du nimmst jetzt das blaue Hemd.

6 Das blaue Hemd ist allerdings etwas zu groß.
   a ☐ Das blaue Hemd ist viel zu groß für dich.
   b ☐ Wenn ich mir das Hemd genauer anschaue: Es ist etwas zu groß.

7 Das ist vielleicht ein Wetter heute!
   a ☐ Das Wetter gefällt mir heute (nicht).
   b ☐ Das Wetter wird heute vielleicht besser.

8 Die Leute sind eben so.
   a ☐ Die Leute sind so, die kann man nicht ändern.
   b ☐ Die Leute sind so, aber ich finde das gut.

9 Hör auf zu schimpfen. Das macht man nun mal so.
   a ☐ Du solltest akzeptieren, dass man das so macht.
   b ☐ Ich mache das so, und du solltest das auch so machen.

10 Da hast du aber ein schönes Bild gemalt.
   a ☐ Ich bin ganz überrascht, dass du so ein schönes Bild gemalt hast.
   b ☐ Ich weiß, dass du so schöne Bilder malen kannst.

11 Du bist wohl verrückt geworden!
   a ☐ Du musst zum Arzt.
   b ☐ Was du gerade machst, ist total falsch. Hör auf damit!

**10**

31 **c** Reagieren Sie empört, überrascht oder gleichgültig.
Manchmal gibt es mehrere Möglichkeiten. Hören Sie dann die Sätze.

1 ● Ihr Auto ist fertig. Sie können es jetzt abholen.

   ■ Das ging ............................... schnell.

2 ● Leider ist Ihr Auto noch nicht fertig.

   ■ Das ist ............................... die Höhe! Jetzt bin ich ganz umsonst gekommen.

3 ● Wartest du immer noch auf deine Tochter?

   ■ Ja, und auf dem Handy ist sie nicht erreichbar.

   ● Das ist ............................... seltsam. Hast du es mal bei ihrer Freundin probiert?

4 Das ist ............................... schlecht, dass du den Schlüssel wieder vergessen hast. Wie sollen wir denn

   jetzt reinkommen?

5 ● Hast du ihr das ............................... erzählt?

   ■ Nein, so was würde ich nie machen.

6 ● Hier für dich, als Dankeschön.

   ■ Danke, das sind ............................... schöne Blumen.

7 ● Wenn du das nicht sofort zurücknimmst, dann geh' ich, und zwar für immer!

   ■ Na und? Ist mir ............................... egal.

32 **d** Weitere Verwendungen
Setzen Sie eine passende Modalpartikel ein. Es gibt mehrere Möglichkeiten.
Hören Sie dann die Sätze.

vielleicht ■ einfach ■ eben ■ nun mal ■ allerdings ■ doch

1 Was willst du denn? Es geht uns ............................... gut. Wenn wir auch ein bisschen Geld verloren haben.

2 Also, dieser Wein ist ............................... gut.

3 Wir haben den Auftrag ............................... nicht bekommen. Damit müssen wir leben.

4 Das hättest du ............................... wissen können.

5 Die Situation ist ............................... so. Da kann man nichts machen.

6 Und ich soll jetzt alles allein machen? Ihr seid ............................... gut!

7 Alle Aufgaben richtig. Siehst du, du kannst es ............................... !

8 Hast du gehört, was die gerade gesagt hat? Die spinnt ............................... .

9 Also, wie man Musik auf das Handy lädt, das weiß heute ............................... jedes Kind!

10 Du kannst sagen, was du willst. Dieser Koch ist ............................... ein Könner!

**23** Modalpartikeln in Aufforderungen

33 **a** Hören Sie die Sätze. Welche klingen freundlich (a), welche klingen unfreundlich (b)?
Kreuzen Sie an.

|  | a | b |
|---|---|---|
| 1 Jetzt hilf mir doch mal. | ☐ | ☐ |
| 2 Kommen Sie doch bitte rein! | ☐ | ☐ |
| 3 Nimm doch noch ein Stückchen. | ☐ | ☐ |
| 4 Frag nicht. Mach es einfach. | ☐ | ☐ |
| 5 Pass ja auf, was du sagst. | ☐ | ☐ |

6 Bleib doch noch ein bisschen.  ☐ ☐

7 Probieren Sie doch einfach mal diesen Anzug.  ☐ ☐

8 Sei doch vernünftig!  ☐ ☐

9 Gib mir doch mal einen Tipp.  ☐ ☐

10 Das kann so nicht weitergehen. Hören Sie bloß auf damit!  ☐ ☐

11 Jetzt beeil dich aber. Sonst fährt der Zug ohne uns ab.  ☐ ☐

12 Glauben Sie bloß nicht, dass Sie damit Erfolg haben.  ☐ ☐

13 Jetzt hör aber auf!  ☐ ☐

**34** **b** **Formulieren Sie die Aufforderungen freundlich (mithilfe der Modalpartikeln). Es gibt mehrere Möglichkeiten. Hören Sie dann die Sätze.**

1 Setzen Sie sich.

2 Trinken Sie eine Tasse Tee mit mir.

3 Bleiben Sie noch ein bisschen.

4 Kommen Sie wieder.

5 Bringen Sie Fotos mit.

**35** **c** **Formulieren Sie die Aufforderungen ungeduldig und streng (mithilfe der Modalpartikeln). Es gibt mehrere Möglichkeiten. Hören Sie dann die Sätze.**

1 Lass mich in Ruhe!

2 Sag jetzt nichts Falsches!

3 Geh!

4 Freu dich nicht zu früh!

5 Hör auf mit deinen Sprüchen!

6 Mach, was du willst! Aber beklag dich hinterher nicht bei mir.

7 Hör auf!

8 Werd nicht frech!

**24** **Wo stehen die Modalpartikeln im Satz?**
**Tragen Sie die Sätze in die Tabelle ein und kreuzen Sie die richtigen Antworten an.**

1 Da hast du aber ein schönes Bild gemalt.

2 Du bist ja doch gekommen!

3 Was hast du denn die ganze Zeit gemacht?

4 Du bist wohl verrückt geworden!

5 Leider ist Ihr Auto doch nicht fertig.

6 Sie ist einfach eine gute Köchin.

| | Satzanfang | Verb 1 | Satzmitte | Satzende / Verb 2 |
|---|---|---|---|---|
| 1 | Da | hast | du aber | ein schönes Bild gemalt |
| 2 | | | | |
| 3 | | | | |
| 4 | | | | |
| 5 | | | | |
| 6 | | | | |

Die Modalpartikeln stehen

☐ in der Satzmitte.  ☐ vor dem Satzende.

☐ am Satzende.  ☐ vor dem Negationswort *nicht*.

**25 ⓐ Hören und sprechen Sie die Sätze.**

36

1 Wie geht's dir denn?
2 Bist du etwa krank?
3 Was wollen Sie denn hier?
4 Die Soße ist aber lecker. Wie machst du die eigentlich?
5 Was ist da eigentlich los?

37 ⓑ
1 Das ist ja schade.
2 Das ist aber nett von dir.
3 Das Essen ist einfach schlecht.
4 Sie sind ja doch hier!
5 Der Zug wartet nicht auf uns. Das ist halt so.
6 Das ist vielleicht ein Chaos hier.
7 Da hast du allerdings recht.
8 Die Leute sind eben so, da kann man nichts machen.
9 Du spinnst wohl! Das kannst du doch nicht machen.
10 So ist es nun mal. Da kannst du nichts ändern.

38 ⓒ
1 Bleib doch noch ein bisschen.
2 Jetzt komm endlich! Wir müssen los.
3 Probieren Sie doch einfach mal diesen Anzug.
4 Ich kann das nicht mehr hören. Hör bloß auf damit!
5 Hilf mir doch mal!
6 Gib uns doch mal einen kleinen Hinweis auf die Lösung.
7 Jetzt beeil dich aber. Sonst kommen wir zu spät.
8 Sei ja vorsichtig mit der neuen Küchenmaschine.

---

**SÄTZE BAUEN: Fragen und Antworten im Alltagsgespräch** ……▸ zu Kursbuch Seite 28

**26 Fragen und Antworten im Alltagsgespräch**

ⓐ **Wählen Sie jeweils die passende Antwort aus. Achten Sie auf die angegebene Intention. Manchmal passen auch mehrere Lösungen.**

1 ● Ich bin vielleicht sauer, kann ich dir sagen. Ich könnt' aus der Haut fahren!

■ ................................................................................................................ (fragend)

Nicht doch. ■ Aber, aber. ■ Wieso denn? ■ Wegen dem schon wieder?

2 ● Uns bleibt nur noch eins: die Hälfte der Mitarbeiter entlassen, die Löhne kürzen, einen Einstellungsstopp verhängen.

■ ................................................................................................................ (ablehnend)

So schlimm? ■ Sonst noch was? ■ Nicht mit mir. ■ Mal was anderes.

3 ● Das war's. Jetzt läuft er wieder. Leute, ihr könnt wieder drucken. Bis zum nächsten Mal.

■ ................................................................................................................ (anerkennend)

Gratuliere. ■ Wurde auch Zeit. ■ Er schon wieder. ■ Mensch toll, danke. ■ Mal was anderes. ■ Angeber.

4 ● Frau Unverzagt, was ich Ihnen noch sagen wollte: Wegen unserer Jahresversammlung, Sie wissen schon. Die Geschäftsführung ist der Meinung, dass Sie wieder den Eröffnungsvortrag halten sollten.

■ .......................................................................................................................................... (ohne Freude)

Immer ich. ■ Ja, gern. ■ Nicht schon wieder. ■ Das ist doch nicht Ihr Ernst. ■ Mit Powerpoint? ■ Ich hab' doch schon letztes Jahr … ■ Hab auch schon ein Thema. ■ Denselben wie in Frankfurt?

5 ● Papa, Papa, kaufst du uns noch ein Eis?

■ .......................................................................................................................................... (ablehnend)

Wie bitte? ■ Klar doch! ■ Weil ihr es seid. ■ Jetzt ist aber Schluss.

**b** Welche der drei Antworten passt? Lesen Sie den jeweiligen Dialog zuerst ganz. Wählen Sie erst dann aus. Kreuzen Sie an.

1 ● Du, ich muss morgen ins Krankenhaus.
  ■ ☐ Schon morgen? ☐ Was Schlimmes? ☐ Brauchst du Hilfe?
  ● Nein, nein, nur eine Routineuntersuchung.

2 ● Ich muss morgen die Seminararbeit abgeben. Könntest du sie dir kurz durchlesen?
  ■ ☐ Wie viel ist es denn? ☐ Nein, nicht schon wieder. ☐ Immer in der letzten Minute.
  ● Komm, nur dieses eine Mal noch die paar Seiten.

3 ● Guten Abend. Haben Sie etwas getrunken?
  ■ ☐ Einen Milchkaffee. ☐ Keinen Schluck. ☐ Klar doch.
  ● Na, dann gute Weiterfahrt. Auf Wiedersehen.

4 ● Ja, aber …, was soll denn das, um Gottes willen?
  ■ ☐ Papas Geburtstagsüberraschung. ☐ Hab dich nicht so. ☐ Siehst du doch.
  ● Okay, Okay. Aber danach will ich eine blitzblanke Küche sehen. Dass das klar ist!

**c** Was passt? Notieren Sie unten. Es gibt mehrere Möglichkeiten.

**1** Wusstest du, dass ich pflichtversichert bin, wenn ich anfange zu arbeiten?

**2** Du musst den Wasserhahn aufdrehen, bevor du die Spülmaschine anmachst.

**3** Ich finde das toll, dass die Politiker alle zu der Trauerfeier gegangen sind und an der Beerdigung teilnahmen.

**4** Du, man hat mir gekündigt!

**5** Ich möchte mir morgen den Film „Kurz nach Sonnenaufgang" anschauen.

**6** Da wird gerade die Bundestags-debatte im Fernsehen übertragen.

**7** Der will die Miete schon wieder raufsetzen.

**A** Bin doch nicht blöd!
**B** Das weiß doch jeder!
**C** Ich hab's doch gewusst!
**D** Ist doch bloß alles Show.
**E** Interessiert doch niemanden!
**F** Das geht doch nicht.
**G** Den kannst du dir sparen.

Aussage   1   2   3   4   5   6   7

Reaktion  ......  ......  ......  ......  ......  ......  ......

# D

## Architektur der Übergänge

**WORTSCHATZ: Gebäude** ········▶ zu Kursbuch Seite 30

**27** Ordnen Sie die Wörter in die Tabelle ein. Klären Sie die Bedeutung der Wörter, die Sie in die Spalte „Sonstige" eingetragen haben.

Baumhaus            Fachwerkhaus        Pflegeheim          Studentenwohnheim
Büroturm            Firmengelände       Produktionsanlage   Wochenendhaus
Eigentumswohnung    Hochhaus            Rathaus             Zweitwohnung
Einfamilienhaus     Industrieanlage     Schulhaus
Fabrikgebäude       Ökohaus             Seniorenheim
Fabrikhalle         Parlamentsgebäude   Sozialwohnung

| Wohnen | Arbeit | Sonstige |
| --- | --- | --- |
| | | |

**GRAMMATIK: Wortbildung: Adjektiv, Verb** ········▶ zu Kursbuch Seite 30

**28** Adjektive: internationaler Wortschatz

**a** Welche Nomen sind in den folgenden Adjektiven „versteckt"? Ergänzen Sie die Tabelle und übersetzen Sie.

| Adjektiv | Nomen | Endung | Bedeutung in der Muttersprache oder in einer anderen Sprache |
| --- | --- | --- | --- |
| informativ | Information | -iv | |
| produktiv | | | |
| relativ | | | |
| negativ | | | |
| kooperativ | | | |
| qualitativ | | | |
| definitiv | | | |
| explosiv | | | |
| subjektiv | | | |
| interessant | | | |
| elegant | | | |
| emotional | | | |
| instrumental | | | |
| optional | | | |
| national | | | |
| zentral | | | |

| individuell | ............................ | ............................ | ............................ |
| sensationell | ............................ | | ............................ |
| kulturell | ............................ | | ............................ |
| finanziell | ............................ | | ............................ |
| kommerziell | ............................ | | ............................ |
| formell | ............................ | | ............................ |
| maschinell | ............................ | | ............................ |
| traditionell | ............................ | | ............................ |
| nervös | ............................ | ............................ | ............................ |
| minutiös | ............................ | | ............................ |
| muskulös | ............................ | | ............................ |
| ruinös | ............................ | | ............................ |
| religiös | ............................ | | ............................ |

**b** *-iv*

TIEFUNG

1 Lesen Sie die folgenden Adjektive. Kreuzen Sie jene an, von denen Sie glauben, dass Sie sie spontan verstehen.

konservativ ☐ ▪ intensiv ☐ ▪ offensiv ☐ ▪ massiv ☐ ▪ exklusiv ☐ ▪ negativ ☐ ▪ positiv ☐ ▪ aktiv ☐ ▪ attraktiv ☐ ▪ effektiv ☐ ▪ objektiv ☐ ▪ produktiv ☐

2 Finden Sie zu Ihren markierten Wörtern die passenden Sätze und setzen Sie sie ein.

a „Unsere Mannschaft kann gar nicht anders als ........................ zu spielen. Und damit gewinnt man halt Spiele."

b Nach einer Stunde war alles gemacht. Ich bin wirklich ........................ überrascht. Diese Handwerker kann ich jedem empfehlen.

c Die ist wirklich extrem ........................ . Sie wählt immer die rechten Parteien.

d Ich denke, wir haben sehr ........................ miteinander gearbeitet.

e ........................ für unsere Stammkunden: Jeden Freitagabend eine Haarwäsche zum Nulltarif. Wir waschen, Sie föhnen.

f Du musst doch wirklich nicht alles so ........................ sehen. Es passieren doch auch schöne Dinge im Leben.

g Wer etwas ändern will, muss selbst ........................ werden.

h Jeder Unternehmensberater empfiehlt: Kümmere dich ........................ um deine Kunden.

i Auch ganz ........................ betrachtet, haben wir das süßeste Kind der Welt.

j Familienunternehmen sind für Arbeitnehmer seit der Finanzkrise so ........................ wie seit langem nicht mehr.

k Lernen Sie jetzt in drei Schritten, wie Sie künftig in jeder Situation ........................ arbeiten.

l Wegen der Krise stehen viele Unternehmen ........................ unter Druck.

3 Klären Sie die Bedeutung der restlichen Wörter und setzen Sie diese auch ein.

1 Lesen Sie die folgenden Adjektive. Kreuzen Sie jene an, von denen Sie glauben,
dass Sie sie spontan verstehen.

arrogant ☐ ■ riskant ☐ ■ rasant ☐ ■ tolerant ☐ ■ amüsant ☐ ■ konstant ☐ ■ relevant ☐

2 Finden Sie zu Ihren markierten Wörtern die passenden Sätze und setzen Sie sie ein.

a Wenn die nicht ......................... ist, wer dann?

b Die Anzahl der Fahrradunfälle blieb in den letzten Jahren ........................., teilte der zuständige Leiter
der Polizeidienststelle mit.

c Die Aussagen der Zeugen waren strafrechtlich nicht .......................... Deshalb blieb es bei einem
Freispruch.

d Als Sport ist mir Free-Climbing zu ........................., ich bleibe bei meinen ruhigen Bergtouren.

e Die Show gestern fand ich sehr ......................... .

f Die Nachfrage nach Zeitarbeitskräften stieg ......................... .

g Unsere Eltern sind weltoffen, verständnisvoll und ......................... . Was will man mehr!

3 Klären Sie die Bedeutung der restlichen Wörter und setzen Sie diese auch ein.

1 Lesen Sie die folgenden Adjektive. Kreuzen Sie jene an, von denen Sie glauben,
dass Sie sie spontan verstehen.

legal ☐ ■ genial ☐ ■ horizontal ☐ ■ minimal ☐ ■ optimal ☐ ■ maximal ☐ ■ formal ☐ ■
normal ☐ ■ regional ☐ ■ universal ☐ ■ fatal ☐ ■ mental ☐ ■ sentimental ☐ ■
prozentual ☐ ■ liberal ☐ ■ international ☐ ■ sozial ☐ ■ real ☐

2 Finden Sie zu „Ihren" Wörtern die passenden Sätze und setzen Sie sie ein.

a Surfen kann man virtuell und ganz .............., wie man will, am Computer oder auf den Wellen
der Ozeane.

b Musik runterladen – ganz .............. . Alles, was Sie über Musiktausch im Internet wissen müssen.

c Unsere Hochschule bietet Ihnen einen ........................ anerkannten Hochschulabschluss.

d Leider haben Kinder aus ........................ schwachen Familien noch immer schlechte Bildungschancen.

e Seine Idee war einfach ........................ .

f Die Linien verlaufen ........................ .

g Dieses Reinigungsmittel ist ........................ einsetzbar.

h Es wäre ........................, wenn dieser Betrüger freigesprochen würde.

i Das ist ........................ der stärkste Rückgang seit zehn Jahren.

j Schreiben Sie einen Text von ........................ 250 Wörtern.

k Es ist doch ganz ........................, dass sich Geschwister manchmal streiten.

l ........................ war die Seminararbeit in Ordnung, aber inhaltlich enthielt sie viele Fehler.

m Die Strompreise sind ........................ unterschiedlich, bemängeln die Verbraucherschutzverbände.

n „Wir waren auch ........................ sehr stark, was mir sehr gefallen hat", sagte der Trainer der
Tischtennisnationalmannschaft.

o Neueste Zahlen: Die Arbeitslosigkeit ist nur ........................ gesunken.

**p** Der Film war kitschig und ........................ .

**q** „Das ist nicht ........................ gelaufen", meinte der Bürgermeister, als der Skandal bekannt wurde.

**r** „Das kann man nicht akzeptieren", meinte der als ........................ geltende Bischof und versprach,
den Asylbewerbern zu helfen.

**3** Klären Sie die Bedeutung der restlichen Wörter und setzen Sie diese auch ein.

VERTIEFUNG

## **e** *-ell*

Welches Wort passt? Setzen Sie ein.

prinzipiell ▪ speziell ▪ offiziell ▪ professionell ▪ generell ▪ universell ▪ manuell ▪ visuell ▪ aktuell ▪ eventuell

**a** Aus diesem Produkt könnte ........................ was werden, vielleicht sogar ein Riesenerfolg. Mal sehen.

**b** Der Vorstand des Unternehmens hat den Lösungsvorschlag der Regierung ........................ begrüßt,
will aber Details noch mit dem Betriebsratsvorsitzenden diskutieren.

**c** Na hören Sie mal, bei uns wird ........................ gearbeitet! Was sollen diese kritischen Fragen?!

**d** Warum verbietet man nicht ........................, dass Leute zu Hause privat Waffen besitzen?

**e** Unsere ........................ ausgebildeten Berater helfen Ihnen gern vor Ort bei der Lösung Ihrer Bauprobleme.
Wenden Sie sich an das zuständige Baureferat Ihrer Stadt.

**f** Jeden Tag sind die Zeitungen voll mit den neuesten Nachrichten, aber wie ........................ sind
diese Nachrichten aus aller Welt wirklich?

**g** Sind die Fernbedienungen, die man zusätzlich kaufen kann, wirklich ........................ einsetzbar,
oder muss man zu jedem Gerät eine passende Fernbedienung kaufen?

**h** Der sofortige Trainerwechsel im größten Fußballverein der Bundesliga wurde gestern Abend ........................
bestätigt.

**i** Geht bei dieser Kamera alles automatisch, oder kann man auch etwas ........................ einstellen?

**j** Den Lernprozess kann man durch gute Fotos und Zeichnungen ........................ unterstützen.

## **f** *-ent*

VERTIEFUNG

effizient ▪ exzellent ▪ prominent ▪ dezent

**1** Welche Synonyme passen? Ergänzen Sie.

........................ bescheiden, leise, schwach, unauffällig, zurückhaltend, sanft, taktvoll

........................ ausgezeichnet, beispiellos, bestens, genial, herrlich, hervorragend,
unübertrefflich, vortrefflich, vorzüglich, wunderbar, überragend

........................ wirksam, wirkungsvoll, effektiv, eindrucksvoll

........................ bekannt, berühmt, gefeiert, namhaft, stadtbekannt, weltbekannt,
geehrt, gefeiert, geschätzt

**2** Was passt? Ergänzen Sie ein Wort aus 1.

**a** Wie wird man ........................? Kann man das wirklich lernen, wie man ein Star wird?

**b** „Nathan der Weise" von Lessing im Staatstheater: hervorragende Regie, eindrucksvolles Bühnenbild,
........................ gespielt von den Schauspielern des Ensembles. Ein unvergesslicher Abend.

**c** Das Geld der Kommunen wird so ........................ wie nur möglich eingesetzt. So lassen sich bei detaillierter
Planung mehr Projekte, wie zum Beispiel Fußballplätze, Schwimmbadsanierung usw., realisieren.

**d** Die Abendgarderobe für diesen Winter präsentiert sich sehr ........................, aber schick.

**g** *-abel, -ibel, -os, -ös*

1 Welche Synonyme passen? Ordnen Sie zu.

sensibel ■ flexibel ■ seriös ■ kurios ■ akzeptabel

.............................. anpassungsfähig, formbar, elastisch, veränderbar, entscheidungsfreudig

.............................. annehmbar, ausreichend, vernünftig, erträglich

.............................. empfindlich, hochempfindlich, verletzbar, feinfühlig

.............................. anders, nicht normal, merkwürdig, eigenartig, seltsam

.............................. aufrichtig, ehrlich, ernst, ernsthaft

2 Wie würden Sie die folgenden Personen und Dinge definieren? Ergänzen Sie.

nicht trauen können ■ nicht ganz glauben können ■ sich immer wieder gern für Neues entscheiden ■ vorsichtig umgehen müssen ■ annehmen können

flexibler Mensch: Das ist eine Person, die ............................................................................................ .

akzeptable Lösung: Das ist eine Lösung, die man ................................................................................. .

sensible Angelegenheit: Das ist etwas, womit man .............................................................................. .

eine kuriose Geschichte: Hier handelt es sich um etwas, was man ....................................................... .

unseriöser Typ: Das ist wohl jemand, dem man ..................................................................................... .

**29** Verben aus Adjektiven

**a** Welche Adjektive sind in den Verben „versteckt"?
Ergänzen Sie die Tabelle und übersetzen Sie.

| Verb | Adjektiv | Bedeutung in der Muttersprache oder in einer anderen Sprache |
|------|----------|---------------------------------------------------------------|
| befreien | *frei* | |
| begrünen | | |
| beruhigen | | |
| entleeren | | |
| entmutigen | | |
| entfernen | | |
| erhöhen | | |
| erheitern | | |
| erleichtern | | |
| ermöglichen | | |
| ermüden | | |
| ermutigen | | |
| eröffnen | | |
| erschweren | | |
| erwärmen | | |
| erweitern | | |

| verbessern | ................................. | ................................................. |
|---|---|---|
| verbilligen | ................................. | ................................................. |
| verbreitern | ................................. | ................................................. |
| verdünnen | ................................. | ................................................. |
| vergrößern | ................................. | ................................................. |
| verkleinern | ................................. | ................................................. |
| verkürzen | ................................. | ................................................. |
| verlängern | ................................. | ................................................. |
| verschlechtern | ................................. | ................................................. |
| verschlimmern | ................................. | ................................................. |
| verschönern | ................................. | ................................................. |
| verstärken | ................................. | ................................................. |
| verteuern | ................................. | ................................................. |
| vertrocknen | ................................. | ................................................. |
| zerkleinern | ................................. | ................................................. |

**b  Weitere Verben aus Adjektiven verstehen**

TIEFUNG

**Lesen Sie die Sätze. Was bedeuten die unterstrichenen Verben?
Der Lösungsschlüssel hilft Ihnen dabei.**

1 a Du musst das Zelt hier noch befestigen, sonst fliegt es heute Nacht weg.
  b Und dann bekräftigte sie noch, dass man an keine weitere Steuererhöhung denke.
  c Nein, es kann nicht sein, dass sich unser Vorstand bereichert hat.
  d Das Essen war prima und preiswert. Da kann man sich nicht beschweren.
  e Ich kann Sie in Ihrer Haltung nur bestärken.
  f Ich würde den Tiger erst betäuben, bevor wir seine Zähne untersuchen.
  g Die Angeklagte beteuerte ihre Unschuld, aber der Richter glaubte ihr nicht.

2 a Du musst das Wasser erst enthärten, bevor du damit einen Tee kochst.
  b Und was kann ich tun, um diesen Konflikt zu entschärfen?
  c Auf diesen Vorwurf hin ist er zuerst errötet, dann erblasst.
  d Ich rate Ihnen, diese Augenoperation machen zu lassen. Sie erblinden sonst.
  e Meine Kräfte sind erlahmt, meine Haare sind ergraut – und niemand ermuntert mich,
    etwas Neues anzufangen!
  f Dein Pass läuft bald ab. Du musst ihn erneuern lassen.

3 a Unsere Bevölkerung ist vielleicht etwas veraltet, aber weder verarmt noch verdummt.
  b Wer hat denn dieses Gerücht verbreitet?
  c Die Hinweise verdichten sich, dass sich unsere Situation bald verbessert.
  d Langsam verdunkelt sich der Himmel.
  e So langsam vereinsamt und verödet das ganze Gebiet.
  f Die Gesetze wurden sogar noch verschärft.
  g Ich möchte das Thema jetzt nicht noch mehr vertiefen.
  h Dieser blöde Filmkritiker wird von vielen auch noch verherrlicht.
  i Mit unserem Spezialreiniger veredeln Sie mühelos alle Ihre Böden.
  j 40-jährige Moderatoren in unserer Kindersendung? Wir müssen dringend unser Team verjüngen.
  k Mit diesem Kunstwerk hat sie sich endgültig verewigt.
  l So, statt mich weiter zu zermürben, versüße ich mir den Tag mit einer Tafel Schokolade.

**30** Welche Wörter passen für Sie zu einer „lebenswerten, menschenfreundlichen" Umwelt (a), welche zu einer funktionierenden Wirtschaft (b), welche zu beiden?
Kreuzen Sie an.

|  | a | b |  | a | b |
|---|---|---|---|---|---|
| Abfallwirtschaft | ☐ | ☐ | Nutztiere | ☐ | ☐ |
| Dschungel | ☐ | ☐ | Ökologie | ☐ | ☐ |
| Energieversorgung | ☐ | ☐ | Ökonomie | ☐ | ☐ |
| Fabrik | ☐ | ☐ | Pflanzen | ☐ | ☐ |
| Forstwirtschaft | ☐ | ☐ | Regenwald | ☐ | ☐ |
| Garten | ☐ | ☐ | Stromversorgung | ☐ | ☐ |
| Grünfläche | ☐ | ☐ | Tierarten | ☐ | ☐ |
| Industriegebiet | ☐ | ☐ | Tierschutz | ☐ | ☐ |
| Landschaft | ☐ | ☐ | Umweltbewusstsein | ☐ | ☐ |
| Landschaftsgestaltung | ☐ | ☐ | Wald | ☐ | ☐ |
| Nationalpark | ☐ | ☐ | Wasserwirtschaft | ☐ | ☐ |
| Naturschutzgebiet | ☐ | ☐ | Wirtschaftswachstum | ☐ | ☐ |

**31** Welches Wort passt nicht? Kreuzen Sie an.

1  a Natur ☐ schützen ☐ dulden ☐ zerstören ☐ bewahren
   b Waren ☐ zunehmen ☐ herstellen ☐ exportieren ☐ produzieren
   c Produkte ☐ entwickeln ☐ einführen ☐ entlassen ☐ verkaufen
   d Wirtschaftswachstum ☐ zunehmen ☐ abnehmen ☐ sich entwickeln ☐ produzieren
   e Handel ☐ produzieren ☐ treiben

2  a eine ☐ naturnahe ☐ ökologische ☐ schicke ☐ hässliche Fabrikanlage
   b ein ☐ wirtschaftliches ☐ effizientes ☐ gebrauchtes ☐ umweltfreundliches Unternehmen

3  die ☐ entlassene ☐ wirtschaftliche ☐ ökonomische ☐ allgemeine Lage

# E Anpassung an ...?

**32** Krankenhaus und Hilfsorganisationen

**a** Was gehört zu Arztpraxis, was zu Krankenhaus, was zu beiden? Notieren Sie.

Abteilung ■ Augenklinik ■ Besucher ■ Besuchszeit ■ Bezirkskrankenhaus ■ Facharzt/-ärztin ■ Frauenklinik ■
Augenarzt ■ Zahnarzt ■ Chirurg ■ Frauenarzt ■ Urologe ■ Kreißsaal ■ Hausarzt ■ Hautklinik ■ Hospital ■
Kinderklinik ■ Klinik ■ Krankenwagen ■ Krankenzimmer ■ Kreiskrankenhaus ■ Notaufnahme ■ Operationssaal ■
Praxis ■ Spital ■ Sprechstundenhilfe ■ Station ■ Unfallklinik ■ Wartezimmer ■ Krankenkassenkarte

( Krankenhaus )          ( Arztpraxis )

**b** Welche Verben passen? Kreuzen Sie an.

| | messen | einliefern | untersuchen | geben | verschreiben | machen | nähen | leisten | behandeln |
|---|---|---|---|---|---|---|---|---|---|
| 1 Temperatur | ☐ | ☐ | ☐ | ☐ | ☐ | ☐ | ☐ | ☐ | ☐ |
| 2 Erste Hilfe | ☐ | ☐ | ☐ | ☐ | ☐ | ☐ | ☐ | ☐ | ☐ |
| 3 Medikamente | ☐ | ☐ | ☐ | ☐ | ☐ | ☐ | ☐ | ☐ | ☐ |
| 4 ins Krankenhaus | ☐ | ☐ | ☐ | ☐ | ☐ | ☐ | ☐ | ☐ | ☐ |
| 5 im Behandlungszimmer | ☐ | ☐ | ☐ | ☐ | ☐ | ☐ | ☐ | ☐ | ☐ |
| 6 Patienten | ☐ | ☐ | ☐ | ☐ | ☐ | ☐ | ☐ | ☐ | ☐ |
| 7 eine Wunde | ☐ | ☐ | ☐ | ☐ | ☐ | ☐ | ☐ | ☐ | ☐ |
| 8 Röntgenbilder | ☐ | ☐ | ☐ | ☐ | ☐ | ☐ | ☐ | ☐ | ☐ |
| 9 eine Spritze | ☐ | ☐ | ☐ | ☐ | ☐ | ☐ | ☐ | ☐ | ☐ |
| 10 Medizin | ☐ | ☐ | ☐ | ☐ | ☐ | ☐ | ☐ | ☐ | ☐ |

**c** Welche Ausdrücke passen zu welchem Thema? Ordnen Sie sie in die Tabelle.
(Einige passen mehrmals.) Übersetzen Sie dann alle Ausdrücke, die Sie nicht kennen,
in Ihre Muttersprache oder eine andere Sprache.

Beratungsstelle ■ Drogenberatung ■ Drogenabhängige/r ■ Alkoholiker/-in ■ Betreuer/-in ■
Sozialdienst ■ Sucht ■ Therapie ■ Therapieplatz ■ Beratungsgespräch ■ Angelegenheit ■
Hilfsangebot ■ Gespräch ■ Hilfe ■ Problem ■ Krankheit ■ Suchtmittel

| Ratsuchende/r | beratende Person | Ort der Beratung | Thema der Beratung |
|---|---|---|---|
| | | | |
| | | | |
| | | | |
| | | | |

RTIEFUNG

**d** Kennen Sie diese Hilfsorganisationen? Ordnen Sie zu.

1 Ärzte ohne Grenzen          6 Pro Asyl
2 Caritas                     7 SOS Kinderdorf
3 Deutsches Rotes Kreuz       8 THW
4 Die Tafeln                  9 UNICEF
5 Greenpeace                  10 WWF

a betreut bedürftige Kinder in insgesamt 132 Ländern
b gegründet 1971, leistet weltweit medizinische Hilfe in Krisengebieten
c gegründet 1971, weltweit tätige Umweltorganisation
d internationale Naturschutzorganisation (World Wide Fund for Nature), gegründet 1961
e Kinderhilfswerk der Vereinten Nationen, gegründet 1946
f leistet technische und organisatorische Hilfe in Katastrophenfällen, gegründet 1950
  von der Bundesrepublik Deutschland
g Menschenrechtsorganisation, die sich in Deutschland und Europa für verfolgte Menschen einsetzt
h Organisation, die Lebensmittel, die nicht mehr verkauft werden können, an Bedürftige verteilt
i setzt sich weltweit für den Schutz des Lebens ein und leistet medizinische Hilfe
j soziale Hilfsorganisation der römisch-katholischen Kirche; weltweit gibt es 162 nationale Organisationen

**e** Welche weiteren Hilfsorganisationen kennen Sie?

RTIEFUNG

**33** Wie sehen Sie das? Formulieren Sie Reaktionen.
Verwenden Sie dazu die folgenden Wendungen und Ausdrücke.

**Sonja, Sozialpädagogin** Ich finde, wir sollten mehr für unsere Langzeitarbeitslosen tun, um sie in unseren Berufsalltag zu integrieren. Und da ist eben auch ehrenamtliches Engagement gefragt. Ich betreue zum Beispiel jeden Freitagabend Arbeitslose beim Schreiben von Bewerbungen. Ehrenamtlich natürlich.

**A** ...Ja........................................................................................................

(Zustimmung)

**B** .............................................................................................................

(Zweifel)

**C** .............................................................................................................

(Motivation / Verständnis)

**D** .............................................................................................................

(Erläuterung des eigenen Standpunkts)

**E** .............................................................................................................

(Zustimmung / Solidarität)

**F** .............................................................................................................

(eigene Erfahrung)

- - - - - - - - - - - - - - - - - - - - - - - - - - - - - - - - - - - - - - - - - - - - - - - - -

Es wird immer noch zu wenig (für ...) getan. ◼ Es wird sowieso schon zu viel ... getan. ◼
Mag ja sein, aber ... ◼ Das stimmt zwar ... ◼ Wissen Sie, es geht nicht allen so gut wie ..., da ... ◼
Ja, dann sagen Sie uns doch, was man sonst machen könnte. ◼ Also, ich muss ganz ehrlich sagen,
ich finde das ... ◼ Also, ich meine damit, dass ... ◼ Ich sehe das so: ... ◼ Ich frage mich, ob ... ◼
Sie macht genau das, was ich auch schon immer machen wollte: ... ◼ Wisst Ihr / Wissen Sie,
ich habe auch schon mal ...

- - - - - - - - - - - - - - - - - - - - - - - - - - - - - - - - - - - - - - - - - - - - - - - - -

**34** Im Forum. Sehen Sie das auch so? Schreiben Sie die Postings.
Verwenden Sie auch die Wendungen und Ausdrücke aus 33.

> **Aufruf: Engagieren Sie sich mit uns für die Vermittlung von ver-**
> **lassenen Haustieren. Fische, Goldhamster, Mäuse, Schildkröten.**
> **Viele kümmern sich um Hunde und Katzen, wer aber um die**
> **anderen Tiere? Wir tun das in unserer neuen Aktion „Frauchen**
> **oder Herrchen gesucht". Machen Sie mit!**

Posting 1

.............................................................................................................

.............................................................................................................

.............................................................................................................

- - - - - - - - - - - - - - - - - - - - - - - - - - - - - - - - - - - - - - - - - - - - - - - - -

Zustimmung, viele Tiere ◼ keiner kümmert sich um sie, wenn sie verlassen werden ◼
Zweifel: Wie findet man die verlassenen Tiere? ◼ Zweifel: Wo bringt man die Tiere
in der Zwischenzeit unter? ◼ Zweifel: Findet man genug neue Frauchen oder Herrchen?

- - - - - - - - - - - - - - - - - - - - - - - - - - - - - - - - - - - - - - - - - - - - - - - - -

**Posting 2**

........................................................................

........................................................................

Ablehnung: zu viel für Tiere tun ■ Einwand: sich lieber um Kinder kümmern

**Posting 3**

........................................................................

........................................................................

........................................................................

Begeisterung: die Leute, genau wie ich ■ eigene Erfahrung: in der Schule Arbeitsgemeinschaft „Herrchen / Frauchen gesucht" gegründet ■ für viele Tiere wie Kaninchen, Hamster, Meerschweinchen ein neues Zuhause gefunden ■ Zweifel: Wie kann man das im großen Rahmen organisieren?

**Posting 4**

........................................................................

........................................................................

Ablehnung ■ Verweis auf Menschen, denen es nicht so gut geht wie uns, die darum Hilfe brauchen ■ eigener Standpunkt: Es ist wichtiger, Menschen zu helfen als kleinen Tieren.

**Posting 5**

........................................................................

........................................................................

Aufforderung: sagen, was man machen könnte ■ konkrete Vorschläge

**WORTSCHATZ: Politik**  ┈┈➤ zu Kursbuch Seite 32

**35** **Politik: Nomen**

**ⓐ Was bedeuten die Begriffe in Deutschland? Ordnen Sie zu.**

| | | | |
|---|---|---|---|
| 1 | Koalition | a | Versammlung der Abgeordneten |
| 2 | Parlament | b | Chef der Bundesregierung |
| 3 | Stimmzettel | c | Staatsoberhaupt mit vorwiegend repräsentativen Aufgaben |
| 4 | Opposition | d | mehrere Parteien, die die Regierung bilden |
| 5 | Parlamentswahl | e | Wahldokument, auf dem man ankreuzt, welchen Politiker oder welche Partei man wählen will |
| 6 | Bundeskanzler | f | Ort, wohin man wählen geht (meist in öffentlichen Gebäuden wie Schulen oder Rathäuser) |
| 7 | Bundespräsident | | |
| 8 | Ministerpräsident | g | Parteien, die im Parlament sitzen, aber nicht in der Regierung sind |
| 9 | Wahllokal | h | die stimmberechtigten Bürger entscheiden, wer im Parlament sitzt |
| | | i | Chef einer Landesregierung |

**ⓑ Wie heißt das in Deutschland, Österreich und der Schweiz? Ergänzen Sie.**

VERTIEFUNG

| Deutschland | Österreich | Schweiz |
|---|---|---|
| | | Kantone |
| | Bundespräsident | |
| Bundeskanzler | | |
| | | Nationalrat |

**c** Ergänzen Sie die passenden Verben. Ein Verb passt nicht.

bilden ■ demonstrieren ■ diskutieren ■ einbringen ■ ernennen ■ geben ■ gehen ■
referieren ■ stellen ■ verabschieden ■ vorschlagen ■ wählen

1 Daher unser Aufruf: ............................. Sie zur Wahl und ............................. Sie Ihre Stimme ab.

2 Ich fürchte, unser Verteidigungsminister will sich nicht noch einmal zur Wahl ............................. .

3 Ein neues Gesetz wird zuerst in den Bundestag ............................. , dann vom Bundestag .............................

   und, wenn die Mehrheit dafür ist, auch ............................. .

4 In Deutschland ............................. der Bundestag den Bundeskanzler.

5 Die Minister werden vom Bundeskanzler ............................. und vom Bundespräsidenten ............................. .

6 Auf der Kundgebung ............................. die Menschen für Menschenrechte und gegen Diskriminierung.

7 Der Wehrbeauftragte der Bundeswehr ............................. auf der gestrigen Bundestagssitzung über die

   Situation der Soldaten im Heer.

**FOKUS GRAMMATIK: Test**

## 36 Negation

**a** Welche Negationswörter passen? Kreuzen Sie an.

1 So etwas habe ich noch ⬚ nie ⬚ nichts ⬚ keine gesehen.
2 Es scheint so, als ob ⬚ keiner ⬚ niemals ⬚ niemand zu Hause wäre.
3 Ich habe den Schlüssel stundenlang gesucht, aber ⬚ auf keinen Fall ⬚ nirgends ⬚ nirgendwo gefunden.
4 Ich habe ⬚ nicht ⬚ nichts ⬚ weder Zeit ⬚ auch ⬚ noch Lust auf so etwas.
5 Es gibt ⬚ nie ⬚ nichts ⬚ etwas, was es ⬚ kein ⬚ weder ⬚ nicht gibt.

**b** Wie heißt das Gegenteil? Kreuzen Sie an.

1 bequem ⬚ missbequem ⬚ inbequem ⬚ unbequem
2 leer ⬚ hoch ⬚ voll ⬚ groß
3 gefallen ⬚ missfallen ⬚ umgefallen ⬚ weggefallen
4 kalorienreich ⬚ kalorienlos ⬚ kalorienarm ⬚ kalorienhaft
5 tolerant ⬚ untolerant ⬚ tolerantlos ⬚ intolerant

**c** Korrigieren Sie die folgenden Sätze.

1 Ich habe auf diese Situation keinen mehr Einfluss.   3 Ich habe nicht das Essen bestellt.
2 Das ist nicht eine gute Idee.                        4 Ich dich nicht liebe.

## 37 Modalpartikeln

39 **a** Hören Sie die Sätze. Welche Sätze klingen freundlich? Kreuzen Sie an.

1 Komm endlich her! ⬚        5 Was machst du denn da? ⬚     9 Das ist eigentlich egal. ⬚
2 Ich hab's ja gewusst. ⬚    6 Wie heißt du denn? ⬚         10 Sie sind ja doch noch hier! ⬚
3 Kannst du mal bitte kommen? ⬚   7 Das ist aber toll! ⬚
4 Bist du etwa böse auf mich? ⬚   8 Du spinnst wohl! ⬚

**b** Welche Aussagen stimmen? Kreuzen Sie an.

Modalpartikeln
1 haben eine eigene Bedeutung. ⬚
2 haben eine Wirkung und machen eine Aussage eindeutiger. ⬚
3 können je nach Betonung eine andere Wirkung haben. ⬚
4 haben eine Bedeutung unabhängig von ihrer Betonung. ⬚

**38** Lesen Sie das Gedicht zu Ihrem Vergnügen.

*Ohne dich*

Nicht nichts
Ohne dich
Aber nicht dasselbe

Nicht nichts
Ohne dich
Aber vielleicht weniger

Nicht nichts
Aber weniger
Und weniger

Vielleicht nicht nichts
ohne dich
aber nicht mehr viel

*Erich Fried*

**10**

ÜBUNG ZU PRÜFUNGEN: Notizen machen

**39**
**40**
Lesen Sie die Aufgaben 1–8.
Hören Sie dann den Text einmal und notieren Sie die Antworten auf die Fragen.
Schreiben Sie aber nur wichtige Stichwörter auf.

Zwei junge Frauen, Freundinnen, unterhalten sich.
Die eine möchte als Model jobben. Die andere ist skeptisch.

1 Warum ruft Doris an? ...............................................................................................

2 Warum hat sich Maria bei einer Modelagentur registrieren lassen? ...................................

3 Wieso will sie als Model jobben und nicht irgendeinen anderen Job machen? .......................

4 Warum hat Maria früher auch schon gearbeitet? ...........................................................

5 Wie ist der Kontakt zur Agentur entstanden? ..............................................................

6 Was hat die Agentur gemacht? .................................................................................

7 Wie verdient die Agentur ihr Geld? ...........................................................................

8 Hat die Agentur schon etwas erreicht? .......................................................................

# B Pech gehabt?

WORTSCHATZ: Verträge ·······▸ zu Kursbuch Seite 39

## 1 Verträge

**a** Aus welchen Verträgen stammen die verschiedenen Auszüge? Ordnen Sie zu.
Zu einem Auszug passen zwei Verträge; sechs Verträge passen gar nicht.

1 Für Überstunden wird ein Zuschlag von 10 % gezahlt.

2 Die Abrechnung der Betriebskosten für Wasserversorgung und Müllabfuhr erfolgt nach Personenzahl.

3 Versichert ist der gesamte Hausrat. Dazu gehören alle Sachen, die einem Haushalt zur Einrichtung oder zum Gebrauch dienen, außerdem Bargeld.

4 Alle angegebenen Minutenpreise und SMS-Preise gelten nicht für Sondernummern.

5 Die Bezahlung des gesamten Kaufpreises für das Fahrzeug erfolgt gleichzeitig mit dem Abschluss dieses Vertrags.

6 Die Lieferung erfolgt frei Haus, bei Lieferung ins Ausland werden zusätzliche Versandkosten berechnet.

a Kreditvertrag
b Ausbildungsvertrag
c Ehevertrag
d Handyvertrag
e Kaufvertrag
f Arbeitsvertrag
g Mietvertrag
h Vereinsmitgliedschaft
i Zeitungsabonnement
j Vertrag mit einem Fitnessstudio
k Versicherungsvertrag

**b** Ergänzen Sie die passenden Wortteile.

text ■ schreiben ■ abschluss ■ laufzeit ■ termin ■ frist ■ partner

1 Vor Vertrags............................ sollten beide Vertrags............................ den Vertrags............................ genau lesen.

Viele Verträge laufen nur über einen bestimmten Zeitraum. Dieser Zeitraum ist durch die

Vertrags............................ genau festgelegt.

2 Eine Kündigung sollte immer schriftlich, also mit einem Kündigungs............................ , erfolgen.

Dabei sollte man darauf achten, dass man den vertraglich festgelegten Kündigungs............................ einhält

und die Kündigungs............................ beachtet.

**c** Welches Verb passt? Kreuzen Sie an. Manchmal gibt es mehrere Möglichkeiten.

1 Wenn man einen Vertrag ⬚ beginnen ⬚ abschließen ⬚ kaufen will, muss man ihn ⬚ machen ⬚ unterschreiben ⬚ unterzeichnen.

2 Wenn man einen Vertrag ⬚ auflösen ⬚ verkaufen ⬚ kündigen will, muss man eine Kündigung ⬚ beantragen ⬚ einreichen ⬚ beenden.

3 Man kann einen Vertrag auch im gegenseitigen Einvernehmen ⬚ beendigen ⬚ auflösen ⬚ beschließen.

## 2 Kündigungsfristen und Kündigungsgründe

**a** Was bedeuten die folgenden Begriffe in diesem Kontext? Ordnen Sie zu.

Hiermit möchte ich meinen Vertrag ... kündigen.

1 fristgerecht
2 mit sofortiger Wirkung / umgehend
3 zum nächstmöglichen Termin
4 fristlos
5 zum 1. April 20..
6 ordnungsgemäß

a sofort
b möglichst bald
c zu einem bestimmten Termin
d nach den Bedingungen des Vertrags
e ohne Kündigungsfrist
f rechtzeitig

**ⓑ Wann kann man kündigen? Ordnen Sie zu.**

a  monatlich
b  vierteljährlich
c  halbjährlich
d  jährlich

1  alle zwölf Monate
2  alle sechs Monate
3  alle drei Monate
4  jeden Monat

**ⓒ Ergänzen Sie. Es gibt für jede Lücke jeweils zwei Möglichkeiten.**

Schreibens ▪ schicken ▪ Erhalt ▪ innerhalb von ▪ Eingang ▪ senden ▪ Briefs ▪ binnen

Bitte ............................ Sie mir ........................................ 14 Tagen eine schriftliche Bestätigung

über den ............................ dieses ............................ zu.

---

**TEXTE BAUEN: einen Vertrag kündigen**  ·······➔ zu Kursbuch Seite 39

**3**  Kündigungsschreiben formulieren

**ⓐ Sie möchten Ihre Autoversicherung kündigen. Im Internet finden Sie ein Kündigungsformular. Ergänzen Sie die fehlenden Textstellen.**

kündige ▪ fristgerecht ▪ zum 31. 12. 20.. ▪ umgehend ▪ Eingang ▪ Kündigung

Corinna Meier · Nibelungenbogen 13 · 12345 Musterhausen

Autoversicherungsgesellschaft Fritz
(Name der Versicherungsgesellschaft)

Musterhausen, den 12. Juni 20..
(Ort, Datum)

........................ **(1) meiner Kfz-Versicherung, Vertragsnummer 25 15 25**

Sehr geehrte Damen und Herren,

gemäß der Allgemeinen Versicherungsbedingungen ........................ (2) ich hiermit

........................ (3) ........................ (4) meinen Kfz-Versicherungsvertrag.

Bitte senden Sie mir ........................ (5) eine schriftliche Bestätigung über den

........................ (6) meines Kündigungsschreibens.

Mit freundlichen Grüßen
Corinna Meier

**ⓑ Sie haben seit drei Jahren ein Zeitschriftenabonnement, das Sie nun kündigen möchten. Lesen Sie den Auszug aus „Ihrem" Abonnement-Vertrag. Setzen Sie Ihre Kündigung aus den Teilen A bis K zusammen. Zwei Teile sind nicht notwendig und auch nicht üblich.**

Nach Ablauf der Vertragslaufzeit von 24 Monaten können Sie das Abonnement vierteljährlich kündigen. Die Kündigungsfrist beträgt drei Monate.

A  also zum 31. März 20.., kündigen.
B  Bitte bestätigen Sie mir schriftlich
   den Eingang meines Kündigungsschreibens
C  Corinna Meier
   Nibelungenbogen 13
   12345 Musterhausen
D  fristgerecht zum Ende des folgenden Quartals,
E  gemäß den Vertragsbedingungen möchte ich
   meinen Vertrag

F  Ich habe Ihre Zeitschrift sehr gern gelesen.
G  innerhalb von 14 Tagen.
H  Leider verdiene ich nicht mehr so viel Geld.
   Darum muss ich die Zeitschrift kündigen.
I  Mit freundlichen Grüßen
   Corinna Meier
J  Sehr geehrte Damen und Herren,
K  Zeitschriftenabonnement: Flugzeuge selber bauen
L  13. 12. 20..

**ⓒ Haben Sie einen Handyvertrag, ein Zeitschriftenabonnement oder einen Vertrag mit einem Fitnessstudio? Schreiben Sie eine Kündigung (nur zur Übung).**

TIEFUNG

# C Wer hat an der Uhr gedreht?

**WORTSCHATZ: Verbindungen mit *schwer* und *tun*** ········▶ zu Kursbuch Seite 40

**4** *schwer*

**a** Was passt zusammen? Ordnen Sie zu.

1 Es ist mir schon immer schwergefallen,    a mit dieser Bedienungsanleitung.
2 Ich tue mich wirklich schwer             b Ich helfe dir, dann geht es besser.
3 Mach es dir nicht so schwer.             c Termine einzuhalten.
4 Mach es dir doch nicht so schwer         d und schau nicht nur auf alles Negative.

**b** Lesen Sie die Beispielsätze. Welche Bedeutung hat *schwer* hier jeweils?
Kreuzen Sie an.

|  | sehr | nicht leicht |
|---|---|---|
| 1 Es hat mich schwer beeindruckt, dass er sich bei mir entschuldigt hat. | ☐ | ☐ |
| 2 Wie kann er sich das alles leisten? Er muss schwerreich sein. | ☐ | ☐ |
| 3 Fettes Essen ist nur schwer verdaulich. | ☐ | ☐ |
| 4 Manche Gesetze verstehe ich einfach nicht. Die sind für mich schwer verständlich. | ☐ | ☐ |

**5** *tun*

WIEDERHOLUNG

**a** Was bedeutet *tun* in den folgenden Sätzen? Ordnen Sie zu.

A Arbeit haben
B etwas irgendwohin setzen / stellen / legen
C etwas machen

1 ● Vielen Dank, dass du auf unsere Tochter aufgepasst hast!
  ◆ Keine Ursache! Das tue ich doch gern!          ☐

2 ● Sollen wir uns heute Abend zum Essen treffen?
  ◆ Ich glaube, das schaffe ich nicht. Ich hab noch zu tun.    ☐

3 ● Wohin soll ich denn die Schüssel hier tun?
  ◆ Die kommen hier in den Schrank.                ☐

**b** Was bedeutet *tun* im Zusammenhang der Sätze? Ordnen Sie zu.

☐ fehlendes Verständnis ■ ☐ Entschuldigungsformel ■ ☐ ungefährlich sein ■
☐ Wohlgefühl ■ ☐ in Ordnung sein ■ ☐ Schmerzen ■ ☐ viel passieren

1 Ich hoffe, unser alter Fernseher tut's noch eine Weile.
2 Sie brauchen keine Angst zu haben. Der Hund tut Ihnen nichts.
3 Weißt du, in der Firma tut sich gerade einiges: Der neue Geschäftsführer ist schon wieder weg,
  und der Müller aus der Personalabteilung ...
4 Endlich in der Badewanne! Das tut gut.
5 Kratz mich nicht! Das tut doch weh!
6 Tut mir leid. Das Toastbrot ist leider aus.
7 Also, mit diesem modernen Bild tue ich mich nicht ganz leicht.

**c** Ergänzen Sie passende Ausdrücke mit *tun*.

1 Du solltest auch mal in die Sauna gehen. Das wird dir ................................................. !

2 Oh, ................................................. . Ich wollte dich nicht erschrecken.

3 ● ... und dann addierst du zum Schluss dieses Ergebnis mit dieser Zahl hier. Ist doch ganz einfach!

   ■ Das sagst du, du Mathe-Genie! Aber ich habe mich mit Mathe noch nie ................................................. .

4 ● Und wie ist es, wenn ich an dieser Stelle drücke?

   ■ Aua! Ja, da ................................................. .

**d** Was passt zusammen? Ordnen Sie zu.

RTIEFUNG

1 Nein, mein Lieber. Auch mit 18          a Man tut, was man kann.

2 Das war wirklich eine tolle Leistung.    b darf man nicht tun und lassen, was man will.

3 Meinen Sie, ich kann den Flug noch umbuchen?   c Was tut das schon?

4 Das ist doch bloß ein kleiner Kratzer!    d Ich schau mal, was sich tun lässt.

---

**GRAMMATIK: Adjektive mit Präposition** ·······▸ zu Kursbuch Seite 40

**6** Adjektive mit Präposition

**a** Welche Präposition passt? Kreuzen Sie an.

1 Ich bin ☐ auf ☐ über ☐ für die Terminabsage wirklich nicht traurig.

2 Weißt du eigentlich, wie lange du ☐ mit ☐ an ☐ auf mir verheiratet bist?

3 Ich bin ganz schön wütend ☐ mit diesem ☐ an diesem ☐ auf diesen blöden Typ!

4 Und wer ist ☐ an ☐ auf ☐ für dieser ganzen Sache schuld? Ich bestimmt nicht!

5 Und, bist du noch zufrieden ☐ für ☐ an ☐ mit deinem neuen Fahrrad?

6 Komm, hier hinein! Hier sind wir sicher ☐ vor ☐ für ☐ mit Blitz und Donner.

7 Nein, leider bin ich ☐ für ☐ über ☐ an Ihrem Angebot nicht interessiert.

8 Also, ich bin ☐ vor ☐ gegen ☐ für moderne Kunst nicht allergisch.

9 Ich weiß auch nicht, warum der so beliebt ☐ bei den ☐ mit den ☐ für die Frauen ist.

10 Diese Information war sehr nützlich ☐ an ☐ mit ☐ für uns.

11 Was, ☐ an ☐ für ☐ mit der bist du befreundet?

12 Dieser Kredit ist ☐ für ☐ über ☐ an unser Unternehmen
absolut notwendig.

**b** Welche Präpositionen passen zu den Nomen?
Vergleichen Sie mit den Adjektiven in a und mit dem Lösungsschlüssel.
Was haben Sie beobachtet?

1 unsere Trauer ..................... ihren plötzlichen Tod

2 die Heirat ..................... dem Filmstar

3 meine Wut ..................... diese Sache

4 ihre Schuld ..................... dem Geschehen

5 meine Zufriedenheit ..................... dem Erfolg

6 die Sicherheit ..................... Einbruch und Diebstahl

7 das große Interesse ..................... dieser Ausstellung

8 meine Allergie ..................... Gräserpollen

9 ihre Beliebtheit ..................... den Männern

10 der Nutzen ..................... die Menschheit

11 seine Freundschaft ..................... der
Filmschauspielerin

12 die Notwendigkeit eines Kredits .....................
unser Unternehmen

**11**

**7** Donaudampfschifffahrtsgesellschaft

**ⓐ** Nomen können aus drei (oder mehr) Nomen zusammengesetzt werden.
Lesen Sie die zusammengesetzten Nomen und notieren Sie ihre Teile.
Übersetzen Sie die Nomen in Ihre Muttersprache.

Übersetzung

| | | | |
|---|---|---|---|
| der Bahnhofsvorsteher | *Bahn* + | *Hof* + | *Vorsteher* .................. |
| die Sitzplatzreservierung | .......... + | .......... + | .................. |
| der Zielflughafen | .......... + | .......... + | .................. |
| die Reiseflughöhe | .......... + | .......... + | .................. |
| das Autobahndreieck | .......... + | .......... + | .................. |

**ⓑ** Zusammengesetzte Nomen aus Nomen + Verb
Kombinieren Sie Nomen und Verben. Es gibt mehrere Möglichkeiten.

Zeit ■ Auto ■ Rad ■ Zug ■ Bahn ■ Gepäck    fahren ■ sparen ■ reisen ■ aufbewahren

*die Gepäckaufbewahrung, ...*

**ⓒ** Zweiteiliges Verb oder zusammengesetztes Nomen?
VERTIEFUNG Tragen Sie die richtige Form ein.

Autofahren / Auto fahren ■ Bahnreisen / Bahn reisen ■ Gepäcktragen / Gepäck tragen

1 Sag mal, was meinst du: Wenn wir in Urlaub gehen – sollen wir da mit dem ..............................................
oder doch lieber mit dem Zug?

2 So wird ................................................ mit Kindern zum Genuss! Zehn Tipps für Ihre Autoreise.

3 ................................................ wird wieder teurer. Die Fahrkarten sollen ab Januar vier Prozent mehr kosten.

4 Billig mit der ................................................ . Wer frühzeitig bucht, bekommt Tickets zum Spartarif!

5 Beim ................................................ habe ich Rückenschmerzen bekommen.

6 Lass mich das ................................................ . Das ist zu schwer für dich.

**8** *damit*

**ⓐ** Lesen Sie die Sätze und markieren Sie die Teile, auf die sich *damit* bezieht.
Vergleichen Sie mit dem Lösungsschlüssel.

1 Schau mal, mein neues Fahrrad. Ich bin sehr zufrieden damit.
2 Ich kann dir nur sagen, dass ich das wirklich nicht wollte! Bist du damit jetzt zufrieden?
3 Also, ich schlage vor, wir treffen uns am Wochenende erst bei mir. Dann gehen wir zusammen shoppen und danach ins Kino. Am Abend können wir ja noch in die Disco. Was meinst du? Wie wär's damit?

**ⓑ** Was ist richtig? Kreuzen Sie an. Vergleichen Sie mit dem Lösungsschlüssel.

1 Ich spreche schon seit drei Wochen nicht mehr ⬚ damit ⬚ mit ihr.
2 Jetzt hör doch auf ⬚ damit ⬚ mit dem! Ich kann wirklich nichts dafür.
3 Die Heizungsrechnung? Nein, ich habe mich noch nicht ⬚ damit ⬚ mit der befasst.
4 Die neue Kollegin, also ⬚ damit ⬚ mit der habe ich noch nicht geredet.

**c** Lesen Sie die Sätze in a und b noch einmal. Lesen Sie dann die Aussagen.
Eine Aussage ist falsch. Kreuzen Sie an.

*damit* kann sich beziehen auf ...

☐ ein Wort oder einen Ausdruck.  ☐ Personen.
☐ einen Satz.  ☐ unpersönliche Dinge.
☐ einen ganzen Sachverhalt.

**d** Ergänzen Sie *damit* oder *mit* + Personalpronomen.

1 Nein, ich bin nicht mehr ............................ befreundet.

2 Also, ............................ kannst und wirst du keinen Erfolg haben.

3 Und die Hausaufgaben? Bist du schon fertig ............................ ?

4 Jetzt bin ich schon sieben Jahre ............................ verheiratet.

5 Lass gut sein! Ich will mich ja nicht ............................ streiten.

6 Also, was Sie da gerade gesagt haben – ............................ bin ich nicht einverstanden.

**9** **Weitere Wendungen und Ausdrücke mit *da-*. Was passt? Ordnen Sie zu.**

1 So, ich frage euch zum letzten Mal: Wer war das?  ☐ g  a An diesen Behauptungen ist doch
2 Ich weiß, dass das Ganze blöd gelaufen ist.  ☐  gar nichts dran.
3 Diesen alten Anzug ziehst du doch nie wieder an.  ☐  b Hier, probier's mal damit.
4 Das glaube ich nicht.  ☐  c Da ist doch nichts dabei.
5 Mit dieser kleinen Zange kriegst du den Nagel  d Hilfst du mir dabei?
   nicht aus der Wand.  ☐  e Also, weg damit!
6 Komm, probier's doch einfach mal.  ☐ c  f Aber ich kann doch nichts dafür.
7 Onkel Theodor hat dir seine ganzen Anzüge vererbt.  ☐  g Raus damit!
8 Der Kleiderschrank muss auch noch raus.  ☐  h Und was mache ich jetzt damit?

**PHONETIK** ·······▶ zu Kursbuch Seite 40

**10** **Manche Wörter klingen nicht immer gleich.**

[41] **a** Hören Sie und sprechen Sie nach.

1 Weg damit!
2 Raus damit!
3 Hör auf damit!
4 Doch, das mache ich jetzt, damit es hier mal wieder menschlich aussieht.
5 Was machen wir jetzt damit?
6 Hilfst du mir damit?
7 Probier's mal damit.

[42] **b** Hören Sie und sprechen Sie nach.

1 Womit soll ich das denn sauber kriegen?
2 Damit, womit denn sonst?
3 Wofür hast du das jetzt wieder gemacht?
4 Wofür! Wofür! Ja, wofür wohl? Dafür eben.
5 Womit hab ich das bloß verdient?
6 Dein Handy? Du sitzt doch drauf.
7 Ich kann doch nichts dafür, wenn du dich
   in den Finger schneidest.
8 Schau mal, der schöne Kuchen.
   Da bin ich richtig stolz drauf.
9 Da war der aus der Bäckerei nichts dagegen.
10 Und was habe ich davon? Außer einem warmen Händedruck?
11 Leider kann ich dazu gar nichts sagen.
12 Dazu hab ich keine Meinung.
13 Davon hab ich auch nichts.
14 Also, damit hätte doch niemand gerechnet.

11

**11** Verschiedene Verkehrsmittel

**ⓐ** Mit der Bahn unterwegs
Ordnen Sie die Wörter
der Zeichnung zu.

**1** Schließfach ▪ **2** Taxistand ▪
**3** Wartesaal ▪ **4** Schiene ▪
**5** Zugführer ▪ **6** Gleis ▪
**7** Bahnsteig ▪ **8** Lok ▪ **9** Waggon

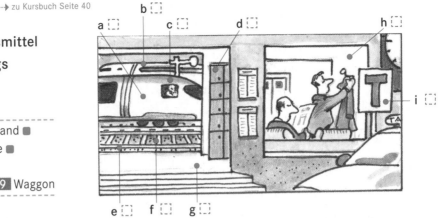

**ⓑ** Mit dem Auto unterwegs
Lesen Sie die Verkehrsnachrichten im Internet und ordnen Sie sie den Bildern zu.

**Autobahnen**

**1** **A 3 Köln Richtung Frankfurt:** Zwischen Anschlussstelle Bad Camberg und Anschlussstelle
Idstein Unfall, mittlerer Fahrstreifen blockiert.

**2** **A 5 Darmstadt Richtung Frankfurt / Frankfurter Kreuz:** Unfall mit mehreren Fahrzeugen,
Gefahr durch Personen auf der Fahrbahn.

**3** **A 8 München Richtung Salzburg:** Anschlussstelle Tegernsee stockender Verkehr wegen
Bauarbeiten. Geschwindigkeitsbegrenzung: 80.

**4** **A 9 Leipzig Richtung Berlin:** Vor dem Schkeuditzer Kreuz Vollsperrung der Autobahn.
Ein Rettungshubschrauber ist im Einsatz.

**5** **A 10 Südlicher Berliner Ring:** Zwischen Anschlussstelle Königs-Wusterhausen und
Anschlussstelle Niederlehme Gefahr durch defektes Fahrzeug.
Der Standstreifen ist hier blockiert.

**6** Achtung: Seit dem 11. Februar gilt auch auf der Inntal-Autobahn zwischen Imst und Zams
bei hoher Schadstoffkonzentration in der Luft ein Tempolimit von 100 Stundenkilometern.

**Bundesstraßen**

**7** **B19** zwischen Kempten und Sonthofen wegen Hochwasser gesperrt.
Umleitungen sind ausgeschildert.

**c** Mit dem Flugzeug unterwegs
Lesen Sie die Sätze. Einige Wörter sind durcheinandergeraten.
Korrigieren Sie die Sätze. Sie müssen manchmal auch den Artikel ändern.

1 Guten Morgen, liebe Fluggäste, hier spricht Ihr Abflug. Unser Startbahn verzögert sich leider
  noch um einige Minuten. Wir hoffen aber, dass wir uns in Kürze auf den Kapitän begeben können.
2 Wir wünschen Ihnen einen angenehmen Bord an Flug und einen ruhigen Aufenthalt.
3 Achtung: Gatewechsel in Flug 1. Der Gate ZB 202 wird an Terminal 17 abgefertigt.
4 Auf manchen Übergepäck wird der Charterflug zum Kosmetikkoffer.
5 Wir haben den Flug in westlicher Landung verlassen. Wir erwarten einen ruhigen Flughafen und
  eine pünktliche Himmelsrichtung.
6 Aufgrund der Anschlussflüge unserer Landung können nicht alle Reisenden erreicht werden. Alle
  Informationsschalter werden gebeten, sich nach der Verspätung an den Terminal in Maschine 2 zu begeben.
7 Achtung: Landebahn im Bereich von Terminal 2. Es befinden sich Stau auf der Kühe.

**12** Welche Verben passen? Kreuzen Sie an. Manchmal passen mehrere.

a eine Reise ⬚ buchen ⬚ kaufen ⬚ abschließen ⬚ machen
b eine Fahrkarte ⬚ kaufen ⬚ lösen ⬚ reservieren ⬚ beantragen
c einen Sitzplatz ⬚ abschließen ⬚ reservieren ⬚ buchen ⬚ kaufen
d ein Auto ⬚ reservieren ⬚ buchen ⬚ abschließen ⬚ mieten
e bei einer Reisebank Geld ⬚ beantragen ⬚ bekommen ⬚ wechseln
f ein Visum ⬚ kaufen ⬚ abschließen ⬚ beantragen ⬚ buchen
g eine Reisebuchung ⬚ streichen ⬚ wechseln ⬚ stornieren ⬚ lösen
h in einem teuren Hotel ⬚ absteigen ⬚ mieten ⬚ wechseln ⬚ kaufen
i ein Hotelzimmer ⬚ beantragen ⬚ mieten ⬚ reservieren ⬚ kaufen
j wegen starken Schneefalls einen Flug ⬚ abschließen ⬚ streichen ⬚ lösen ⬚ wechseln
k der Abflug kann sich ⬚ wechseln ⬚ lösen ⬚ verzögern ⬚ streichen
l einen Strafzettel ⬚ stornieren ⬚ bekommen ⬚ beantragen ⬚ lösen
m einen Flug ⬚ buchen ⬚ streichen ⬚ bestellen ⬚ verpassen

---

**Wortschatz: Probleme** ·······▶ zu Kursbuch Seite 40

**13** Problemwortschatz

**a** Welche Verben passen zu den Nomen? Ordnen Sie zu.

erkennen ■ lösen ■ darstellen ■ haben ■ klären ■ machen ■ vorschlagen ■
anbieten ■ suchen ■ verweigern ■ geben ■ annehmen ■ ablehnen ■ führen

1 ein Problem ■ 2 eine Lösung ■ 3 einen Vorschlag ■ 4 Hilfe ■ 5 Rat ■ 6 ein Gespräch

**b** Ergänzen Sie die Sätze mit den passenden Ausdrücken.

auf den Vorschlag reagieren ■ um Rat fragen ■ sich auf einen Vorschlag einigen ■ um Hilfe bitten

1 Manchen Menschen fällt es nicht leicht, ............................................................ .
2 Wir haben jetzt alle Argumente gehört. Können wir uns nun gemeinsam ................................................................ ?
3 Wie hat sie denn ............................................... ?
4 Obstbäume selbst pflanzen? Hier können Sie Experten ......................................................... .

11

**⊙** Negative Gefühle. Ergänzen Sie die Nomen. Manche passen mehrmals.

Beunruhigung ■ Sorge ■ Angst ■ Furcht ■ Bedenken ■ Unruhe ■ Panik ■ Kummer

1 Hast du nachts auch ............................................. vor Gespenstern?

2 Du kannst ihm ruhig das Auto geben. Ich habe dagegen keine ............................................. .

3 Die Lage ist unter Kontrolle. Es besteht kein Anlass zur ............................................. .

4 Hier, in der Zeitung steht: „Keine ............................................. vor einer Grippeepidemie."

5 Wir schaffen das schon. Da brauchst du dir keine ............................................. zu machen.

6 Keine ............................................. ! Die Abiprüfung ist auch nur eine Prüfung.

7 Ich weiß auch nicht. Ich spüre zurzeit so eine ............................................. in mir.

8 Vor lauter ............................................. über ihren Tod baute er ihr das schönste Grabmal der Welt.

---

**SÄTZE BAUEN: schwierige Situation beschreiben / Problemsituation darstellen** ·······▶ zu Kursbuch Seite 40

**14** Flug verpasst! Wie könnte der junge Mann seine Situation am Serviceschalter beschreiben? Lesen Sie die Aussagen und die Stichworte. Wählen Sie dazu die entsprechenden Wendungen und Ausdrücke und schreiben Sie die Sätze.

Ich hatte ein dringendes Telefonat und habe deshalb nicht so sehr auf die Durchsagen geachtet. ■
Ich wollte den Flug um 13.05 Uhr nach Hamburg nehmen. ■
Ich habe die Durchsage nicht gehört. ■ nicht wichtig: der verpasste Flug; wichtig: die Kosten ■
Kann ich den Flug vielleicht einfach umbuchen, ohne dass ich ein neues Ticket kaufen muss? ■
Ich habe dummerweise nicht gehört, dass sich das Gate geändert hat. ■
Ich habe den Flug verpasst, weil ich am falschen Gate gewartet habe. ■
Gibt es vielleicht noch eine andere Möglichkeit, als ein neues Ticket zu kaufen?

1 Die Sache ist die: ...
2 Und jetzt ist mir was ganz Blödes passiert: ...
3 Und mein Problem ist jetzt folgendes: ...
4 Die ganze Geschichte ist ja jetzt nur deshalb passiert, weil ...
5 Also, was ich jetzt damit sagen will: Es geht mir weniger um ..., sondern mehr um ....
6 Oder genauer: ...
7 Was würden Sie denn in meiner Situation tun?

**15** Sehen Sie sich die folgende Situation an.
Wie könnten Sie Ihr Problem beschreiben?
Bilden Sie mindestens fünf Sätze mit Ausdrücken und Wendungen aus 14.

Fünf Uhr nachmittags, am Kassenschalter eines Parkhauses

- Sie sind fremd in der Stadt. Sie hatten zwei wichtige Geschäftstermine, einen vormittags, einen nachmittags.
- Sie finden Ihren Parkchip nicht mehr, Sie können also nicht am Kassenautomaten bezahlen.
- Sie wissen natürlich, dass man dann viel mehr bezahlen muss (mehr als den doppelten Tagessatz).
- Sie haben aber noch einen anderen Parkschein, der beweist, dass Sie bis zwölf Uhr am anderen Ende der Stadt in einer blauen Zone geparkt haben.
- Der Kassierer meint, dass das nichts beweist, und er will die Polizei rufen, wenn Sie nicht den erhöhten Tarif zahlen.
- Sie müssen aber schnell los, weil ein Kollege / eine Kollegin auf Sie wartet.

Guten Tag, mir ist jetzt
was ganz Blödes passiert.

**16** **Mir ist was ganz Blödes passiert!**

Haben Sie Aufgabe 15 gelöst? Leider ist die Geschichte nicht gut für Sie ausgegangen.
Sie mussten 44 Euro zahlen (statt 15 Euro für 3 Stunden), um aus der Parkgarage herausfahren zu können.
Deshalb schreiben Sie nun an den Betreiber der Parkgarage, Parkgarage GmbH,
schildern Ihre Situation und drücken Ihre Enttäuschung aus.
Ihr Arbeitgeber zahlt Ihnen dieses Geld nicht zurück.

**Lesen Sie die folgenden Wendungen und Ausdrücke.**
**Welche davon sind Ihrer Meinung nach für Ihr Schreiben geeignet?**
**Kreuzen Sie sie an. Schreiben Sie dann Ihren Brief.**

- ☐ Die Sache ist die: …
- ☐ Mir ist neulich was ganz Blödes passiert: …
- ☐ Mein Problem ist jetzt folgendes: …
- ☐ Die ganze Geschichte ist ja nur deshalb passiert, weil …
- ☐ Was ich jetzt damit sagen will: …
- ☐ Es geht mir weniger um …, sondern mehr um …
- ☐ Oder genauer: …
- ☐ Was hätten Sie in meiner Situation getan?
- ☐ Das Problem ist, dass …

- ☐ …, dass ich wirklich sehr enttäuscht bin.
- ☐ …, weil ich mich leider bei Ihnen beschweren muss.
- ☐ Das hätte ich jetzt aber nicht erwartet!
- ☐ Also wirklich, das geht doch nicht!
- ☐ Entweder … oder … .
- ☐ Statt zu …
- ☐ Anstatt dass …
- ☐ Für mich ist das …

## D Mein Freund Baki

**17** **Verwendung von *selbst***

**a** **Lesen Sie die Sätze. Was bedeutet *selbst*? Ordnen Sie zu.**
**Vergleichen Sie dann mit dem Lösungsschlüssel.**

Schau mal, ich habe einen Kuchen gebacken.

1 Schau mal, selbst ich habe einen Kuchen gebacken. ☐
2 Schau mal, ich habe selbst einen Kuchen gebacken. ☐
3 Schau mal, der Kuchen ist selbst gebacken. ☐

A Man hat etwas eigenständig gemacht.
B Man hat etwas gemacht, was man nicht erwartet hat (sogar).

**b** **Ergänzen Sie *selbst* in den folgenden Sätzen an verschiedenen Stellen. Wie ändert sich die Bedeutung der Sätze?**

1 Unsere kleine Tochter zieht sich an. 2 Diesen Pulli habe ich gestrickt. 3 Unsere Präsidentin hat etwas gespendet.

**c** **Lesen Sie, wie man *selbst* in der Bedeutung von *sogar* negiert.**

*Selbst* das hat sie gewusst.
Negation: *Nicht einmal* das hat sie gewusst.

**d** **Negieren Sie die Sätze.**

1 Dir gefällt auch gar nichts, selbst dieses tolle Bild magst du nicht.

Dir gefällt auch gar nichts, ………………………… dieses tolle Bild.

2 Sie wusste selbst über dieses Detail Bescheid.

Sie wusste ………………………… über dieses Detail Bescheid.

**18** Verbindungen mit *selbst*

**ⓐ** *selbst* zur Verstärkung von *sich*.

**①** Lesen Sie die Beispiele.

> 1 Das Projekt finanziert *sich* über Werbeeinnahmen *selbst*.
> 2 Das habe ich *mich selbst* auch schon gefragt.
> 3 Auf *sich selbst* gestellt: Viele Einwanderer erhalten anfangs wenig Hilfe in der neuen Heimat.

**②** Verstärken Sie die Aussagen der Sätze mit *selbst*.

> 1 Sie hat sich belogen.
> 2 Unser Nachbar hat sich durch seine Lügen verraten.

**ⓑ** *selbst* in typischen Verbindungen: Ergänzen Sie.

selbst mit ■ selbst ohne ■ selbst jetzt ■ selbst wenn ■ selbst dann

1 Raffael wäre ein großer Maler geworden, ........................... er ohne Hände auf die Welt gekommen wäre.

(Lessing, Emilia Galotti)

2 Geschäftsverhandlungen: Wie Sie ........................... noch erfolgreich bleiben, wenn Ihre

Verhandlungspartner die besseren Argumente haben.

3 Doch ........................... , da seine Chancen auf Beförderung sehr gut standen, gab er sich keine große Mühe.

4 ........................... 80 noch fit: Wie Sie Körper und Geist gesund halten.

5 Placebo-Forschung: Vom Arzt verschriebene Medikamente helfen häufig ........................... Wirkstoff.

**19** Ausdrücke mit *selbst*

**ⓐ** Lesen Sie die Sätze. Mit welchem Ausdruck können Sie *von selbst* ersetzen?
Notieren Sie. Vergleichen Sie mit dem Lösungsschlüssel.

1 Mit meiner neuen Bohrmaschine geht alles wie von selbst.
2 Natürlich kannst du dich auf mich verlassen. Das versteht sich doch von selbst.
3 Du musst nur hier drücken. Der Rest geht von selbst.
4 Warum geht dieser blöde Fernseher immer von selbst aus?

**ⓑ** Ergänzen Sie passende Nomen / Adjektive. Vergleichen Sie mit dem Lösungsschlüssel.

Selbstauslöser ■ Selbstbeherrschung ■ Selbstbeteiligung ■ Selbstbewusstsein ■ Selbstkritik ■
selbstlos ■ Selbstmord ■ selbstständig ■ selbstverständlich ■ Selbstvertrauen ■ Selbstverwirklichung ■
Selbstzufriedenheit ■ Selbstzweck

1 ................................. unterstützen wir Sie, das ist doch klar.

2 Merkst du? Unsere Tochter wird langsam ................................. .

3 Hat diese Kamera auch einen ................................. ?

4 Seit meinem Autounfall hat mein ................................. stark abgenommen. Eigentlich will ich

gar nicht mehr Auto fahren.

5 *Selbstverwirklichung* im Beruf: So kommen Sie zu Ihrem Traumjob.

6 Jetzt ganz ruhig bleiben und nur nicht die ................................. verlieren.

7 ................................. ist nicht das geeignetste Mittel, um beruflich weiterzukommen.

8 Diese Übung ist kein reiner ................................. . Man kann durchaus etwas lernen.

9 Ein starkes ................................. ist noch lange keine Garantie für richtige Entscheidungen.

10 Diese Versicherung gibt es in zwei Varianten: mit 600 Euro ................................................. oder ohne.

Ohne ist sie natürlich etwas teurer.

11 Lies mal: „Lebensretter für sein ................................................. Verhalten vom Bürgermeister ausgezeichnet".

12 Das stimmt doch vorne und hinten nicht, was der so schreibt.

Ein bisschen ................................................. wäre wirklich angebracht.

13 Nein, das war kein Verbrechen. Das Ganze sieht mehr nach einem ................................................. aus.

**c Was bedeuten die unterstrichenen Ausdrücke? Der Lösungsschlüssel hilft Ihnen dabei.**

TIEFUNG

1 Ab jetzt bin ich die Ruhe selbst.

2 Ich helfe mir selbst.

3 Ich nehme also die Sache selbst in die Hand.

4 Ich kann für mich selbst sorgen, wenn ich mich auch manchmal selbst überwinden und
mit mir selbst kämpfen muss.

5 So komme ich zu mir selbst, und am Ende kann ich mir selbst gratulieren.

6 Ich hoffe nur, dass ich dann nicht anfange, mit mir selbst zu reden.

---

**GRAMMATIK: irreale Sätze (Vergangenheit)** ········▶ zu Kursbuch Seite 42

**20** Irreale Sätze in der Vergangenheit

**a Lesen Sie die Sätze. Was drückt man damit aus (a oder b)? Kreuzen Sie an.**

1 Du hättest merken können, dass ich deine Hilfe gebraucht habe.

a ☐ Du hast gemerkt, dass ich Hilfe brauche, aber du hast nichts getan.

b ☐ Du hast nicht gemerkt, dass ich deine Hilfe gebraucht habe.

2 Ach, hätte ich doch nur nichts gesagt!

a ☐ Ich habe nichts gesagt, aber das war falsch.

b ☐ Ich habe etwas gesagt, aber das war falsch.

3 Wenn ich ihn nicht getroffen hätte, wäre wohl alles beim Alten geblieben.

a ☐ Ich habe ihn getroffen, und so hat sich etwas verändert.

b ☐ Ich habe ihn nicht getroffen, und so ist alles beim Alten geblieben.

**b Notieren Sie die Vergangenheitsform des Konjunktivs II.
Vergleichen Sie mit dem Lösungsschlüssel.**

1 a ich habe ihn getroffen
  b ich hatte ihn getroffen      } .................................................
  c ich traf ihn

2 a er musste es bemerken
  b er hat es bemerken müssen   } .................................................
  c er hatte es bemerken müssen

3 a ich war nicht geflogen
  b ich flog nicht               } .................................................
  c ich bin nicht geflogen

**c** Welche Vergangenheitsform hilft Ihnen bei der Bildung des Konjunktivs II Vergangenheit? Kreuzen Sie an.

a ☐ Präteritum      b ☐ Perfekt      c ☐ Plusquamperfekt

**d** Wortstellung

Markieren Sie die Hilfsverben in den Sätzen, vergleichen Sie dann die Formen und die Wortstellung und kreuzen Sie an.

1 a    Sie hat das nicht gesagt.        3 a    ..., weil sie das nicht gesagt hat.
   b    Sie hätte das nicht gesagt.          b    ..., weil sie das nicht gesagt hätte.

2 a    Sie hat das nicht sagen dürfen.
   b    Sie hätte das nicht sagen dürfen.

Die Wortstellung im Perfekt und im Konjunktiv II Vergangenheit sind

A ☐ unterschiedlich    B ☐ gleich.

**21** Was hätte ich besser machen können? Formulieren Sie wie im Beispiel.

1 mehr Pausen machen (sollen)        *Ich hätte mehr Pausen machen sollen.*

2 in Urlaub fahren (können)

3 diese Arbeit nie annehmen (dürfen)

4 mit dieser Übung längst aufhören (müssen)

---

**WORTSCHATZ: Ratschläge** ┈┈▸ zu Kursbuch Seite 43

**22** Guter Rat ist teuer.

**a** Lesen Sie die Ausdrücke (meist schriftsprachliche Nomen-Verb-Verbindungen). Die mit *machen*, *geben* und *fragen* verwendet man auch in der Umgangssprache. Kreuzen Sie diese an.

1 einen Vorschlag ☐ unterbreiten ☐ machen ☐ erarbeiten ☐ ablehnen
2 einen Rat ☐ einholen ☐ geben ☐ erteilen ☐ befolgen
3 um Rat ☐ fragen ☐ bitten
4 eine Empfehlung ☐ abgeben ☐ aussprechen
5 einen Tipp ☐ erhalten ☐ geben

**b** Bei wem kann man sich Rat holen? Ordnen Sie zu. Es gibt mehrere Möglichkeiten.

A Arzt, Mediziner        1 ein ärztlicher Rat    .....................
B Experte, Fachmann     2 ein fachlicher Rat    .....................
C Jurist, Rechtsanwalt     3 ein juristischer Rat    .....................
                         4 ein fachmännischer Rat    .....................
                         5 ein rechtlicher Rat    .....................

**c** Tipps und Empfehlungen. Welche Adjektive und Adverbien passen? Kreuzen Sie an. Es gibt mehrere Möglichkeiten.

1 Bei diesem Preis handelt es sich um eine ☐ persönliche ☐ offizielle ☐ unverbindliche Empfehlung.
2 Ein ☐ heißer ☐ unverbindlicher ☐ todsicherer Tipp von mir: Setz auf „Gänseblümchen", dieses Pferd kann nicht verlieren.
3 Lassen Sie sich impfen. Ich kann es Ihnen nur ☐ dringend ☐ gut ☐ ausdrücklich empfehlen.
4 Dieses Restaurant war super. Danke, das war wirklich ein ☐ prima ☐ kleiner ☐ guter Tipp von dir.
5 Ein ☐ entscheidender ☐ kleiner ☐ persönlicher Tipp: Halt die Straßenkarte andersherum.
6 Der ☐ heiße ☐ entscheidende ☐ todsichere Tipp zur Klärung des Mordfalls kam von unserem geheimen Informanten.

## 23 Ratschläge geben, wenn jemand direkt danach fragt

**a** Welche Ausdrücke und Wendungen passen zu welcher Art der Äußerung?
Ordnen Sie sie in die Tabelle ein.

Meiner Meinung nach … ■ Ich empfehle Ihnen / dir, … ■ Am besten wäre es, wenn du/Sie … ■
Wenn ich Ihnen / dir einen Tipp geben darf: … ■ Ein Tipp: … ■ Kleiner Tipp: … ■ Ich sehe das so: … ■
Ich halte … für gut / nicht gut. ■ Ich würde vorschlagen … ■ Es wäre am besten, wenn Sie / du … würden /
würdest. ■ An deiner Stelle würde ich … ■ Ich würde auf keinen Fall … ■ Von … / Davon rate ich dir/Ihnen ab.

| einen Ratschlag geben (direkt) | die persönliche Meinung zu einem Problem äußern |
|---|---|
| | |

**b** Was raten Sie mir? Lesen Sie folgendes Problem im Internetforum „Mieter fragen"
und lösen Sie die Aufgaben.

1  Was ist das Problem? Nummerieren Sie die Sätze in der richtigen Reihenfolge.

☐ Der Mieter möchte jetzt wissen, ob er von seinem Vermieter nachträglich das Geld
zurückbekommen kann.

☐ Der Mieter musste für die Reparatur 270 Euro bezahlen.

☐ Der Mieter hat das Badezimmerschloss reparieren lassen.
Er hat jedoch seinen Vermieter nicht vorher darüber informiert.

> Hallo! Folgendes Problem: Ich lebe in einer Mietwohnung, und das Badezimmerschloss war
> kaputt, also Schlüsseldienst gerufen. Die sind auch gleich gekommen und haben das Schloss
> repariert. Dem Vermieter hatte ich aber vorher nicht Bescheid gesagt. Hab mir auch gedacht:
> Das kann ja nicht so teuer werden, dann zahl ich es halt zur Not aus eigener Tasche. Jetzt hat
> die Reparatur aber 270 Euro gekostet! Was soll ich jetzt tun? Selber zahlen oder den Vermieter
> nachträglich informieren und ihm die Rechnung schicken?
> Ulli

2  Was würden Sie Ulli raten? Schreiben Sie kurze Antworten mithilfe der Argumente.
Verwenden Sie die Wendungen und Ausdrücke aus a.

das nächste Mal unbedingt vorher den Vermieter informieren ■
im Nachhinein Geld zu verlangen wäre eine Frechheit ■ die Rechnung selber zahlen ■
den Vermieter sofort informieren ■ die Rechnung nicht bezahlen, viel zu teuer ■
dem Vermieter das Problem schildern ■ Geld für die Rechnung einfach von der nächsten
Mietzahlung abziehen ■ dem Vermieter ein Angebot machen: Jeder zahlt die Hälfte ■
dem Vermieter einfach kommentarlos die Rechnung schicken

> Kleiner Tipp: Ich würde das nächste Mal unbedingt vorher den Vermieter informieren.

**c** Auf einen Rat reagieren. Wählen Sie jeweils zwei freundliche
und zwei ablehnende Reaktionen aus, die Sie sich merken möchten.

☺ | ☹
---|---
☐ Das ist eine gute Idee! | ☐ Tut mir leid, aber solche Kommentare helfen mir leider gar nicht.
☐ Herzlichen Dank! | ☐ Danke für den Tipp, aber diese Lösung ist nicht legal!
☐ Besten Dank! | ☐ Das ist meiner Meinung nach keine Lösung.
☐ Vielen Dank für die vielen Antworten! | Aber trotzdem Danke.
☐ Könnte klappen. Danke für den Tipp! | ☐ Danke, aber ich glaube nicht, dass das funktionieren wird.
☐ Danke, diese Antwort hat mir sehr geholfen! | ☐ Ich weiß nicht, ob das geht. Aber Danke!

**24** Ungefragt Ratschläge geben

**a** Schauen Sie die Fotos an und lesen Sie die Textteile. Entscheiden Sie danach:
Welche der folgenden Wendungen und Ausdrücke passen?
Ordnen Sie jeweils die Buchstaben zu. Schreiben Sie dann die ganzen Texte.

☐ **A** bist nicht mehr wie früher, bevor dir gekündigt wurde.
Du wirkst so deprimiert auf mich.

☐ auch keine große Hoffnung auf 'nen tollen neuen Job gehabt,
aber ich hab einfach immer weitergesucht und mir immer gesagt:
Irgendwann findest du was!

☐ geht's Dir eigentlich nach eurer Trennung?

☐ mal mit Dir reden, weil ich das Gefühl habe, dass es dir
im Moment gar nicht gut geht. Oder täusch ich mich da?

☐ joggen? Das hat dir doch früher total viel Spaß gemacht.
Damit könntest du deine Kreislaufprobleme vielleicht besser
in den Griff kriegen, statt ständig Tropfen zu nehmen.

☐ Also, wenn Sie jetzt Physik auf Lehramt studieren,
haben Sie beste Chancen auf dem Arbeitsmarkt!
Oder wie wäre es mit Mathematik? ☐

Ähm, und das Bild da? Bleibt das so groß?
Ich finde, so kann man den Titel ein bisschen schlecht lesen.

☐ das Bild kleiner machen.

☐ auch den Titel größer machen.

A Es geht mich ja eigentlich nichts an, aber wir sind doch schon so lange befreundet,
und ich habe den Eindruck, du …
B Hättest du nicht wieder Lust zu …
C Ich hab gehört, dass Lehrer in ein paar Jahren dringend gesucht werden.
D Ich hoffe, du bist mir nicht böse, aber ich mache mir Sorgen und würde deshalb gern …
E Ich möchte dich gern mal etwas fragen: Wie …?
F Ich würde vielleicht einfach …
G Vielleicht könntest du so …
H Wäre das nicht vielleicht was für Sie?
I Weißt du noch, als ich vor drei Jahren keinen Job gefunden habe?
Da ging es mir so ähnlich wie dir jetzt. Ich habe damals …

**b** Nette Familienfeier mit tollen Erziehungsratschlägen

**1** Was könnten die Familienmitglieder über die Mutter und ihren Sohn sagen?
Kreuzen Sie die Argumente an, die Ihnen „gefallen".

- ☐ Sohn zu sehr verwöhnen
- ☐ alles erlauben
- ☐ weniger Taschengeld geben
- ☐ wenn immer ausgehen, wie die Schule schaffen
- ☐ etwas für sich selber machen, zum Beispiel einen Kurs besuchen
- ☐ lieber wieder arbeiten gehen
- ☐ mein Sohn, viel strenger sein
- ☐ von der Schule nehmen und zum Arbeiten schicken

- ☐ jeden Nachmittag die Hausaufgaben kontrollieren
- ☐ das Mofa wegsperren
- ☐ die Freunde nicht übernachten lassen
- ☐ in ein Nachhilfeinstitut schicken
- ☐ eine tolle private Schule
- ☐ eine Ausbildung machen lassen
- ☐ nur immer alles für den Sohn tun
- ☐ Geld für sich verdienen

**2** Kreuzen Sie die Wendungen und Ausdrücke an, die Sie verwenden möchten, und formulieren Sie Ratschläge.

- ☐ Es geht mich ja eigentlich nichts an, aber ich habe den Eindruck, dass …
- ☐ Hättest du nicht wieder Lust zu …
- ☐ Ich hab gehört, dass …
- ☐ Ich hoffe, du bist mir nicht böse, aber ich …
- ☐ Ich möchte dich gerne mal etwas fragen: …?
- ☐ Ich würde …
- ☐ Vielleicht könntest du …
- ☐ Wäre das nicht vielleicht was für dich?
- ☐ Weißt du noch, als ich vor drei Jahren das Problem mit meinem Sohn hatte? Ich habe damals …

**25** **a** Auf ungefragte Ratschläge reagieren. Schlüpfen Sie in die Rolle der Mutter.

**1** Welche Argumente gefallen Ihnen? Kreuzen Sie an.

- ☐ nicht so gut in der Schule sein
- ☐ nicht so wichtig, wichtiger – er viel für andere Menschen tun
- ☐ ein glücklicher Mensch sein
- ☐ wichtiger: für meinen Sohn da sein – als Karriere machen
- ☐ wichtiger: viel Zeit für den Sohn haben – als viel Geld verdienen
- ☐ schwerfallen, wieder den Weg in die Arbeitswelt zu finden
- ☐ aber schön sein, wenn man sich um das Kind kümmern kann
- ☐ wieder arbeiten
- ☐ strenger sein
- ☐ ihn zum Arbeiten schicken
- ☐ in ein Nachhilfeinstitut
- ☐ zufrieden sein, keine Probleme sehen / haben

**2** Welche Wendungen und Ausdrücke möchten Sie verwenden?
Kreuzen Sie an und formulieren Sie freundliche Antworten.

- ☐ Mag ja sein, aber ich finde es nicht so schlimm, dass …
- ☐ Kann schon sein, aber für mich ist das …
- ☐ Du hast / Sie haben ja eigentlich recht, aber …
- ☐ Ich habe wahrscheinlich den richtigen Zeitpunkt verpasst …
- ☐ Du meinst / Sie meinen also, ich sollte …?
- ☐ Ja, das wäre vielleicht eine Möglichkeit. Ich überleg's mir mal.
- ☐ Ja, meine Situation könnte besser sein, aber …

**ⓑ** Sie sind Musikstudent und wohnen in einem Mietshaus. Ihre Nachbarn sind zwar recht nett, aber sie wissen immer alles besser. Oft bekommen Sie ungefragt Ratschläge. Lesen Sie sie und antworten Sie mit den Wendungen und Ausdrücken aus a.

1 Es geht mich ja eigentlich nichts an, aber ich habe irgendwie den Eindruck, dass Sie ziemlich einsam leben und wenig Kontakt zu anderen jungen Leuten haben. Studieren ist nicht alles. Sie sollten öfter mal ausgehen. Vielleicht einen Tanzkurs machen.

...................................................................................................................................

...................................................................................................................................

2 Also immer diese Fertiggerichte. Wenn Sie selber kochen würden, könnten Sie sich viel Geld sparen. Ich habe gehört, dass die Stadt günstige Kochkurse für alleinstehende junge Leute anbietet.

...................................................................................................................................

...................................................................................................................................

3 Sie sind in letzter Zeit ja immer so blass. Bestimmt denken Sie den ganzen Tag nur ans Lernen. Aber das ist doch nicht gut. Gehen Sie ein bisschen raus, an die frische Luft. Ich glaube wirklich, das würde Ihnen guttun.

...................................................................................................................................

...................................................................................................................................

4 Ich wollte Sie schon lange mal was fragen: Wie stellen Sie sich eigentlich Ihre Zukunft hier vor? Ich meine, als Musiker hat man hier doch nicht die geringste Chance. Warum werden Sie nicht Musiklehrer? Ich habe gehört, dass die gebraucht werden, und ich kenne da ...

...................................................................................................................................

...................................................................................................................................

5 Also, an Ihrer Stelle, wirklich, ich würde noch einen Sprachkurs machen. So, wie Sie jetzt Deutsch können, also da kommen Sie hier nicht weit.

...................................................................................................................................

...................................................................................................................................

6 Vielleicht könnten Sie sich bei der Stadt einen Job suchen. Die zahlen zwar nicht so gut, aber die Jobs sind sicher. Wäre das nicht vielleicht was für Sie?

...................................................................................................................................

...................................................................................................................................

7 Wissen Sie, als ich damals im Ausland war und Probleme mit der Sprache hatte, da habe ich immer jeden Tag alles notiert, was ich gehört habe. Und dann habe ich das abends gelernt. So habe ich viel Zeit und Geld gespart.

...................................................................................................................................

...................................................................................................................................

---

**GRAMMATIK: Modalverb als Vollverb** ········▶ zu Kursbuch Seite 43

**26** **ⓐ** Modalverben: mit einem anderen Verb oder allein (als Vollverb)
Welches Verb / Welcher Ausdruck passt zu den Sätzen? Ordnen Sie zu.

| | | |
|---|---|---|
| 1 Hier ist ja noch ein Stuhl frei. Darf ich? | a | trinken |
| 2 Zwei Stunden den Berg hoch. Ich kann nicht mehr! | b | machen |
| 3 Die Kekse sehen aber lecker aus. Soll ich oder soll ich nicht? | c | hören |
| 4 Es gibt noch Tee. Willst du auch? | d | essen |
| 5 Muss ich wirklich mitkommen? Ich mag doch keine Opern. | e | aufs Klo gehen |
| 6 Papa, ich muss mal. | f | (Platz) nehmen |
| 7 Komm, hör auf zu jammern! Ich weiß, du kannst das. | g | ins Kino gehen |
| 8 Ich möchte schon, aber ich glaube nicht, dass ich darf. | h | laufen |

**b** Vergangenheit: Welche Form wird in der Umgangssprache eher verwendet? Präteritum oder Perfekt? Lesen Sie die Sätze und kreuzen Sie an. Vergleichen Sie mit dem Lösungsschlüssel und mit dem Kursbuch, Band 1, Seite 32.

1  a ☐ Ich hab's versucht, aber ich konnte es einfach nicht.
   b ☐ Ich hab's versucht, aber ich habe es einfach nicht gekonnt.

2  a ☐ Tut mir leid, das wollte ich nicht.
   b ☐ Tut mir leid, das habe ich nicht gewollt.

3  a ☐ Entschuldigung, aber ich konnte einfach nicht kommen.
   b ☐ Entschuldigung, aber ich habe einfach nicht kommen können.

**c** Notieren Sie die Formen der Modalverben in b und vergleichen Sie mit dem Lösungsschlüssel.

**d** Ergänzen Sie ein passendes Modalverb in der richtigen Form.

können ▪ müssen ▪ wollen ▪ dürfen ▪ sollen

1  So ein leckerer Kuchen! Das hätte ich nicht ................................. !

2  Eigentlich hättest du heute zum Arzt gehen ................................. .

3  Ich wäre gern mit dir ins Kino gegangen, aber ich habe nicht ................................. .

4  Ich habe doch nicht ahnen ................................. , dass du bei deiner Schwester bist.

5  Wir haben dieses Problem einfach nicht lösen ................................. .

6  Oh, Entschuldigung. Das hab ich nicht ................................. .

**7**  Wie Modalverben: *sehen* und *hören*

**a** Lesen Sie die Sätze. Was passt? Kreuzen Sie an.

1  Entschuldigung, ich habe dich gar nicht kommen hören.
   a ☐ Du bist nicht gekommen. Ich habe nichts gehört.
   b ☐ Ich habe gar nicht gehört, dass du gekommen bist.

2  Und als ich sie dann wegfliegen sah, wurde ich doch ein bisschen traurig.
   a ☐ Ich habe gesehen, dass sie weggeflogen ist.
   b ☐ Sie hat mich gesehen, als ich weggeflogen bin.

**b** Lesen Sie die Sätze und vergleichen Sie Form und Wortstellung der Verben. Was haben Sie beobachtet? Wo stehen *sehen* und *hören* als Modalverben? Vergleichen Sie mit dem Lösungsschlüssel.

1  a  So hat es ja kommen müssen!
   b  Ich hab's ja kommen sehen!

2  a  Ich habe dich am Telefon nicht hören können.
   b  Ich habe es leider nur rauschen hören.

**28**
43–46

### Hören Sie die Sätze und sprechen Sie nach.

a 1 Das hättest du wissen müssen.
  2 Ich hätte das machen können.
  3 Du hättest das eigentlich erledigen sollen.
  4 Das hättest du nicht tun dürfen.

b 1 Ich möchte dich gern mal was fragen.
  2 Vielleicht könntest du so in einer Stunde zu mir kommen.
  3 Wäre das was für dich?
  4 Hättest du Lust, zu mir zu kommen?
  5 Wäre das nicht vielleicht was für dich?
  6 Ja, das wäre eine Möglichkeit.

c 1 Willst du auch einen Tee?
  2 Ich mag keinen Tee.
  3 Du kannst das! Das weiß ich genau.
  4 Soll ich noch ein Stückchen Kuchen nehmen oder soll ich nicht?
  5 Jetzt ist Schluss! Ich kann einfach nicht mehr.

d 1 Ich hab's ja kommen sehen.
  2 Ich hab dich gar nicht kommen hören.
  3 So hat es ja kommen müssen.
  4 Das habe ich doch nicht ahnen können.

**SÄTZE BAUEN: etwas im Nachhinein bewerten** ········▶ zu Kursbuch Seite 43

**29** Selbstgespräche

**a** Wählen Sie jeweils einen Inhalt und formulieren Sie einen Satz mit der angegebenen Wendung.

1 ein Schnellgericht mir schmecken ◼ den Führerschein nicht schaffen ◼ noch einmal studieren

Ich hätte nicht gedacht, dass …

2 die Firma pleitegehen ◼ heute ein Test geschrieben werden ◼ das Auto nicht anspringen

Da habe ich ja echt Glück gehabt. Als ob ich das vorher gewusst hätte, dass …

3 meine alten Briefe verbrennen ◼ den tollen Fotoapparat verschenken ◼ mit wildfremden Menschen in Urlaub fahren

Also, ich hätte das nicht gekonnt, so einfach …

4 das Kleingedruckte lesen ◼ einen Rechtsanwalt um Rat fragen ◼ (sich) informieren

Ich hätte vorher wenigstens …

5 einen Job bekommen ◼ ein Stipendium bekommen ◼ eine Platzreservierung bekommen

Ich hab jetzt zwar zum Glück im letzten Augenblick … , aber ich hätte trotzdem früher aktiv werden müssen.

6 die Waschmaschine kaputtgehen ◼ meine Freunde meinen Geburtstag vergessen ◼ das Essen misslingen

Ich hab's ja kommen sehen: …

**7** so gut schauspielern ◼ die Prüfung bestehen ◼ wegen zu schnellem Fahren erwischt werden

Ich hätte nicht gedacht, dass ich …

**8** den Job nicht bekommen ◼ das tolle Auto nicht gewinnen ◼ den Zug nicht erwischen

Was hätte ich gemacht, wenn …

**ⓑ Was würden Sie antworten? Formulieren Sie die Antworten mithilfe der Wendungen und Ausdrücke. Mögliche Inhalte finden Sie jeweils unter der Schreiblinie. Achten Sie dabei auf die Verbformen.**

Als ob er gewusst hätte, dass … ◼ Also, ich hätte das nicht gekonnt: … ◼
Auch wenn die Geschichte am Ende gut ausgeht, hätte er auch selbst etwas tun sollen … ◼
Er hätte wenigstens … ◼ Er hätte trotzdem aktiv werden müssen … ◼ Ich hab's ja kommen sehen: … ◼
Ich hätte nicht gedacht, dass er … ◼ Was hätte er gemacht, wenn …?

**1** Stell dir mal vor, Marcel hat Lena verlassen. Von heute auf morgen! – Wirklich? ...................................

.............................................................................................................................................................
(das jemals tun)

**2** Stell dir mal vor, Stefans Prüfung ist verschoben worden! – Hat der ein Glück! Der hatte doch sowieso

nichts gelernt dafür. .......................................................................................................................................
(die Prüfung ausfallen)

**3** Anton hat jetzt einen Job bekommen. Ein ehemaliger Kollege hat ihm etwas angeboten. – Schön für ihn.

Aber ich finde, ........................................................................................................................................
(und – muss selbst mehr nach Jobs suchen)

.............................................................................................................................................................
(Angebot nicht kommen)

**4** Sag mal, war eigentlich der Typ schon hier, der sich unser Auto anschauen wollte? – Nö, ich glaub,

der kommt auch nicht mehr. – Na toll, ......................................................................................................
(kann anrufen und absagen)

**5** Mama, Anna blutet am Kopf! – Oh nein! Aber ..........................................................................................

.............................................................................................................................................................
(weil – ihr müsst auch immer so wild sein)

**6** Wahnsinn, wie der ihn angeschrien hat! ................................................................................................
(so ruhig und freundlich bleiben)

**FOKUS GRAMMATIK: Test**

**30**

*selbst* im Kontext

**ⓐ Welche Bedeutung oder Funktion hat *selbst* in den Sätzen? Ordnen Sie zu.**

**a** sogar ◼ **b** zur Betonung von *sich* ◼ **c** eigenständig ◼ **d** Konjunktion

1 Du musst mir nicht helfen. Das mach ich schon selbst. ☐
2 Ist dieser Kuchen wirklich selbst gebacken? ☐
3 Ich selbst habe mich darum gekümmert. ☐
4 Das hat selbst unser Vorsitzender verstanden. ☐
5 Selbst wenn ich es wüsste, würde ich es nicht sagen. ☐
6 Da hätte ich doch beinahe mich selbst verraten. ☐

**11**

**ⓑ** *selbst* oder *selber*? Lesen Sie die Sätze.
Was klingt umgangssprachlicher? Kreuzen Sie an.

1 ☐ Ich helfe dir jetzt nicht noch mal. Mach's doch selber.

2 ☐ Also, ich schreibe meine Briefe noch selbst.

**31** Irreale Sätze (Vergangenheit) im Kontext

**ⓐ** Was wird mit den Sätzen ausgedrückt? Ordnen Sie zu. Nicht alle passen.

A eine irreale Bedingung    1 Ich finde, du hättest das nicht sagen sollen. ☐

B eine Feststellung    2 Wenn ich gekonnt hätte, wie ich wollte, wäre alles ganz anders gekommen. ☐

C ein Vorschlag    3 Ich hätte nicht vermutet, dass das so leicht geht. ☐

D ein irrealer Wunsch    4 Hätte ich doch bloß nichts gesagt! ☐

E eine Behauptung

F eine Frage

**ⓑ** Korrigieren Sie die Fehler in den Sätzen.

1 Alles wäre anders kommen, wenn du auf mich hören hättest.

2 Wenn du mir gestern zuhören würdest, würde es besser sein.

3 Ich hätte das nicht können.

4 Ich hätte das tun gesollt.

## Darüber hinaus

ÜBUNG ZU PRÜFUNGEN: Wörter einsetzen

**32** Lesen Sie den Text und ergänzen Sie das fehlende Wort.
Achtung: Jedes Wort passt nur einmal.

an ■ auf ■ in ■ von ■ über ■ von ■ auf ■ auf ■ seit

Hallo Leute,

mir ist neulich was ganz Blödes passiert: Ich hab ........... (1) einer Weihnachtsfeier aus Versehen ein Glas Wein umgestoßen. Und natürlich ist der Wein ........... (2) das neue (!) Handy ........... (3) meinem Kollegen gelaufen und das Handy ist jetzt hin ☹. Kein Problem, dacht ich mir, hab ja 'ne Haftpflichtversicherung, die werden den Schaden schon zahlen. Von wegen! Mein Problem ist jetzt folgendes: Die ........... (4) der Haftpflichtversicherung wollen nicht zahlen. Ihr Argument: Die ganze Geschichte ist ja nur deshalb passiert, weil der Kollege sein Handy ........... (5) einem Tisch, ........... (6) dem gegessen und getrunken wurde, liegen gelassen hat – sprich: Er ist selbst dran schuld und soll seine eigene Hausratversicherung beanspruchen. Mein Kollege hat aber gar keine und ist stinksauer. Und ich bin auch stinksauer – ........... (7) meine Haftpflicht! Bin schließlich ........... (8) Jahren Mitglied und hab' die noch nie in Anspruch genommen. Was würdet Ihr ........... (9) meiner Situation tun? Aus eigener Tasche zahlen? Oder es auf einen Rechtsstreit mit der Versicherung ankommen lassen?

Danke und Gruß,
Wolfgang

Lesen Sie die Aufgaben auf Seite 98. Lesen Sie dann den Text und entscheiden Sie: Steht das im Text? Ist die Aussage richtig oder falsch? Kreuzen Sie an.

**DIE ZEIT**, 28.05.2009 Nr. 23

# Netzwerke
## Vitamine für die Karriere
### Weshalb sich professionelle Netzwerke lohnen und wie man sie richtig pflegt

**Warum sollte man im Beruf persönliche Kontakte pflegen?**

Alles wäre ganz einfach, wenn Erfolg allein von der Leistung abhinge. Unternehmensbefragungen zeigen aber immer wieder, dass berufliche Kompetenzen nur zu einem geringen Teil für die Karriere ausschlaggebend sind. Bei Beförderungen war der Bekanntheitsgrad am wichtigsten, das heißt: Beziehungen. Wer etwas leisten kann, ist eben auch darauf angewiesen, dass ihm jemand die Chance gibt, seine Fähigkeiten zu zeigen. So bekommt auch mehr als die Hälfte der Hochschulabsolventen heute ihren ersten Job aufgrund bereits bestehender Kontakte. Für Selbstständige ist Kontaktpflege sogar überlebenswichtig – denn nichts ist förderlicher fürs Geschäft als eine Weiterempfehlung, und Netzwerke geben Gelegenheit zu Kooperationen.

**Welche Art von Netzwerken gibt es?**

Man unterscheidet zwischen formellen und informellen Netzwerken. Hinter formellen Netzwerken stehen oft Organisationen, zum Beispiel die Ehemaligen-Netzwerke von Universitäten und Stiftungen. Es gibt eigene Netzwerke für Existenzgründer, für Wissenschaftler, für junge Führungskräfte und für Frauen. Der Austausch hat dann meist eine feste Struktur mit Regionaltreffen oder Vortragsabenden. Ein informelles Netzwerk besteht dagegen aus persönlichen Kontakten, die man sich selbst aufgebaut hat und die man auch untereinander locker vernetzt.

**Wie nützlich sind Internetnetzwerke?**

Onlineportale wie Xing oder Facebook setzen auf Masse statt Klasse: Die Kontakte sind nicht eng, dafür breit gestreut. Zufallstreffer können schnelle Erfolge bringen. Für eine dauerhafte Netzwerkpartnerschaft oder eine berufliche Zusammenarbeit sollte man sich auch im wirklichen Leben treffen, rät die Managementtrainerin und Ratgeberautorin Karin Ruck.

**Wie baut man sein Netzwerk auf?**

„Sicherlich nicht, indem man bei jeder Gelegenheit wahllos Visitenkarten verteilt", sagt Ruck. Sie empfiehlt, sich die eigenen Ziele klarzumachen: Wo kann ich welche Menschen treffen, und was will ich erreichen? Das ist nicht nur der Berufsfachverband, sondern kann auch die Vernissage, Lesung oder Podiumsdiskussion sein. Am Ende bringt dann ein gutes Gespräch, das beiden im Gedächtnis bleibt, mehr als zehn Telefonnummern, zu denen man schon am nächsten Tag die Gesichter vergessen hat.

**Was unterscheidet Networking von Klüngel?**

Eine Seilschaft beruht auf gegenseitiger Abhängigkeit (nach dem Motto: „Ich halte dir die Räuberleiter hin, dafür ziehst du mich mit nach oben"); der Klüngel schließt andere aus, um sich ungerechtfertigte Vorteile zu verschaffen. Solche Formen der Beziehungspflege seien sicher genauso verpönt wie verbreitet – hätten aber mit professionellem Networking wenig zu tun, meint Karin Ruck: „Eine angemessene Portion Vitamin B ist noch kein unerlaubtes Doping."

**Welche Regeln gibt es zu beachten?**

Die goldene Regel beim Netzwerken lautet: geben und nehmen. Und meistens fängt es mit dem Geben an. Das können Kleinigkeiten sein – jemanden auf ein interessantes Angebot aufmerksam zu machen oder einen Zeitungsartikel weiterzuleiten. Wer auf Dauer aber immer nur gibt, sollte darüber nachdenken, ob er sich die richtigen Netzwerkpartner ausgesucht hat.

**Was sollte man vermeiden?**

Rundmails können nerven und haben meistens auch nicht den gewünschten Networking-Effekt: „Da hat jemand extra an mich gedacht, also werde ich nächstes Mal auch an ihn denken."

**„Mit wem gehe ich heute Mittag essen?"**

Das ist die Frage, die Netzwerker sich immer wieder aufs Neue stellen sollten, meint Ratgeberautorin Ruck. Denn die Mittagspause biete die beste Gelegenheit, berufliche Kontakte zu pflegen – in ungezwungener Atmosphäre und ohne zusätzlichen Zeitaufwand.

*Aufgezeichnet von Alexandra Werdes*

|  |  | richtig | falsch |
|---|---|:---:|:---:|
| 1 | Erfolg hängt nicht nur von Leistung ab, sondern auch davon, wen man kennt. | ☐ | ☐ |
| 2 | Nur für Selbstständige sind Netzwerke eher schädlich, weil sie die Konkurrenz fördern. | ☐ | ☐ |
| 3 | Über 50 Prozent der Hochschulabsolventen haben schon vor der bestandenen Prüfung Kontakt zu ihren zukünftigen Arbeitgebern. | ☐ | ☐ |
| 4 | Es gibt Netzwerke, die klar strukturiert und organisiert sind; das sind Netzwerke von Interessengruppen. | ☐ | ☐ |
| 5 | Diese formellen Netzwerke haben aber auch informelle Unternetzwerke, mit denen sie locker verknüpft sind. | ☐ | ☐ |
| 6 | Netzwerke machen den direkten persönlichen Kontakt überflüssig. | ☐ | ☐ |
| 7 | Wenn man ein Netzwerk aufbauen will, ist die Visitenkarte das wichtigste Hilfsmittel. | ☐ | ☐ |
| 8 | Gerade auf Veranstaltungen, die nicht unbedingt etwas mit dem eigenen Beruf zu tun haben, kann man interessante Kontakte knüpfen. | ☐ | ☐ |
| 9 | Netzwerk ist ein neues Wort für Seilschaften. | ☐ | ☐ |
| 10 | Das gemeinsame Mittagessen ist eines der einfachsten Mittel, berufliche Netzwerke zu pflegen. | ☐ | ☐ |

**B** **Ihr Zeugnis bitte!**

WORTSCHATZ: Schule und Ausbildung ·······▸ zu Kursbuch Seite 54

**1** **Schule und Ausbildung**

**a** Welche „Schulen" kennen Sie? Kreuzen Sie an.
WIEDERHOLUNG Zu welchen gibt es eine Entsprechung in Ihrem Heimatland?

| | | | | |
|---|---|---|---|---|
| 1 | Grundschule | ☐ | 7 | Vorschule | ☐ |
| 2 | Fahrschule | ☐ | 8 | Ballettschule | ☐ |
| 3 | Baumschule | ☐ | 9 | Hochschule | ☐ |
| 4 | Tanzschule | ☐ | 10 | Berufsschule | ☐ |
| 5 | Gesamtschule | ☐ | 11 | Ganztagsschule | ☐ |
| 6 | Volkshochschule | ☐ | 12 | Realschule | ☐ |

**b** Lesen Sie die Erklärungen und ordnen Sie die Schulen in a zu.

A Universität ☐
B eine Schule ohne Trennung zwischen Hauptschule, Realschule und Gymnasium ☐
C keine Schule für Menschen: Hier werden Pflanzen gezüchtet. ☐
D Bietet Fortbildungskurse in erster Linie für Erwachsene; die Kurse finden meist abends statt. ☐
E Bereitet die Kinder (im Alter von fünf Jahren) auf das erste Schuljahr vor ☐
F Schulen mit regelmäßigem Nachmittagsunterricht und Mittagessen in der Schule ☐
G Hier wird man praktisch und theoretisch auf den Führerschein vorbereitet. ☐
H Viele Jugendliche besuchen diese Schule, um Walzer, Foxtrott oder Tango zu lernen. ☐
I Diese Schule führt zu einem mittleren Bildungsabschluss nach der 10. Klasse. ☐
J eine Schule, die man parallel zur Ausbildung in einem Betrieb besuchen muss ☐
K private Schule, die man besuchen muss, um als professioneller Tänzer arbeiten zu können ☐
L die erste Schule, in die Kinder (im Alter von sechs Jahren) kommen ☐

**c** Welche Verben passen? Kreuzen Sie an.

| | | machen | bewerben | besuchen | ablegen | bestehen | lernen | studieren |
|---|---|---|---|---|---|---|---|---|
| 1 | sich um einen Ausbildungsplatz | ☐ | ☐ | ☐ | ☐ | ☐ | ☐ | ☐ |
| 2 | eine Schule | ☐ | ☐ | ☐ | ☐ | ☐ | ☐ | ☐ |
| 3 | Berufserfahrungen | ☐ | ☐ | ☐ | ☐ | ☐ | ☐ | ☐ |
| 4 | ein Diplom | ☐ | ☐ | ☐ | ☐ | ☐ | ☐ | ☐ |
| 5 | eine Lehre | ☐ | ☐ | ☐ | ☐ | ☐ | ☐ | ☐ |
| 6 | eine Prüfung | ☐ | ☐ | ☐ | ☐ | ☐ | ☐ | ☐ |
| 7 | einen Tanzkurs | ☐ | ☐ | ☐ | ☐ | ☐ | ☐ | ☐ |
| 8 | eine Universität | ☐ | ☐ | ☐ | ☐ | ☐ | ☐ | ☐ |
| 9 | Deutsch | ☐ | ☐ | ☐ | ☐ | ☐ | ☐ | ☐ |
| 10 | Germanistik | ☐ | ☐ | ☐ | ☐ | ☐ | ☐ | ☐ |

**d** Ergänzen Sie die folgenden Ausdrücke in dem Elternbrief auf Seite 100.

Zusatzqualifikationen und Erfahrungen ▪ sich um einen Ausbildungsplatz bewerben ▪
eine kleine Funktion übernehmen ▪ eine Lehre machen ▪ weiterführende Schule besuchen ▪
Abschlüsse und Diplome ▪ Hauptschule ▪ Bewerbungsschreiben und Vorstellungsgespräche ▪
die richtigen Entscheidungen treffen ▪ ein Praktikum machen ▪ vor großen Entscheidungen stehen

**12**

**Liebe Eltern,**

bald werden Ihre Kinder das letzte Jahr der Hauptschule .............................. erreichen, und Sie ..............................

nun mit Ihren Kindern ........................................ : Sollen sie ........................................ in einem Betrieb

........................................ und danach ........................................ oder doch noch eine ........................................ ?

In jedem Fall kommt jetzt die Zeit der ........................................ auf Sie zu. Die Zeiten sind schwieriger geworden,

und es ist nicht leicht ........................................ zu ........................................ .

Verlieren Sie aber nicht die Geduld, wenn es mal nicht gleich beim ersten Mal mit der neuen Stelle klappen

sollte. Vielleicht kann Ihr Sohn oder Ihre Tochter ja zur Überbrückung ........................................ , einen Erste-

Hilfe-Kurs absolvieren oder ........................................ bei der Feuerwehr oder in einem Kulturverein

........................................ . Heute zählen ja nicht nur ........................................ , sondern auch ........................................ .

Je mehr und je unterschiedlicher, desto besser.

Um möglichst viele dieser Fragen zu klären, möchten wir Sie gern zu einem Informationsabend am Freitag,

den 14. Februar um 18 Uhr in die Schule einladen. Für kleine Snacks und Getränke werden Ihre Kinder sorgen.

**Auf Ihr Kommen freuen sich**

**die Schulleitung und die Klassenlehrerinnen und Klassenlehrer**
**der 9. Klassen**

---

**2** Zeugnisse, Zertifikate, Bescheinigungen, Urkunden

**a** Was sind das für Prüfungen? Ordnen Sie zu. Manchmal gibt es mehrere Möglichkeiten.

1 Zugangsprüfung ☐
2 Gesellenprüfung ☐
3 Eignungsprüfung ☐
4 Führerscheinprüfung ☐
5 Promotionsprüfung ☐
6 Aufnahmeprüfung ☐
7 Meisterprüfung ☐
8 Abschlussprüfung ☐

a Muss ich bestehen, um eine bestimmte Ausbildung machen zu können.
b Wenn ich diese Prüfung bestanden habe, kann ich vor meinen Familiennamen die Abkürzung „Dr." schreiben.
c Muss ich schaffen, um ein Auto lenken zu dürfen.
d Ist Voraussetzung dafür, in meinem eigenen Handwerksbetrieb junge Menschen auszubilden.
e Kann zum Beispiel am Ende eines Kurses vorgesehen sein.
f Testet, ob ich für eine bestimmte Tätigkeit oder Ausbildung geeignet bin.
g Steht am Ende einer handwerklichen, beruflichen Grundausbildung.

**b** Lesen Sie den Text und unterstreichen Sie alle Wörter, die eine Qualifikation bezeichnen.

## Ohne Diplom keine Ehre

Was nutzt die beste Qualifikation, wenn man sie nicht schwarz auf weiß belegen kann? Daher kein Schuljahr ohne Zeugnis, kein Lehrgang ohne Diplom, kein Workshop, bei dem nicht wenigstens eine Teilnah-
5 mebestätigung ausgestellt wird. Und das Geschäft mit den Urkunden boomt. „Urkunden" oder „Diplome" heißen sie aber nicht immer – beim Tauchen, Fliegen und Autofahren muss man sich mit „Scheinen" begnü-
gen, wobei der Tauchschein ja noch recht günstig zu haben ist. Für den Führerschein für Autos oder Motor- 10
räder muss man da schon wesentlich tiefer in die Tasche greifen. Aber so richtig teuer wird es für den, der den Flugschein erwerben will. Das alles ist aber nichts im Vergleich zu einem Fußballklub, der die Be-
rechtigung erwerben will, in der Bundesliga mitzu- 15
spielen. Dieses „Zertifikat", die „Bundesligalizenz", übersteigt fast jede Vorstellungskraft.

**c** Ordnen Sie die unterstrichenen Wörter in b und die folgenden Wörter den Oberbegriffen zu. Manche passen mehrmals.

amtsärztliches Zeugnis ◼ Fahrerlaubnis ◼ Geburtsurkunde ◼ Gesellenurkunde ◼ Heiratsurkunde ◼ Meisterbrief ◼ Nachweis von Sprachkenntnissen ◼ polizeiliches Führungszeugnis ◼ Praktikumszeugnis ◼ Prüfungsurkunde ◼ Referenzen ◼ Reifezeugnis ◼ Seepferdchen (Schwimmprüfung für Kinder) ◼ Siegerurkunde ◼ Sportabzeichen ◼ Teilnahmebescheinigung ◼ Teilnahmebestätigung ◼ Zertifikat Deutsch

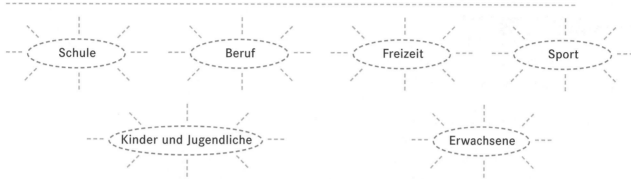

**d** Ergänzen Sie die Nomen. Welches Zeugnis ist keine Bescheinigung?

Praktikumszeugnis ◼ Arbeitszeugnis ◼ Armutszeugnis ◼ Gesundheitszeugnis ◼ Schulzeugnis

1 Vor den Sommerferien bekommen die Kinder ihr ........................................ .

2 Am Ende Ihrer drei Monate im Betrieb erhalten Sie selbstverständlich ein ........................................ .

3 Natürlich sollten Sie der Bewerbung auch Ihr ........................................ beilegen.

4 Für eine Bewerbung bei staatlichen Institutionen muss in aller Regel auch ein ärztliches ........................................ vorgelegt werden.

5 Ihre Reformpläne sind kein Ruhmesblatt, sondern ein ........................................ für die Politik Ihrer Regierung, verehrter Herr Ministerpräsident.

**e** Welche Kombinationen sind möglich? Notieren Sie.

Beispiel: *sich zur Prüfung anmelden, zur Prüfung antreten* ...

| | | |
|---|---|---|
| zur | Prüfung | ablegen |
| zum | Examen | bestehen |
| bei der | Diplom | durchfallen |
| vom | Test | schaffen |
| von der | Fahrprüfung | (sich) abmelden |
| beim | | (sich) anmelden |
| den | | antreten |
| die | | machen |
| das | | haben |

**f** Ergänzen Sie passende Ausdrücke aus e.

1 So langsam werde ich mich zum Examen ........................................ müssen.

2 Dieses Jahr sind bei der Diplomprüfung leider 20 % ........................................ .

3 Ich habe ........................................ ! Endlich darf ich Auto fahren!

4 Bravo! Sie haben den Test ........................................ .

5 Ich habe die Abschlussprüfung ........................................ . Aber ich weiß jetzt gar nicht, was ich in Zukunft machen soll.

**g** Welche Aussagen stimmen? Kreuzen Sie an.

☐ Mit der „Matura" beendet man ein Gymnasium in der Schweiz.

☐ Das „Abitur" berechtigt zum Studium in den meisten Studienrichtungen in Österreich.

☐ Der „Numerus clausus" definiert eine bestimmte Mindestnote für ein Studienfach.

☐ Das „Rigorosum" ist eine Prüfung, die zum Doktorat an einer Universität führt.

---

**GRAMMATIK: *je ... desto*** ·······▶ zu Kursbuch Seite 54

**3** Die Verwendung von *je ... desto*

**a** Lesen Sie den Text und markieren Sie alle Sätze mit *je ... desto*.

Im Unterricht wollte es einfach nicht klappen: Je mehr ich lernte, desto schlechter wurden meine Fremdsprachenkenntnisse. Schließlich hatte ich keine Lust mehr, und ich fasste überhaupt kein Lehrbuch mehr an. Erst als ich dann – viel später – beruflich ins Ausland musste, war alles ganz anders als im Kurs: Je mehr Leute ich kennenlernte, desto leichter fiel mir die Konversation in der Fremdsprache; je öfter ich dort ins Kino ging, desto leichter fiel mir das Verstehen; je öfter ich im Internet surfte, desto „normaler" wurde die Fremdsprache für mich; und je normaler die Sprache für mich wurde, desto mehr Motivation bekam ich, weiterzumachen.

**b** Was bedeutet der folgende Satz? Kreuzen Sie das passende Diagramm an. Übersetzen Sie den Satz dann in Ihre Muttersprache. Wie drücken Sie *je ... desto* aus?

Je mehr ich lernte, desto schlechter wurden meine Fremdsprachenkenntnisse.

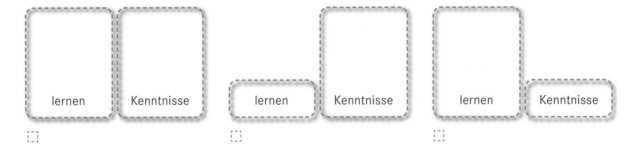

| lernen | Kenntnisse | lernen | Kenntnisse | lernen | Kenntnisse |

☐  ☐  ☐

**4** Wortstellung von *je ... desto*

**a** Machen Sie eine Tabelle und tragen Sie die markierten Sätze aus 3 a ein.

| Satz 1 | | | Satz 2 | | |
|---|---|---|---|---|---|
| *je* + Komparativ (+ Nomen) | Satzmitte | Verb (Ende) | *desto* + Komparativ (+ Nomen) | Verb (2. Position) | weitere Satzteile |
| Je mehr | ich | lernte, | desto schlechter | wurden | meine Fremdsprachenkenntnisse. |

**b** Bringen Sie die Satzteile in die richtige Reihenfolge.

1 weiß je ich darüber mehr, desto verstehe ich davon weniger

2 ich je öfter mit deutschsprachigen Personen Kontakt habe, desto mein Deutsch flüssiger wird

**5** Sätze mit *je ... desto*. Formulieren Sie mit den Ausdrücken Beispiele aus Ihrer eigenen Erfahrung.

je länger ■ je mehr ■ je intensiver ■ je öfter ■ je weniger ■ je früher ■ ...

Diät machen ■ sich mit etwas beschäftigen ■ Sport machen ■ arbeiten ■ faulenzen ■ ...

*..., desto weniger / mehr Erfolg hatte ich.*

...

**PHONETIK** ------→ zu Kursbuch Seite 54

**6** Hören Sie und sprechen Sie nach.

47 **a** 1 Je mehr ich lernte, desto schlechter wurden meine Fremdsprachenkenntnisse.
2 Je öfter ich ins Kino ging, desto besser verstand ich die Sprache.
3 Je größer du dich machst, desto weniger nimmt man dich ernst.
4 Je wärmer es wird, desto besser geht es mir.

48 **b** *je ... desto* als Wendung und in Witzen
Sie können die Bedeutung mit dem Lösungsschlüssel klären.

1 Je oller, desto toller.
2 Was ist der Unterschied zwischen ...
... einem Krokodil? – Je größer, desto schnapp.
... einem Frosch? – Je grüner, desto quack.
... einem Loch? – Je tiefer, desto plumps.

**12**

**SÄTZE BAUEN: persönliche Informationen weitergeben, Einschätzungen, Meinungen** ------→ zu Kursbuch Seite 54

**7** **a** Sortieren Sie diese Wendungen und Ausdrücke nach dem Grad der (Un-)Sicherheit.

Soviel ich weiß, ... ■ Selbstverständlich soll man ... ■ Ich weiß ganz genau, ... ■ ... wahrscheinlich ... ■
... meiner Erfahrung nach ... ■ Ich bin mir ganz sicher ... ■ Ich habe gar keinen Zweifel daran, dass ... ■
Ich bin mir ziemlich sicher ... ■ Soweit ich weiß, ... ■ Ich meine ... ■ Ich glaube ... ■ ..., das weiß ich ganz genau. ■
... ich glaube schon ... ■ Selbstverständlich ... ■ ..., da bin ich ganz sicher. ■ Ich frage mich, ob ...

relativ unsicher                                    total überzeugt

...............................................     ...............................................

...............................................     ...............................................

...............................................     ...............................................

**b** Schwierige Situationen. Reagieren Sie mit den angegebenen Argumenten auf die beiden Situationen. Verwenden Sie die folgenden Wendungen und Ausdrücke. Schreiben Sie.

Soviel ich weiß, kann man ... ■ Soweit ich weiß, ist es möglich ... ■
Ich frage mich, ob man ... ■ Selbstverständlich kann man ... ■ Natürlich sollte man ...

Ihre Freundin ist für zwei Monate auf einer einsamen Insel. Sie kümmern sich um ihre Post und finden ein Jobangebot. Sie wissen: Das ist die Stelle, die sich Ihre Freundin immer gewünscht hat. Sie beraten gemeinsam, was zu tun ist.

A

nur ein Radio auf der Insel ■ E-Mails schreiben ■ versuchen, übers Handy anzurufen ■ alle zwei Wochen fährt der Postbote hin, deshalb einen Brief schreiben ■ ein Boot mieten und hinfahren ■ die Freundin informieren ■ der Firma sagen, dass die Freundin in ein paar Wochen erst wieder da ist ■ alles versuchen

B

Sie haben von einem Bekannten erfahren, dass eine bestimmte Firma nächsten Monat Konkurs anmelden muss. Ein guter Freund von Ihnen arbeitet dort. Soll man ihn informieren? Beraten Sie gemeinsam, was zu tun ist.

es ihm sagen, damit er mehr Zeit hat, eine andere Stelle zu suchen ■
schon ahnen ■ nicht stimmen ■ die Politik eine andere Lösung finden ■
es ihm lieber doch nicht sagen sollen

**C** Was wissen Sie über die folgenden Berufe? Was glauben Sie über diese Berufe zu wissen? Äußern Sie sich. Ergänzen Sie die Sprechblasen. Verwenden Sie die Wendungen und Ausdrücke in a.

Fremdsprachen können ■ ein guter Autofahrer sein ■ Abitur haben ■ studieren ■
eine Ausbildung machen ■ Eignungstest absolvieren ■ eine gute Kondition haben ■
Lkw-Führerschein haben ■ große Geduld haben ■ ein guter Psychologe sein ■
Auslandserfahrung haben ■ Interesse für Technik haben ■ künstlerisch interessiert sein ■ ...

> Soweit ich weiß, muss man als Polizist eine Ausbildung machen.

> Ich bin mir ziemlich sicher, dass man ein guter Autofahrer sein muss.

Polizist

Installateur

Kapitän

Landwirt

**ⓓ** **Muss man das bei Ihnen auch? Reagieren Sie auf die folgenden Fragen.**
TIEFUNG **Verwenden Sie dabei die folgenden Wendungen und Ausdrücke.**

Ich frage mich, ob man das vergleichen kann. Bei uns ... ■ (Aber) Man kann ... ■
Selbstverständlich muss man auch bei uns ... ■ Soviel ich weiß, muss man auch bei uns ... ■
Soweit ich weiß, muss man bei uns ... (nicht) ...

1 Bei uns muss man eine Genehmigung vom örtlichen Bauamt haben, wenn man in seinem
eigenen Garten ein Gartenhäuschen aufstellen möchte. Ist das in Ihrer Heimat auch so?

2 In der Stadt, in der ich wohne, muss man beim Bauamt eine Genehmigung einholen,
wenn man den Garten eines Mehrfamilienhauses bepflanzen möchte. Es gibt da Vorschriften,
welche Pflanzen man pflanzen darf und welche nicht.

3 Ich habe gehört, dass es Länder gibt, in denen es verboten ist, minderjährige Kinder allein zu Hause
zu lassen. Bei uns ist es so, dass die Eltern das selbst entscheiden müssen, aber auch
die Verantwortung tragen. Wie ist das bei Ihnen?

# C Der Weg zum Erfolg

**WORTSCHATZ: beruflicher Werdegang** ·······▶ zu Kursbuch Seite 56

**8** **Wortschatz: beruflicher Werdegang**

**ⓐ** **Wie war Ihr schulischer und beruflicher Werdegang bisher?**
**Was trifft auf Sie zu? Kreuzen Sie an.**

☐ Schule besucht          ☐ Erfahrungen gesammelt
☐ Praktikum gemacht       ☐ Kontakte geknüpft
☐ Prüfung bestanden       ☐ Tagungen besucht
☐ Kurse gemacht           ☐ Firma gegründet
☐ Umschulung gemacht      ☐ Kenntnisse erworben
☐ Fortbildung gemacht     ☐ Vorlesungen besucht
☐ Sprachkurse gemacht     ☐ Preise bekommen
☐ Bücher veröffentlicht   ☐ Ausbildung abgeschlossen
☐ Aufsätze veröffentlicht ☐ ...

**ⓑ** **Ergänzen Sie das passende Verb in der richtigen Form.**

vorbereiten ■ spezialisieren ■ gründen ■ vertiefen ■ ausbilden ■ erwerben

1 Während meines Studiums habe ich mich auf angewandte Physik ............................. .

2 In mehreren Sprachkursen konnte ich meine Deutschkenntnisse ............................. .

3 Zurzeit ............................. ich mich auf meine Abschlussprüfung ............................. .

4 Die zusätzlichen Qualifikationen habe ich in Abendkursen ............................. .

5 Zusätzlich ließ ich mich zum Übungsleiter ............................. .

6 Gleich nach dem Studium habe ich mit einem Freund eine kleine Firma ............................. .

**9** Lesen Sie den folgenden Lebenslauf. Überlegen Sie sich dann, mit welchen Wendungen und Ausdrücken Sie die Informationen mündlich formulieren können. Schreiben Sie. Vergleichen Sie mit der Musterlösung im Lösungsschlüssel.

*Persönliche Daten*
| | |
|---|---|
| Name | Klaus Mustermann |
| Geburtsdatum | 7. 1. 1967 in Musterstadt |
| Anschrift | Blumenweg 14 |
| | 72086 Musterdorf |
| Telefon | 07143 / 45 67 8 |
| | 0172 / 12 34 56 |
| E-Mail | klaus.mustermann@t-online.de |
| Familienstand | verheiratet, 2 Kinder (2 + 4) |
| Staatsangehörigkeit | deutsch |

*Schulbildung*
| | |
|---|---|
| 8/1973 – 6/1977 | Grundschule in Musterstadt |
| 7/1977 – 4/1986 | Gymnasium in Musterstadt, Abschluss Abitur |

*Zivildienst*
| | |
|---|---|
| 7/1986 – 12/1987 | pädagogischer Förderkindergarten |

*Berufsausbildung*
| | |
|---|---|
| 1/1988 – 6/1990 | Ausbildung zum Industriekaufmann, IHK-Abschluss |

*Studium*
| | |
|---|---|
| WS 1990/91 – SS 1996 | Betriebswirtschaftslehre, Universität ... |
| | Schwerpunkte: Controlling, Revision |
| | Diplomarbeit: Kostenrechnung im Unternehmen |
| | Abschluss: Diplomkaufmann |

*Praktika*
| | |
|---|---|
| 7/1991 – 9/1991 | Norddeutsche Automobilwerke AG – Buchhaltung |
| 4/1992 – 6/1992 | Stadtsparkasse Traumstadt – Kreditabteilung |
| 6/1992 – 12/1994 | Bruthwik & Miller, Cambridge/GB, Vertriebsabwicklung |

*Berufspraxis*
| | |
|---|---|
| 1. 10. 1996 – 31. 08. 1999 | Musterkonzern AG (Kfz-Zulieferer; Motoren, Achsen, Karosserieteile; ca. 5 Mrd. DM Umsatz) |
| | Werk Musterstadt |
| | (Motorenmontage, ca. 1500 Mitarbeiter) |
| 1. 09. 1999 – dato | Max Müller und Co. KG |
| | (Sondermaschinen für spangebende Fertigung, ca. 2800 Mitarbeiter, ca. 250 Mio. EUR Umsatz) |
| 9/99 – 8/2001 | Assistent des kaufmännischen Leiters |
| 9/2001 – dato | Leiter Controlling |

*Sonstiges*
| | |
|---|---|
| Sonstige Aktivitäten | Jugendtrainer im örtlichen Fußballklub |
| Spezielle Fachkenntnisse | Gutachter für Arbeitsplatzsicherheit |
| Fremdsprachen | Englisch, sicher in Wort und Schrift (Auslandspraktikum, ständiger beruflicher Gebrauch) |
| Weiterbildung | Controller-Akademie 1998 |
| | diverse konzerninterne Seminare 1996–2005 |
| | mit den Inhalten Führung und Kommunikation |
| | Sprachkurs Chinesisch seit 2005 |

**0** Im Folgenden finden Sie 22 häufig gestellte Fragen aus einem Vorstellungsgespräch. Beantworten Sie sie für sich schriftlich. Antworten Sie bei jeder Frage mit maximal drei Sätzen. Vergleichen Sie mit dem Lösungsschlüssel.

1 Erzählen Sie mir was über sich. (Wer sind Sie? Woher kommen Sie? Was haben Sie gelernt? Was machen Sie gern?)
2 Was sind Ihre Stärken? (Was können Sie besonders gut?)
3 Was sind Ihre Schwächen? (Was müssen Sie noch üben, lernen?)
4 Geschäftsessen: Sie bestellen einen Gurkensalat. Der Kellner bringt einen Tomatensalat. Was tun Sie?
5 Wo möchten Sie in fünf Jahren stehen?
6 Was machen Sie in Ihrer Freizeit?
7 Wie würden Sie sich fühlen, wenn Sie für jemanden arbeiten müssten, der weniger weiß als Sie selbst?
8 Gab es einen Menschen in Ihrer beruflichen Laufbahn, der Sie verändert hat?
9 Wie sieht das ideale Unternehmen für Sie aus?
10 Worauf sind Sie besonders stolz?
11 Wohin möchten Sie sich in Ihrer Karriere entwickeln (Karriereziele)?
12 Geben Sie mir ein paar Beispiele von Ideen, die Sie in die Tat umgesetzt haben.
13 Was möchten Sie später machen?
14 Was sind Ihre großen Lebensträume?
15 Wie würden Sie Ihren Arbeitsstil bewerten?
16 Warum haben Sie Ihre letzte Schule / Arbeitsstelle sehr / überhaupt nicht gemocht?
17 Wer hat Sie in Ihrem Leben entscheidend beeinflusst? Wie?
18 Was war die wichtigste Lektion, die Sie in der Schule gelernt haben?
19 Nennen Sie fünf Begriffe, die Ihren Charakter beschreiben.
20 Was ist besser: Sollte ein Chef geliebt oder gefürchtet werden?
21 Was war das letzte Projekt, an dem Sie gearbeitet haben, und was war das Ergebnis?
22 Was ist Ihr persönliches Motto?

---

**TEXTE BAUEN: beruflichen Werdegang beschreiben** ········▸ zu Kursbuch Seite 56

**11** Herr Sauerbier auf Jobsuche

**a** Beim persönlichen Berater in der Agentur für Arbeit
Welche der folgenden Antworten a–f passen zu den Fragen 1–6? Ordnen Sie zu.

1 Wie war das mit Ihrer letzten Stelle? Haben Sie die selbst gekündigt? ☐
2 Wie viele Weiterbildungskurse haben Sie bisher besucht? ☐
3 Das Studium haben Sie dann aber nicht abgeschlossen. Stimmt das? ☐
4 Interessant, dass Sie erst relativ spät begonnen haben, Praktika zu absolvieren. ☐
5 In welcher Position sehen Sie sich denn so in zehn Jahren? ☐
6 Wenn Sie jetzt frei wählen könnten: Was würden Sie denn am liebsten machen? ☐

A Stimmt natürlich nicht ganz, da gab's schon noch eine Menge kleinerer, aber die hab ich hier gar nicht angeführt. Die längeren fand ich wichtiger.
B So einfach kann ich das gar nicht beantworten, aber schon eher was Kreatives, was Selbstständiges.
C Nein, wir haben uns einvernehmlich getrennt.
D Na ja, am liebsten als führender Mitarbeiter in einem internationalen Unternehmen.
E Ja, das ist richtig. Ich habe mich dann doch für einen anderen Weg entschieden.
F Kann ich jetzt gar nicht so genau sagen.

**b** Auf einem Vorbereitungsseminar „Bewerbungsgespräche"
Herr Sauberbier soll <u>kurz</u> zusammenfassen, wie sein beruflicher Werdegang
in letzter Zeit ausgesehen hat.

1 In welcher Reihenfolge würden Sie die Informationen aus a wiedergeben? Nummerieren Sie die Antworten a–f.

2 Ergänzen Sie die Kurzvorstellung mit den Informationen aus a. Schreiben Sie.

> Zuerst habe ich studiert, dann ...
> Anschließend habe ich Praktika gemacht, einige kurze, aber auch
> einige, die mehrere Monate dauerten.
> Danach habe ich eine Stelle bei einer Firma bekommen, aber ...

VERTIEFUNG

**c** Schulischer und beruflicher Werdegang
Ergänzen Sie die folgende Liste wie angegeben mit Ihren eigenen persönlichen Angaben
(oder erfinden Sie eine glaubwürdige Person). Beachten Sie die Hinweise.

Bitte machen Sie lückenlose, chronologische Angaben über Ihre bisherige schulische Ausbildung (ohne
Grundschule), Ihre betriebliche Ausbildung, Ihre Praktika, Ihre Ausbildung an höheren Fachschulen, Akademien,
Hochschulen (auch Ausbildung an Fernlehrinstituten); Zeiten der Erwerbstätigkeit und gleichgestellte Zeiten
(Elternzeit usw.); Wehr- oder Zivildienst sowie gleichgestellte Zeiten (z. B. freiwilliges soziales Jahr usw.);
Maßnahmen der beruflichen Weiterbildung wie im Beispiel.

| vom Monat/Jahr bis Monat/Jahr | Name und Anschrift der Ausbildungsstätte, der Praktikumsstelle, des Arbeitgebers/ Leistungsträgers | Schulart/Fachrichtung/ Art der Tätigkeit | erreichter Abschluss (Name und Datum) |
|---|---|---|---|
| 8/98  – 6/2004 7/2004 – 7/2007 | Realschule in Musterstadt Fa. Mustermann & Co., Musterstadt | Realschule Berufsausbildung zum Schlosser | Realschulabschluss Gesellenbrief/Facharbeiterbrief 17. 7. 2007 |
| 8/2007 – 8/2008 | Fachoberschule/Berufskolleg | Technischer Zweig | Fachhochschulreife 18. 6. 2008 |
| WS 2008/09 | Fachhochschule, Musterstadt | Elektrotechnik | |

---

**SÄTZE BAUEN: etwas bewerten und auf Bewertungen eingehen** ┄┄┄▶ zu Kursbuch Seite 56

**12** Ihre Meinung ist gefragt.

**a** Welche Reaktionen passen zu der Aussage? Kreuzen Sie an.

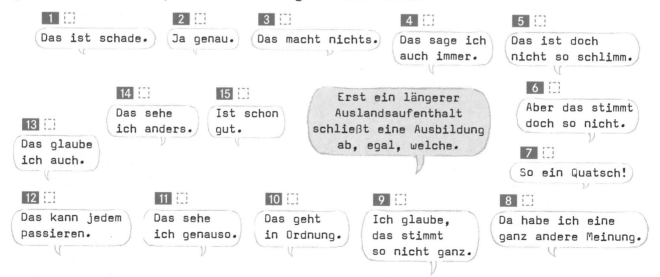

**b** Aussage gegen Aussage. Geben Sie ein kurzes, persönliches Statement zu den Positionen in 1 und 2 ab. Verwenden Sie die folgenden Wendungen und Ausdrücke. Schreiben Sie Ihre Antworten mithilfe der Argumente.

---

Ich bin ganz Ihrer Meinung. ■ Ich finde / glaube auch, dass ... ■ Ich bin derselben Meinung wie ... ■ Damit bin ich nicht einverstanden. Ich finde eher, dass ... ■ Ich bin nicht Ihrer / dieser Meinung. Ich glaube vielmehr, dass ... ■ Im Gegenteil, es ist doch gut / schlecht, dass / wenn ... ■ Mag ja sein, dass ..., aber ...

---

1

**Herr Möller,**
kaufmännischer
Angestellter

> Ich finde, Mitarbeiter, die sich sehr engagieren und viele Überstunden machen, sollten dafür extra bezahlt werden.

**Argumente**
– Mitarbeiter motivieren
– fleißigeren Mitarbeitern mehr Geld geben
– zu viel Arbeit ungesund, Überstunden verbieten
– man kann nur eine bestimmte Anzahl von Stunden gut arbeiten
– eher eine Gehaltserhöhung für die geleistete Arbeit als für die Überstunden
– Überstunden muss man verbieten.

2

**Susanne Eichstädt,**
pädagogische
Beraterin

> Ich bin der Meinung, dass man es Kindern überlassen sollte, wie viel sie fernsehen, wann sie fernsehen und was sie sich anschauen. Sie wissen am besten, was ihnen guttut und was ihnen schadet.

**Argumente**
– Kinder sind neugierig, deshalb finden sie Fernsehen so toll.
– Kinder können nicht wissen, was ihnen guttut.
– Kinder wissen nicht, welche Langzeitschäden Fernsehen verursachen kann.
– Kinder lernen durch Fernsehen viele wichtige und interessante Dinge.
– Kinder bekommen durch Fernsehen ein falsches Bild von der Wirklichkeit.
– Kinder sollen lieber in der Natur sein und spielen.

**c** Nach einem Unfall Aufstieg zum Superstar. Lesen Sie und sagen Sie dazu Ihre Meinung. Ergänzen Sie die folgenden Satzanfänge mit passenden Kommentaren zum Text.

Bei einer Mutprobe verlor Wolfgang Sacher mit 15 Jahren seinen linken Arm durch einen Stromschlag, die Zehen seines rechten Fußes verbrannten, am linken Fuß fehlt ihm ein Zeh. Rechts hat er Schuhgröße 36, links 43. Das würde so manchem die Lebenslust nehmen. Aber nicht so Wolfgang Sacher. Er ist nicht nur Kämmerer im Rathaus seiner Heimatstadt, nein, er kann auch eine beachtliche Sportkarriere vorweisen: 2004 Auszeichnung: mit dem Rad zur Arbeit; danach mehrfacher deutscher Radsportmeister und Gewinner des Europacups in der Behindertenklasse LC1. Dabei fing alles damit an, dass er Glück gehabt hat. Nach zwei Jahren der Depression und des Nichtstuns bekam er mit 18 nämlich trotz seiner Behinderung einen Ausbildungsplatz, dort lernte er auch seine spätere Frau kennen. Die gab ihm die Kraft, auch körperlich wieder fit zu werden. Zuerst kamen kleinere Radtouren, dann echtes sportliches Radfahren. Von 107 kg Übergewicht gelangte er so zu einem normalen, gesunden Körpergewicht, dann zu sportlichen Rekorden.

1 Eigentlich ist das doch eine Frage der Disziplin, ob man etwas im Leben erreicht, egal, ob man ...
(behindert sein / weniger Chancen haben – oder nicht)

2 Na ja. Ich frage mich, ob das nicht jeder schaffen könnte, ...
(eine sportliche Karriere und eine berufliche Karriere – wollen müssen)

3 Ich habe das Gefühl, dass ...
(auch viel Glück haben)

4 Ich frage mich, ob er das nur gemacht hat, ...
(der Welt beweisen – auch mit einer Behinderung ein vollwertiger Mensch sein)

5 Ich halte den Erfolg eher für einen Zufall: Wenn ...
(nicht den Ausbildungsplatz bekommen – seine Frau nicht kennenlernen – keine Motivation haben)

6 Ich habe das Gefühl, dass ...
(er nie so erfolgreich werden – wenn nicht behindert sein)

7 Mir scheint es so zu sein, dass ...
(ein erfolgreicher Mensch sein, mit und ohne Behinderung)

49 **d** Zwei Kollegen im Gespräch. Wie ist das Gespräch richtig?
Ordnen Sie die Sätze. Hören Sie dann die Lösung und vergleichen Sie.

Tino    [b]    [ ]    [ ]
Paul         [1]    [ ]    [ ]

**Tino**

a Aber wer sagt denn, dass Technik und Kunst und Kultur nicht zusammenpassen können?
Denken Sie doch nur an Einstein: Der war nicht nur ein großer technischer Geist, er hat auch brillant
Geige gespielt – und Humor hatte er übrigens auch.

b Wer heute keine technische Schule absolviert hat, der wird kaum Chancen auf einen guten Job haben.

c Aber im Gegenteil! Schauen Sie sich doch um: Überall wird gebaut, überall entstehen neue Technologien.
Wer soll denn das machen wenn nicht bestens ausgebildete Techniker?

**Paul**

1 Das hört man immer wieder. Ich bin da aber ganz anderer Meinung. Ich finde ja eher,
dass wir heute schon zu viele haben.

2 Mag ja sein, dass das für ihn stimmt. Aber davon gibt es halt viel zu wenige.

3 Ich sage ja nicht, dass wir keine Techniker brauchen. Ich meine nur, die Welt besteht doch auch
aus anderen Dingen: Kunst, Kultur, Musik, Theater – den schönen Dingen des Lebens halt!

---

**TEXTE BAUEN: etwas bewerten und auf Bewertungen eingehen** ········▶ zu Kursbuch Seite 56

**13** Nehmen Sie mit den Wendungen und Ausdrücken aus Übung 12 an dem
folgenden Forum teil. Schreiben Sie zu jedem Beitrag eine Antwort mit mindestens
einem Argument – es werden immer mehrere Argumente angeboten.

# Hochbegabt – oder was?

Geschrieben von **Einsteins Tochter** Datum 7. Mai 20.. 21.19 Uhr

Hallo.
Immer wieder hatte ich das Problem, dass mich die Schule langweilte, ich schlechte Noten hatte,
dabei aber schon mit zehn in die Erwachsenenbibliothek durfte, mir dort Bücher auslieh über Umweltschutz,
Ökologie usw. sowie Kunst, vor allem moderne Kunst. Zu Hause unterhielt man sich mit mir, das ist mir
heute klar, wie mit einer Erwachsenen, in der Schule gab es nur Probleme, meine Fragen wurden dort nie
beantwortet. Das Studium und die Promotion waren dann aber kein Problem, mit super Noten abgeschlossen.
Eigentlich hat mich das alles gar nicht besonders interessiert, doch jetzt haben meine Kinder dasselbe
Problem, und ich frage mich plötzlich: Sind wir hochbegabt?

**Re: Hochbegabt – oder was?**
Geschrieben von **Dödel** Datum 7. Mai 20.. 21.33 Uhr

- vielleicht überbewerten
- jeder könnte doch im Studium super Noten schaffen
- egal, oder?

**Re: Hochbegabt – oder was?**
Geschrieben von **h. b.** Datum 7. Mai 20.. 21.19 Uhr

- besonders wichtig zu wissen, damit man die Kinder fördern kann, sonst sich langweilen
- manche das egal finden – für die Kinder aber ein großes Problem
- Dich das Problem nicht interessiert, weil Du es geschafft hast – aber für Deine Kinder vielleicht nicht so einfach
- wahrscheinlich von Dir geerbt

**Re: Hochbegabt – oder was?**
Geschrieben von **Euridike** Datum 7. Mai 20.. 21.19 Uhr

- Kinder so begabt sind
- es nicht Aufgabe der Schule ist, sich um Hochbegabte zu kümmern
- eher leid tut, dass es so ist
- für die Kinder eine tolle Chance – im Leben Erfolg haben

## 14 Phonetik

**50 ⓐ** Hören Sie die Sätze in 12 a und sprechen Sie nach.

**51 ⓑ** Hören Sie die Sätze und sprechen Sie nach.

1 Da bin ich ganz Ihrer Meinung.
2 Ich bin derselben Meinung wie Sie.
3 Damit bin ich nicht einverstanden.
4 Ich glaube vielmehr, dass das nicht ganz stimmt.
5 Im Gegenteil. Es ist doch gut, wenn man das so macht.
6 Mag ja sein, dass das stimmt, aber ich bin trotzdem skeptisch.

**52 ⓒ** Hören Sie die Sätze und sprechen Sie nach.

1 Eigentlich ist es doch egal, wie viel Geld man hat.
2 Na ja, ich frage mich, ob das so stimmt.
3 Ich habe das Gefühl, dass das nicht ganz stimmt.
4 Ich frage mich, wie sie das geschafft hat.
5 Ich halte das Ganze für einen großen Blödsinn.
6 Mir scheint es so zu sein, dass das ein Fehler war.

**53 ⓓ** Diskussion um ein Wartehäuschen für einen Bus
Hören Sie das Gedicht und sprechen Sie es Stück für Stück nach.
Wenn es Ihnen gefällt, lernen Sie es auswendig.

**12**

KÄMMERER:
Auf uns'rer Tagesordnung ist
der nächste Punkt: Herr Odermatt
beziehungsweise eine Mail,
die er uns übermittelt hat.
Er schreibt: „An den Gemeinderat.
Es stört mich, dass in unserer Stadt
die Haltestelle für den Bus
bis heut' kein Wartehäuschen hat."

GEMEINDERÄTIN I:
Herr Odermatt hat völlig recht,
dass dort ein Wartehäuschen fehlt!
*Ich bin dafür, dass* man sofort
die Zahl der Passagiere zählt
und dann, entsprechend ihrer Zahl,
ein Wartehäuschen konzipiert
und, für die Planung im Detail,
drei Architekten kontaktiert.

GEMEINDERAT I:
*Moment!* Das geht mir viel zu schnell!
Seit letztem Jahr gilt der Beschluss,
dass uns're Stadt in diesem Jahr
wo immer möglich sparen muss.
*Ich bin der Meinung, dass* die Mail
nur eine Einzelmeinung ist
und dass der Durchschnitts-Passagier
das Wartehäuschen nicht vermisst.

GEMEINDERAT 2:
*Nein, dieser Meinung bin ich nicht!*
Ich glaube vielmehr, dass der Bus
ein Wartehäuschen dringend braucht
und eins errichtet werden muss.
*Ich frage mich jedoch*, warum
die Haltestelle überhaupt
so dicht beim Rathaus bleiben soll,
wo sie uns so viel Parkplatz raubt.

GEMEINDERÄTIN 2:
*Ich habe das Gefühl, dass* man
die alte Standortdiskussion
ein zweites Mal eröffnen will.
*Ich bitte Sie!* Genug davon!
Und *eigentlich ist gar nicht klar*,
wie lange dieser Bus noch fährt.
*Mir scheint*, wir sollten gar nichts tun,
bis jemand diese Frage klärt.

BÜRGERMEISTER:
*Das sehe ich ganz anders*, denn
der Kostenzuschuss, den der Bund
zu diesem Wartehäuschen zahlt,
macht uns finanziell gesund.
*Ja, es mag sein, dass* uns der Bus
in Zukunft nicht mehr transportiert.
Egal! Jetzt wird auf jeden Fall
der Kostenzuschuss einkassiert!

# D Ein Kunstwerk geschaffen?

GRAMMATIK: Verben mit abtrennbaren und festen Vorsilben ········▶ zu Kursbuch Seite 57

**15** Abtrennbare und feste Vorsilben

**a** Ist die jeweilige Vorsilbe abtrennbar (a) oder fest (b)? Kreuzen Sie an.
Vergleichen Sie mit dem Lösungsschlüssel

|   | | a | b |   | | a | b |
|---|---|---|---|---|---|---|---|
| 1 | abfahren | ☐ | ☐ | 12 | anprobieren | ☐ | ☐ |
| 2 | unterstützen | ☐ | ☐ | 13 | misslingen | ☐ | ☐ |
| 3 | aufführen | ☐ | ☐ | 14 | verreisen | ☐ | ☐ |
| 4 | zumachen | ☐ | ☐ | 15 | vorhaben | ☐ | ☐ |
| 5 | belegen | ☐ | ☐ | 16 | mitnehmen | ☐ | ☐ |
| 6 | zuhören | ☐ | ☐ | 17 | nachdenken | ☐ | ☐ |
| 7 | versuchen | ☐ | ☐ | 18 | auschecken | ☐ | ☐ |
| 8 | einzahlen | ☐ | ☐ | 19 | erfinden | ☐ | ☐ |
| 9 | zerstören | ☐ | ☐ | 20 | entdecken | ☐ | ☐ |
| 10 | bekommen | ☐ | ☐ | 21 | besuchen | ☐ | ☐ |
| 11 | umziehen | ☐ | ☐ | | | | |

**b** Bilden Sie Sätze mit den Verben aus a.

**c** Setzen Sie die Verben in der richtigen Form ein.

> erfinden ■ aufhören ■ verbessern ■ bestellen ■ bezahlen ■ erlernen ■ verstehen ■
> verpassen ■ entschließen ■ anrufen ■ entdecken ■ ausdrucken ■ gefallen ■ zerreißen ■ versuchen

1 Du ............................ jetzt sofort ................................ ! Hast du mich ................................ ?

2 In meiner Lehrzeit hatte ich nicht so viel Geld. Heute wird mehr ................................ .

3 Ich habe ein paar Mal ........................... , dich ........................... .

   Aber es ist niemand ans Telefon gegangen.

4 Jetzt ist es zu spät. Sie haben den Anmeldetermin leider ........................... .

5 Wer hatte diesen Kaffee ........................... ?

6 Nein, der Film hat mir nicht besonders gut ........................... .

7 Die Rechnung können Sie ................... . Ich ................... Ihnen eine neue ................... .

8 Wer hat Amerika ................... ?

9 Die ganze Geschichte ist nicht wahr. Die hat sie nur ........................... .

10 Gut, dass ich mich damals ........................... habe, ein richtiges Handwerk zu ........................... .

   Das hat meine berufliche Situation entscheidend ........................... .

**d** Welche Sätze sind richtig? Kreuzen Sie an. Es gibt mehrere Möglichkeiten.

1  a ☐ Sie hat auf meine Fragen nicht geantwortet.

   b ☐ Sie hat meine Fragen nicht beantwortet.

   c ☐ Sie hat auf meine Fragen nicht beantwortet.

2  a ☐ Ich habe noch nie auf einen Achttausender bestiegen.

   b ☐ Ich habe noch nie einen Achttausender bestiegen.

   c ☐ Ich bin noch nie auf einen Achttausender gestiegen.

**16** Abtrennbare Vorsilben

**ⓐ Welche Vorsilben passen? Kreuzen Sie an. Welche möchten Sie lernen?**
**Arbeiten Sie mit dem Lösungsschlüssel.**

|           | ab | an | auf | aus | durch | ein | mit | nach | vor | zu |
|-----------|----|----|-----|-----|-------|-----|-----|------|-----|----|
| fahren    | ☐  | ☐  | ☐   | ☐   | ☐     | ☐   | ☐   | ☐    | ☐   | ☐  |
| hängen    | ☐  | ☐  | ☐   | ☐   | ☐     | ☐   | ☐   | ☐    | ☐   | ☐  |
| kaufen    | ☐  | ☐  | ☐   | ☐   | ☐     | ☐   | ☐   | ☐    | ☐   | ☐  |
| heben     | ☐  | ☐  | ☐   | ☐   | ☐     | ☐   | ☐   | ☐    | ☐   | ☐  |
| machen    | ☐  | ☐  | ☐   | ☐   | ☐     | ☐   | ☐   | ☐    | ☐   | ☐  |
| schreiben | ☐  | ☐  | ☐   | ☐   | ☐     | ☐   | ☐   | ☐    | ☐   | ☐  |
| nehmen    | ☐  | ☐  | ☐   | ☐   | ☐     | ☐   | ☐   | ☐    | ☐   | ☐  |
| teilen    | ☐  | ☐  | ☐   | ☐   | ☐     | ☐   | ☐   | ☐    | ☐   | ☐  |
| denken    | ☐  | ☐  | ☐   | ☐   | ☐     | ☐   | ☐   | ☐    | ☐   | ☐  |
| gehen     | ☐  | ☐  | ☐   | ☐   | ☐     | ☐   | ☐   | ☐    | ☐   | ☐  |
| ziehen    | ☐  | ☐  | ☐   | ☐   | ☐     | ☐   | ☐   | ☐    | ☐   | ☐  |
| halten    | ☐  | ☐  | ☐   | ☐   | ☐     | ☐   | ☐   | ☐    | ☐   | ☐  |

**ⓑ Einfaches Verb, aber mit Vorsilben ganz verschiedene Bedeutungen**
**Lesen Sie die Sätze und übersetzen Sie die Verben in Ihre Muttersprache.**

**machen**
1. Könnten Sie das Preisschild abmachen? Es soll ein Geschenk sein.
2. Wir haben abgemacht, dass wir uns um zwei treffen.
3. Mach doch mal die Tür auf und das Licht an.
4. Wir haben die Nacht durchgemacht.
5. Sie hat in ihrem Leben schon einiges durchgemacht.
6. Wenn du im Winter Pflaumenkompott willst, dann hilf mir beim Einmachen.
7. Komm, mach doch mit!
8. Ich zeig dir, wie's geht. Mach mir einfach alles nach.
9. Du kannst mir nichts vormachen. Ich weiß genau, dass das nicht stimmt.
10. Mach doch mal das Fenster zu.

**ziehen**
1. Die Sonne strahlt, die Wolken sind abgezogen.
2. Mist! Der Aufkleber lässt sich gar nicht mehr abziehen.
3. Komm, zieh dich an, wir müssen gehen.
4. Gegensätze ziehen sich an, wie man sagt.
5. Unser Bürgermeister hat die Absicht, das Stadtfest ganz groß aufzuziehen.
6. Nächsten Monat ziehen die neuen Nachbarn schon wieder aus.
7. Man sollte sich im Büro nicht das Hemd ausziehen, egal, wie heiß es ist.
8. Und wann zieht ihr in euer Haus ein?
9. Wir wollten eine Aktion starten, aber niemand hat mitgezogen.
10. Wir haben unseren Teil getan, jetzt müssen Sie nachziehen.
11. Wir ziehen es vor, in dieser Sache neutral zu bleiben.
12. Ziehst du bitte mal die Vorhänge zu?

**halten**
1. Zu diesem Punkt müssen wir eine eigene Versammlung abhalten.
2. Halt doch an! Die Ampel schaltet um.
3. Entschuldigung für die Verspätung. Ich wurde aufgehalten.
4. Diese Hitze! Ich halte das nicht mehr aus!
5. Komm, halt durch! Wir sind gleich da.
6. Nein, es gibt keine Ausnahme. Die Spielregeln sind einzuhalten.
7. Die bieten für diesen Spieler nur zehn Millionen Euro? Da können wir locker mithalten.
8. Warum hältst du mir immer diese alten Dinge vor? Das ist doch längst vergessen!
9. Halt mal die Tür zu. Der Wind geht gerade ganz stark.

**12**

**c** Vorsilbe (V) oder Präposition (P)? Kreuzen Sie an.

|  |  | V | P |
|---|---|---|---|
| 1 | a Der Zug fährt am Ostbahnhof ab. | ☐ | ☐ |
|  | b Der Zug fährt heute ab Ostbahnhof. | ☐ | ☐ |
| 2 | a Hoffentlich falle ich nicht durch die Prüfung. | ☐ | ☐ |
|  | b Hoffentlich falle ich bei der Prüfung nicht durch. | ☐ | ☐ |
| 3 | a Und wann stehen wir morgen auf? | ☐ | ☐ |
|  | b Unsere Nachbarn stehen den ganzen Tag auf dem Balkon und rauchen. | ☐ | ☐ |
| 4 | a Mach doch nicht aus einer Mücke einen Elefanten! | ☐ | ☐ |
|  | b Das macht mir gar nichts aus! | ☐ | ☐ |
| 5 | a Fährst du mit dem Bus? | ☐ | ☐ |
|  | b Fährst du bei uns mit? | ☐ | ☐ |
| 6 | a Ihr könnt schon mal losgehen! Ich komme gleich nach. | ☐ | ☐ |
|  | b Ich komme immer um fünf nach Hause. | ☐ | ☐ |
| 7 | a Bei diesem Wetter gehe ich nicht vor die Tür! | ☐ | ☐ |
|  | b Geht schon mal vor! Ich komme gleich! | ☐ | ☐ |
| 8 | a Plötzlich ging die Tür zu. | ☐ | ☐ |
|  | b Ich gehe noch schnell zur Post. | ☐ | ☐ |

**d** Ergänzen Sie die passenden Verben in der richtigen Form.

---
ankommen ■ zunehmen ■ aufheben ■ umziehen ■ aufmachen ■
nachgehen ■ nachdenken ■ einladen ■ vorhaben ■ anmelden ■ abnehmen
---

1 So gehst du mir nicht aus dem Haus. Du musst dich vorher ....................... .

2 Nein, über deine Taschengelderhöhung habe ich noch nicht ....................... .

3 Tut mir leid, aber der Zug ist eine Stunde später ....................... .

4 ....................... du heute schon was ....................... ? Wir könnten mal wieder ins Kino gehen.

5 Bei dieser Diät habe ich ....................... statt ....................... .

6 Deine Uhr ....................... ! Mindestens fünf Minuten. Und jetzt ist der Zug weg!

7 Und, Frodo: Diesen Ring musst du gut ....................... .

8 Nächsten Monat beginnt der neue Kurs. Hast du dich schon ....................... ?

9 Hier ist schlechte Luft. ....................... doch mal das Fenster ....................... .

10 Ich möchte dich gern zu meinem Geburtstag ....................... .

**e** Bewegung und Richtung. Ordnen Sie die Verben der Zeichnung zu.

---
a raufgehen (hinaufgehen) ■ b runtergehen (hinuntergehen) ■
c hingehen ■ d weggehen ■ e rübergehen (hinübergehen) ■
f rumgehen (herumgehen) ■ g reingehen (hineingehen) ■
h rausgehen (hinausgehen)
---

**f** Weitere Verben mit abtrennbaren Vorsilben
Kreuzen Sie an, welche Verben Sie lernen möchten.

VERTIEFUNG

☐ entgegenkommen ☐ feststellen ☐ hinkriegen ☐ stattfinden ☐ zurückreisen
☐ entlanggehen ☐ fortbilden ☐ kennenlernen ☐ teilnehmen ☐ zusammenarbeiten
☐ fernsehen ☐ fortfahren ☐ losgehen ☐ weiterbilden

**Ergänzen Sie passende Verben aus f.**

1 Ich möchte gern ...................... , wenn die Veranstaltung ...................... .

2 Da ...................... Sie am besten immer die Hauptstraße ...................... , dann kommen Sie ganz
   automatisch zur Post.

3 Für das Unternehmen ist es von großer Bedeutung, dass sich die Mitarbeiterinnen und
   Mitarbeiter ...................... .

4 Und plötzlich ist uns ein schwarzer Lastwagen auf unserer Spur ...................... . Wir konnten gerade
   noch ausweichen.

5 Nach einer Pause: Ich ...................... nun mit dem nächsten Kapitel ...................... .

6 Bei den Untersuchungen wurde ...................... , dass keine gravierenden baulichen Mängel vorliegen.

7 Ich weiß nicht, warum. Aber ich hab's einfach nicht ...................... .

## 7 Wortstellung

**a** **Schreiben Sie die Sätze in die Tabelle.**

1 Ich hab heute nichts Besonderes vor.
2 Morgen werde ich vielleicht die restlichen Dinge einkaufen.
3 Also, mit dir arbeite ich wirklich unheimlich gern zusammen.

| Satzanfang | Verb 1 | Satzmitte | Verb 2 / Vorsilbe |
|------------|--------|-----------|-------------------|
| Ich | hab | heute nichts Besonderes | vor. |

**b** **Tendenz: Klarheit in der Worstellung**
**Lesen Sie die Sätze und unterstreichen Sie die abtrennbaren Vorsilben.**
**Ordnen Sie die Sätze neu, indem Sie die Vorsilben an den besseren Platz verschieben.**
**Vergleichen Sie mit dem Lösungsschlüssel.**

1 Ich komme um 18:31 Uhr am Hauptbahnhof, wenn der Zug pünktlich ist, an.
2 Wir bilden unsere Mitarbeiter, wann immer es geht und es die finanzielle Situation
   unseres Betriebs erlaubt, fort.
3 Die ganze Geschichte fing damit, dass ich eines Morgens aufwachte, ohne genau zu wissen,
   wo ich war, an.

## 8 Fest, aber mit neuer Bedeutung

**a** **Lesen Sie die Sätze und setzen Sie die Verben in der richtigen Form ein.**

1 Ja, ich habe den Vertrag bereits letzte Woche ...................... (unterschreiben).

2 Die Firmenleitung hat unser Projekt leider nicht ...................... (unterstützen).

3 Es wäre sicherlich besser, München an einem Freitagnachmittag weiträumig zu ...................... (umfahren).

4 Warum habe ich diese Information nicht erhalten? Ich fühle mich von Ihnen ziemlich
   ...................... (übergehen).

5 Jetzt habe ich dieses Wort schon tausendmal ...................... (wiederholen), aber ich kann
   es mir immer noch nicht merken.

6 Und dann haben sie mir noch ...................... (unterstellen), dass ich das Projekt behindert hätte.

7 Wir haben uns wirklich recht nett ...................... (unterhalten).

8 Leider hat sie mir keine Nachricht ...................... (hinterlassen).

9 Sie wurde ...................... (überfahren), aber ein Unfall war das nicht!

10 Ich sollte mich darum kümmern? Das muss ich ...................... (überhören) haben.

**ⓑ Lesen Sie die Ausdrücke und übersetzen Sie sie in Ihre Muttersprache.**

ein Detail übersehen

einen schweren Unfall überleben

einen Lastwagen überholen

das Problem umgehen

einen Sachverhalt umschreiben

jemandem eine Lüge unterstellen

einen Text übersetzen

(jemandem) ein Fehler unterlaufen (sein)

einen Mord untersuchen

eine Theorie widerlegen

jemandem widersprechen

ein Problem durchdenken

ein Gesetz übertreten

VERTIEFUNG

**ⓒ Manche der Verben in a und b gibt es auch in der abtrennbaren Variante. Lesen Sie die Sätze, ergänzen Sie die Verben in der richtigen Form und klären Sie ihre Bedeutung.**

1 Es hat so geregnet, dass wir uns in einer Bushaltestelle ............................................ (unterstellen) haben.

2 Er hat beim Einparken nicht aufgepasst und das Fahrrad ............................................ (umfahren).

3 Die Restschulden sind nicht in die Firmenbilanz ............................................ (übergehen).

4 Und am Ende haben wir diesen Roman komplett ............................................ (umschreiben).

5 Ist sie wirklich zu dieser anderen Partei ............................................ (übertreten)?

6 Aufgrund des Hochwassers war es uns nicht möglich, an dieser Stelle des Flusses ............................................ (übersetzen).

---

**GRAMMATIK: Nomen-Verb-Verbindungen** ········▶ zu Kursbuch Seite 57

**19** **Nomen-Verb-Verbindungen**

WIEDERHOLUNG

**ⓐ Ergänzen Sie das passende Verb. Manche passen mehrmals.**

führen ▪ geben ▪ gehen ▪ haben ▪ halten ▪ kommen ▪ machen ▪ nehmen ▪ sein ▪ stellen

1 Ich ............................................ Hunger. Komm, gehen wir essen.

2 Sie müssen den Antrag bis Anfang des nächsten Monats ............................................ .

3 Im Straßenverkehr muss man halt auf andere Rücksicht ............................................ !

4 Und am Ende ............................................ mein größter Wunsch in Erfüllung.

5 Könnten Sie von uns ein Foto ............................................ , bitte?

6 Darf ich noch eine Frage ............................................ ?

7 Reden kann sie ............................................ , das muss man ihr lassen.

8 Nein, da ............................................ Sie sicher nicht im Recht.

9 Vor der Entscheidung müssen noch einige Gespräche ............................................ werden.

10 Ich ............................................ zweimal in der Woche auch am Abend Unterricht.

11 Der Zug kommt gleich. Es ist Zeit, Abschied zu ............................................ .

12 So geht das nicht. ............................................ dich in Acht, sonst passiert etwas.

13 Dieses Kleid nehme ich nicht. Das ............................................ überhaupt nicht in Frage.

14 Es ............................................ ja auch überhaupt nicht in Mode.

**b** Was bedeuten die Nomen-Verb-Verbindungen? Ordnen Sie zu.

| | | | | |
|---|---|---|---|---|
| 1 | Bescheid geben | ⬚ | a | erlauben |
| 2 | Bekanntschaft machen mit | ⬚ | b | fordern |
| 3 | einen Vorschlag machen | ⬚ | c | fragen |
| 4 | eine Frage stellen | ⬚ | d | geben |
| 5 | Kritik üben | ⬚ | e | gefährden |
| 6 | Platz nehmen | ⬚ | f | informieren |
| 7 | einen Rat geben | ⬚ | g | kennenlernen |
| 8 | in Gefahr bringen | ⬚ | h | kritisieren |
| 9 | eine Forderung stellen | ⬚ | i | raten (jemandem etwas) |
| 10 | zur Verfügung stellen | ⬚ | j | sich setzen |
| 11 | die Erlaubnis geben | ⬚ | k | versprechen |
| 12 | ein Versprechen geben | ⬚ | l | vorschlagen |

**c** Lesen Sie jeweils die beiden Satzvarianten a und b. Lesen Sie dann die stilistischen Hinweise (A und B) darunter und ordnen Sie sie zu. Manchmal passt beides. Vergleichen Sie mit dem Lösungsschlüssel.

1  a  Darüber möchte ich jetzt nicht diskutieren. ⬚
   b  Dieses Thema steht jetzt nicht zur Diskussion. ⬚

2  a  Setz dich doch. ⬚
   b  Nehmen Sie doch Platz. ⬚

3  a  Warum haben Sie mich nicht informiert? ⬚
   b  Warum haben Sie mir diese Informationen nicht gegeben? ⬚

4  a  Ich muss dich mal was fragen. ⬚
   b  Im Anschluss an den Vortrag gibt es noch die Möglichkeit, Fragen zu stellen. ⬚

5  a  Der hat ihm einfach nicht geholfen. ⬚
   b  Jeder ist verpflichtet, bei einem Unfall Erste Hilfe zu leisten. ⬚

6  a  Ich würde sagen, wir stimmen ab. ⬚
   b  Nach Tagesordnungspunkt drei kommt jetzt der Wirtschaftsplan
      für das kommende Jahr zur Abstimmung. ⬚

A  (formelle) *Sie*-Situationen; berufliche, fachliche und politische Kontexte
B  gesprochene Alltagssprache

**20** Wortstellung
Lesen Sie die Sätze und tragen Sie sie in die Tabelle ein.
Vergleichen Sie mit dem Lösungsschlüssel.

1  Mein Vorschlag ist leider auf Ablehnung gestoßen.
2  In diesem Fall werden wir keine Anklage erheben.
3  Nein, ich ziehe Ihre Ansichten in keinster Weise in Zweifel.
4  Dieser Punkt kommt erst später zur Abstimmung.

| Satzanfang | Verb 1 | Satzende | | |
|---|---|---|---|---|
| | | | | Verb 2 |
| Mein Vorschlag | ist | leider | auf Ablehnung | gestoßen. |

**21** Bedeutungselemente in Nomen-Verb-Verbindungen

**ⓐ** Nicht immer kann man die Bedeutung einer Nomen-Verb-Verbindung durch das Nomen erschließen. Lesen Sie die Sätze und notieren Sie das entsprechende Verb. Vergleichen Sie mit dem Lösungsschlüssel.

1 So, und jetzt *machen* wir noch ein *Foto*.          *fotografieren*
2 Nein, da *sind* Sie leider im *Irrtum*.
3 Leider *habe* ich *keinen Einblick* in die Akten.
4 Und so musste der Trainer *seinen Hut nehmen*.
5 Dieses kleine Risiko *nehme* ich gern *in Kauf*.
6 Das Rathaus *befindet sich* noch *im Bau*.
7 Wir *sind* stets *zur Stelle*, wenn wir gebraucht werden.
8 Bitte *nehmen* Sie doch *Platz*.
9 Wir sollten uns jetzt nicht *unter Druck setzen* lassen.
10 Zu dieser Behauptung möchte ich gern noch *Stellung nehmen*.

**ⓑ** Die Verben *stehen*, *stellen*, *kommen*, *bringen* in Nomen-Verb-Verbindungen
Lesen Sie die Sätze und kreuzen Sie danach die Regel unten an.

1 a Dieses Thema steht nicht zur Debatte.
  b Ich möchte folgendes Thema zur Debatte stellen.

2 a Leider ist dieses interessante Drama nie zur Aufführung gekommen.
  b Meinen Sie, wir können dieses Drama zur Aufführung bringen?

3 a Und nun kommt der Haushaltsplan zur Abstimmung.
  b Wir müssen den Haushaltsplan noch zur Abstimmung bringen.

4 a Wenn wir weitergehen, kommen wir alle in Gefahr.
  b Stopp! Du bringst uns alle in Gefahr.

5 a Die Richtigkeit dieser Aussage steht außer Frage.
  b Diese Frage hat mir noch keiner gestellt.

stellen/bringen   stehen/kommen

| | | |
|---|---|---|
| ☐ | ☐ | haben eine „aktivische" Bedeutung: Jemand handelt. |
| ☐ | ☐ | haben eine „passivische" Bedeutung: Etwas passiert anscheinend automatisch. |

---

**SÄTZE BAUEN: auf Vorschläge reagieren** ········▸ zu Kursbuch Seite 57

 54

**22** **ⓐ** Lesen Sie den Vorschlag. Wie klingen die spontanen Reaktionen?
Kreuzen Sie an. Hören Sie dann und überprüfen Sie Ihre Einordnung.

> Vielleicht sollten wir den Sprayern ein leer stehendes Haus zur Verfügung stellen.

| | eher positiv | eher abwartend | eher negativ |
|---|---|---|---|
| 1 Klingt interessant … | ☐ | ☐ | ☐ |
| 2 Warum nicht? | ☐ | ☐ | ☐ |
| 3 Darüber müsste man noch mal diskutieren. | ☐ | ☐ | ☐ |
| 4 Damit haben wir bei uns schon mal schlechte Erfahrungen gemacht. | ☐ | ☐ | ☐ |
| 5 Na ja, mal sehen … | ☐ | ☐ | ☐ |
| 6 Klingt kompliziert … | ☐ | ☐ | ☐ |
| 7 Den Vorschlag finde ich ganz gut. | ☐ | ☐ | ☐ |
| 8 Könnte man sich vielleicht überlegen. | ☐ | ☐ | ☐ |
| 9 Find ich wirklich gut. | ☐ | ☐ | ☐ |
| 10 Das klappt sicher … | ☐ | ☐ | ☐ |

**b** Bewerten Sie die Vorschläge. Wählen Sie jeweils aus den Wendungen und Ausdrücken ein Beispiel aus und formulieren Sie Ihre Meinung.

1 Wer arbeitslos ist, muss auch mal eine Arbeit annehmen, die unter seiner Qualifikation ist.

Selbstverständlich muss man ........................................................................................................................

Ich frage mich, ob ................................................................................................................................

Ich finde den Vorschlag, dass ......................................................................................... , nicht gut,

weil ........................................................................................................................................................

2 Paare dürfen sich nicht scheiden lassen, auch wenn sie sich nicht mehr lieben.
Das gegebene Versprechen muss gelten. Das war früher auch so.

Es steht für mich aber fest, dass … ■ Glauben Sie mir, … ■ Sie können mir glauben, dass …

3 Bin von normalen Kosmetika auf Naturkosmetik umgestiegen und nach nur drei Wochen war ich fast alle meine Hautprobleme los. Ich kann euch nur empfehlen: Steigt auch um!

Ich finde den Vorschlag wirklich und Erfahrungen gemacht. … ■ Man müsste es mal ausprobieren.

4 Sie wollen Ihr Haus verkaufen? Finden keinen Käufer? Verkaufen Sie Lose, machen Sie eine Lotterie: Für hundert Euro kann sich jeder ein Los kaufen, der Besitzer der gezogenen Losnummer bekommt das Haus. Alle sind glücklich, und Sie sind Ihr Haus los.

Ich frage mich, ob … ■ Ich finde den Vorschlag … ■ Man müsste es mal ausprobieren, vielleicht …

5 Noch immer keinen Job? Gehen Sie einfach in die Unternehmen hinein.
Gehen Sie direkt zum Personalchef. Knallen Sie ihm Ihre Bewerbung auf den Tisch.
Sagen Sie ihm: Nur ein Idiot stellt mich nicht ein.

Selbstverständlich muss man … , aber … ■ Ich behaupte aber, dass man … ■ Ich frage mich, ob …

# E Ich schaffe das nicht mehr!

**WORTSCHATZ: Arbeitsplatz** ·······▶ zu Kursbuch Seite 59

**23** Arbeitszeit, Bezahlung, Soziales, Kündigung. Ergänzen Sie die passenden Begriffe.

**a** Arbeitszeit

Frühstückspause ■ Gleitzeit ■ Kernzeit ■ Mittagspause ■ Teilzeit ■ Wochenarbeitszeit

In meiner Firma ist die Arbeitszeit so geregelt: Es gibt die ........................... , das heißt, ich kann im Prinzip

selbst bestimmen, wann ich morgens komme und abends gehe. Allerdings sollte man in der ...........................

zwischen 9 und 15 Uhr anwesend sein. Die ........................... beträgt momentan 35 Stunden. Früher habe

ich auch mal halbtags, also ........................... , gearbeitet. Morgens kann ich zehn Minuten ...........................

machen, und um Viertel nach zwölf gehe ich normalerweise in die ........................... . Mahlzeit!

**b  Bezahlung**

Löhne und Gehälter ■ Nachtarbeit ■ Prämie ■ Überstunden ■ Urlaubsgeld ■ Weihnachtsgeld ■ Wochenendarbeit

Die ............................. sind in den vergangenen Jahren kaum gestiegen. Selbst mit den ............................. reicht es

kaum zum Leben. Gott sei Dank gibt es noch das ............................. und das ............................. .

Und natürlich noch die Zuschläge für ............................. und ............................. . Und manchmal gibt es auch eine

............................. , aber das ist eher selten.

**c  Soziales**

betriebliche Altersvorsorge ■ Betriebsausflug ■ Essensgeld ■
Fahrtkostenzuschuss ■ Sonderurlaub ■ Urlaub ■ Weihnachtsfeier

Also: In unserem Unternehmen gibt es im Jahr insgesamt 30 Tage bezahlten ............................. . Bei besonde-

ren Anlässen, wie zum Umzug, können Sie ............................. beantragen. Für den Weg zur Arbeit erhalten Sie

einen ............................. , außerdem gibt es ein ............................. . Zu den umfangreichen sozialen Leistungen

unseres Unternehmens gehört eine ............................. . Zum guten Betriebsklima tragen unter anderem auch

unser jährlicher ............................. und unsere jährliche ............................. bei.

**d  Kündigung**

Arbeitgeber ■ Arbeitnehmer ■ außerordentlich ■ betriebsbedingt ■
entlassen ■ Kündigungsschutz ■ Mitarbeiter

Der Betriebsrat ist die Vertretung der ............................. . Der ............................. kann ohne ihn beispielsweise

keine ............................. oder ............................. Kündigungen aussprechen oder ............................. aus anderen

Gründen ............................. . Die Mitglieder des Betriebsrats genießen einen besonderen ............................. .

**24**

**a  Arbeitsplatzbeschreibungen**

**Wie ist diese Arbeit? Wie finden Sie diese Arbeit? Ordnen Sie Adjektive zu.**

abenteuerlich ■ abwechslungsreich ■ anstrengend ■ aufwendig ■ belastend ■ einfach ■
eintönig ■ gefährlich ■ geistig ■ hart ■ interessant ■ körperlich ■ künstlerisch ■ langweilig ■
monoton ■ schweißtreibend ■ schwer ■ selbstständig ■ stressig ■ vielseitig ■ wissenschaftlich

**b** Welche Tätigkeiten passen zu den Fotos in a? Ordnen Sie zu.

1 ⬚ mit chemischen Substanzen hantieren    5 ⬚ Kunstwerke entwerfen
2 ⬚ Teile montieren    6 ⬚ unter Tage arbeiten
3 ⬚ am Schreibtisch arbeiten    7 ⬚ die Segel setzen
4 ⬚ forschen und lehren    8 ⬚ Patienten versorgen und pflegen

**c** Kreuzen Sie an, was Ihnen persönlich am Arbeitsplatz wichtig ist.

| | + | +/− | − | | + | +/− | − |
|---|---|---|---|---|---|---|---|
| zentrale Lage der Firma | ⬚ | ⬚ | ⬚ | Arbeiten im Team | ⬚ | ⬚ | ⬚ |
| bekannter, großer Konzern | ⬚ | ⬚ | ⬚ | eigene/r Sekretär/in | ⬚ | ⬚ | ⬚ |
| mittelständisches Unternehmen | ⬚ | ⬚ | ⬚ | Überstunden | ⬚ | ⬚ | ⬚ |
| kleine Firma | ⬚ | ⬚ | ⬚ | feste Arbeitszeiten | ⬚ | ⬚ | ⬚ |
| eigene Firma | ⬚ | ⬚ | ⬚ | mehr als 100 Kollegen | ⬚ | ⬚ | ⬚ |
| Großraumbüro | ⬚ | ⬚ | ⬚ | Betriebsklima | ⬚ | ⬚ | ⬚ |
| Betriebskantine | ⬚ | ⬚ | ⬚ | Abteilungsfeiern | ⬚ | ⬚ | ⬚ |
| Sportmöglichkeiten | ⬚ | ⬚ | ⬚ | Arbeitsbedingungen | ⬚ | ⬚ | ⬚ |
| firmeneigener Kindergarten | ⬚ | ⬚ | ⬚ | gutes Gehalt | ⬚ | ⬚ | ⬚ |
| Gleitzeit | ⬚ | ⬚ | ⬚ | flexible Arbeitszeiten | ⬚ | ⬚ | ⬚ |
| Firmenfahrzeug | ⬚ | ⬚ | ⬚ | wichtiger Posten / wichtige Funktion | ⬚ | ⬚ | ⬚ |
| Aufstiegsmöglichkeiten | ⬚ | ⬚ | ⬚ | gesicherter Arbeitsplatz | ⬚ | ⬚ | ⬚ |
| selbstständige Entscheidungen | ⬚ | ⬚ | ⬚ | kreatives Arbeiten | ⬚ | ⬚ | ⬚ |
| betriebliche Fortbildung | ⬚ | ⬚ | ⬚ | Sicherheit am Arbeitsplatz | ⬚ | ⬚ | ⬚ |

**d** Für welche Arbeit oder Tätigkeit bekommt man bestimmt kein Geld? Kreuzen Sie an.

⬚ ehrenamtlich    ⬚ gemeinnützig    ⬚ professionell
⬚ freiberuflich    ⬚ gewerblich    ⬚ körperlich
⬚ geistig    ⬚ getan    ⬚ selbstständig

**e** Welche Verben passen? Kreuzen Sie an.

1 an/bei der Arbeit ⬚ machen ⬚ sein ⬚ gehen ⬚ erledigen
2 die Arbeit ⬚ machen ⬚ erledigen ⬚ gehen ⬚ verlieren ⬚ niederlegen ⬚ aufnehmen
3 Arbeiten ⬚ ausführen ⬚ erledigen ⬚ verlieren ⬚ beschäftigen
4 in die / zur Arbeit ⬚ schaffen ⬚ leisten ⬚ gehen ⬚ verlieren
5 einen Job ⬚ erledigen ⬚ annehmen ⬚ ablehnen ⬚ verlieren ⬚ erstellen
6 einen Beruf ⬚ arbeiten ⬚ beschäftigen ⬚ ausüben ⬚ ergreifen
7 ein Amt ⬚ machen ⬚ ausüben ⬚ niederlegen ⬚ erledigen

**f** Feste Ausdrücke. Ordnen Sie zu.

1 einer Arbeit / Beschäftigung ⬚    a aufnehmen
2 sich einer Aufgabe ⬚    b haben
3 die Arbeit ⬚    c sein
4 Arbeit ⬚    d nachgehen
5 in einer Aufgabe ⬚    e bringen
6 an die Arbeit ⬚    f widmen
7 eine gute Leistung ⬚    g betreiben
8 eine kleine Firma ⬚    h aufgehen
9 in Arbeit / ohne Arbeit ⬚    i gehen

**g** Verschiedene Ausdrücke für schwere Arbeit.
Kreuzen Sie an, welche Sie kennen oder welche Sie lernen wollen.
Übersetzen Sie sie in Ihre Muttersprache.

| | | |
|---|---|---|
| ☐ ackern | ☐ Knochenarbeit | ☐ Strapaze |
| ☐ sich abplagen | ☐ malochen | ☐ Stress |
| ☐ sich abarbeiten | ☐ Rackerei | ☐ Überbelastung |
| ☐ ein hartes Stück Arbeit | ☐ Schufterei | ☐ große Beanspruchung |
| ☐ im Akkord arbeiten | ☐ schweißtreibende Arbeit | |

**SÄTZE BAUEN: berufliche Vereinbarungen treffen** ┈┈┈▶ zu Kursbuch Seite 59

**25** Wie sieht die Stelle aus?

**a** Was möchten Sie über die angebotene Stelle, die Firma wissen? Formulieren Sie die Fragen zu den folgenden Punkten. Vergleichen Sie mit dem Lösungsschlüssel.

| | |
|---|---|
| Urlaub | wie viele Tage |
| | Urlaubsregelung |
| Arbeitszeit | Arbeitszeitregelung |
| | Stempeluhr |
| | Gleitzeitregelung |
| | Überstundenregelung |
| Bezahlung | wie viele Monatsgehälter |
| | Urlaubs- oder / und Weihnachtsgeld |
| | Prämien |
| | Bezahlung der Überstunden |
| | Vergütungspauschale für die Fahrt zur Arbeitsstätte |
| | Essenspauschale |
| | wie werden Dienstreisen abgerechnet, bezahlt |
| Alterssicherung / Vermögenssicherung | betriebliche Rente |
| | Möglichkeit der Direktversicherung |
| | vermögenswirksame Leistungen |
| Karriere | Aufstiegschancen |
| Arbeitsplatz | eigenes Büro / Großraumbüro |
| | technische Ausstattung |
| Arbeitsform | Team / Gruppen / Einzel |
| zusätzliche Dinge | Computer zu Hause |
| | Telefon |
| | Firmenwagen |
| Fortbildung | betriebliches Fortbildungsprogramm |
| | Freistellung für berufsbezogene Fortbildung |
| | Finanzierung externer Kurse |
| Freizeit | Sportangebot |
| | firmeneigene Sportplätze |
| Gesundheit | Fitnessangebot |
| | Betriebsarzt / Werkarzt |
| Arbeitnehmermitbestimmung | Betriebsrat |

**ⓑ Was sollte man am neuen Arbeitsplatz wissen?**
**Notieren Sie bei jedem Punkt, ob Sie ihn wichtig (+) oder weniger wichtig (−) finden.**

Hierarchien in der Abteilung

- ⬚ Wer hat wie viel Einfluss?
- ⬚ Wessen Auftrag muss ich sofort erledigen?
- ⬚ Wen kann ich um Rat fragen?
- ⬚ Wie sind die internen Arbeitszeitregelungen?
- ⬚ Wer kommt wann? Was wird von mir erwartet?
- ⬚ Wie viel tatsächliche Arbeitszeit wird erwartet?
- ⬚ Sind Überstunden in der Abteilung üblich?

Kleiderordnung

- ⬚ Anzug, Krawatte, Jeans, T-Shirt, formell, informell, Uniform?

Anrede

- ⬚ Du / Sie oder je nachdem?

Beziehung der Mitarbeiter

- ⬚ Eher unpersönlich, eher persönlich?
- ⬚ Werden Informationen aus dem persönlichen Umfeld erwartet?
- ⬚ Bürotüren offen oder geschlossen?
- ⬚ Wird über die tägliche Arbeit gesprochen?
- ⬚ Arbeitsergebnisse: Wann werden sie wem gezeigt, mit wem besprochen?
- ⬚ Wird Übernahme von Verantwortung, werden Ideen, wird Bescheidenheit erwartet?
- ⬚ Feedback: von wem?

Einstand

- ⬚ Üblich zu feiern? In welcher Form?

Arbeitsabläufe

- ⬚ Zuständigkeit? Wer unterschreibt was?

Bürotechnik

- ⬚ Wen kann man um Hilfe bitten bei Hardwareproblemen, wen bei Softwareproblemen?

**ⓒ Wie würden Sie die Fragen zu den Punkten in b formulieren? Sie haben Vertrauen zu einer Kollegin / einem Kollegen gefasst. Stellen Sie Ihre Fragen. Schreiben Sie sie auf.**

---

**TEXTE BAUEN: Bewerbungsschreiben verfassen** ┈┈┈→ zu Kursbuch Seite 26

TIEFUNG
26

**Ihr Bewerbungsschreiben**

**ⓐ Suchen Sie die Entsprechungen. Es gibt mehrere Möglichkeiten.**

| | | | |
|---|---|---|---|
| 1 | Ich verfüge über Erfahrung in | a | Ich kann |
| 2 | Ich bin derzeit bei … beschäftigt | b | gern |
| 3 | Meine Stärken liegen in | c | Ich möchte gern eine leitende Position |
| 4 | Mein besonderes Interesse gilt | d | Ich kann besonders gut |
| 5 | Ich habe Spaß an | e | Ich arbeite bei |
| 6 | Ich zeichne mich durch … aus | f | Ich war im Ausland |
| 7 | Ich besitze die Fähigkeit | g | Ich möchte mich verändern |
| 8 | Ich würde gern wieder Verantwortung übernehmen | h | Ich interessiere mich besonders für |
| 9 | Ich kann Auslandserfahrung vorweisen | | |
| 10 | Ich sehe mich in der Lage | | |
| 11 | Ich suche eine neue Herausforderung | | |

**b** Vergleichen Sie die beiden Spalten in a.
Welche Aussagen treffen Ihrer Meinung nach zu? Kreuzen Sie an.

☐ Die Ausdrücke in der linken Spalte passen eher in einen formellen Brief.
☐ Die Ausdrücke rechts verwendet man eher in mündlicher Sprache.
☐ Es hängt vom persönlichen Stil ab, welche Ausdrücke man wo verwendet.

**c** Aus welchen Teilen besteht ein Bewerbungsschreiben? Notieren Sie.

Anrede ■ Anschrift ■ Kurzbeschreibung Berufserfahrung ■ Unterschrift ■ Betreff ■
Absender ■ Ort und Datum ■ Einleitung / Intention ■ Kurzbeschreibung / Ausbildung ■
Begründung für die Bewerbung / Profil ■ Grußformel ■ was mitgeschickt wird ■ Wunsch

Mag. Julia Müller · Fürstendamm 18 · 5020 Salzburg · Tel: (++43) 662-874455 •

XYZ AG •  ................ *Anschrift* ................
Personalabteilung
Herr Heinz Maier
Hauptstraße 65
5020 Salzburg

Salzburg, 20. April 20.. •

Bewerbung auf Ihre Anzeige •
„Junge Systementwickler gesucht"

Sehr geehrter Herr Maier, •

in den Salzburger Nachrichten las ich, dass Sie zum 15. Mai 20.. eine junge
Systementwicklerin mit der Aufgabe einstellen wollen, Systeme zur laufenden
Anpassung des internen Großrechners an die Bedürfnisse der Marketing-
Spezialisten zu entwickeln. Ich bewerbe mich bei Ihnen, weil ich glaube, die
dafür notwendigen Voraussetzungen mitzubringen. •

Nach dem Abitur studierte ich an der Universität Salzburg Informatik. Ich lernte
in den ersten vier Semestern die Grundlagen des Programmierens. Anschließend
verbrachte ich zwei äußerst interessante Auslandssemester an der
Eidgenössischen Technischen Hochschule in Zürich, wo ich eine Vorliebe für
kreative Systementwicklung entwickelte. Nach Salzburg zurückgekehrt, schloss
ich mein Informatikstudium mit dem Diplomthema „Die Probleme der
Bedarfsabklärung bei Systemanpassungen" ab. •

Meine ersten Praxiserfahrungen sammelte ich während eines zweijährigen
Praktikums als Programmiererin in der Firma ABP AG in Innsbruck. Nach dem
Praktikum blieb ich weiterhin in dieser Firma als teilzeitangestellte
Programmiererin tätig. Zurzeit gehört es zu meinen Aufgaben, Kundenwünsche
im Bereich Textverarbeitung praxisnah zu realisieren. •

Ich bewerbe mich, um meine Vorliebe für Systementwicklung beruflich umzu-
setzen. Deshalb würde ich gern im Bereich Systementwicklung in einem bedeu-
tenden Unternehmen wie Ihrem selbstständig arbeiten. •

Über Ihre Einladung zu einem Vorstellungsgespräch würde ich mich freuen. •

Mit freundlichen Grüßen •

*Mag. Julia Müller* •

Anlagen: •
1 tabellarischer Lebenslauf / beruflicher Werdegang
3 Kopien von Arbeitszeugnissen
4 Nachweise über Praktika
1 Kopie des Diplomzeugnisses

**7** **ⓐ** Das folgende Bewerbungsschreiben ist durcheinandergeraten.
Ordnen Sie die Teile zu einem korrekten Brief.

1 ☐ Ich bin seit fünfzehn Jahren bei der Firma Muster in Vorlagen-Stadt als Werkzeugmacher und Stahlformenbauer beschäftigt. In dieser Zeit konnte ich viele Erfahrungen machen und Fertigkeiten erwerben. Zu meinen Hauptaufgaben gehören die Montage sowie die Wartung und die Reparatur von Präzisionsspritzgusswerkzeugen, insbesondere von Formen mit einer großen Anzahl von Einzelteilen und einer aufwendigen Mechanik.

2 ☐ Bewerbung als Werkzeugmacher

3 ☐ Da ich gern für Sie tätig sein möchte, bewerbe ich mich als Werkzeugmacher, vorzugsweise in Teilzeit, zwei oder drei Tage die Woche.

4 ☐ Bei der Arbeit als Werkzeugmacher reizen mich besonders die Vielfältigkeit und die Abwechslung der Aufgaben, das notwendige handwerkliche Geschick und das Fingerspitzengefühl, um eine präzise Spritzgussform zu montieren, durch das fertige Spritzgussteil die Bestätigung der geleisteten Arbeit zu erhalten.

5 ☐ Meine EDV-Kenntnisse erwarb ich seit 1999 durch Homepage-Erstellung, digitale Fotografie und Bildbearbeitung; Internet und E-Mail-Verkehr.
Ebenso habe ich Kenntnisse in Office-Programmen und Datenmanagement.

6 ☐ Hammer KG
Personabteilung
Frau Kluge
Hammerstraße 19
5678 Hammerstadt

7 ☐ ich bewerbe mich auf Ihre Anzeige im Kronenburger Stadtanzeiger am 14. Juni. Ihr neuer Werkzeugmacher soll Montage, Prüfung, Wartung und Optimierung von Spritzformen im 1K- sowie im 2K-Bereich beherrschen. Ebenso wären gute EDV-Kenntnisse von Vorteil. Ich bin mir sicher, Ihre Anforderungen erfüllen zu können.

8 ☑ Michael Moritz
Moritzstraße 3
22222 Moritzburg
Telefon: 01234/1234567

9 ☐ Anlage:
Arbeitszeugnisse
Fortbildungszertifikate

10 ☐ Mit freundlichen Grüßen

11 ☐ Moritzburg, den 16. 6. 20..

12 ☐ Sehr geehrte Frau Kluge,

13 ☐ Michael Moritz

14 ☐ Gern würde ich zum weiteren Erfolg Ihres Unternehmens beitragen.
Ich freue mich deshalb auf ein persönliches Gespräch mit Ihnen.

15 ☐ Lange Zeit war ich in enger Zusammenarbeit mit unseren größten Kunden eigenständig im Werkzeugbau für Montage, Demontage, Reparatur und Optimierung der Werkzeuge eines Projekts verantwortlich.

**ⓑ** Schreiben Sie nun mithilfe der beiden Formbriefe einen Brief, in dem Sie sich für Ihre Traumstelle bewerben.

**28** Die Reihenfolge der Satzteile

**ⓐ** Schreiben Sie Sätze, indem Sie die Satzteile in die richtige Reihenfolge bringen.
Vergleichen Sie mit dem Lösungsschlüssel.

1 a Der Zug fährt – ein – gerade
  b jeden Morgen um sechs – auf – Ich stehe
  c gleich – an – Der Film fängt

2 a auf den Tisch – die Teller – Ich stelle – schon mal
  b Ich habe – die Blumen – auf den Balkon – gestellt – vor zwei Stunden
  c Ich möchte – machen – ein Foto – noch schnell

3 a keinen Hunger – Ich habe – jetzt
  b Ich lese – gerade – ein interessantes Buch
  c geschenkt – ihr – Ich habe – zum Geburtstag – eine neue Kamera

4 a jetzt – verstanden – es – Ich habe
  b Ich habe – dieses Buch – schon – gelesen
  c die Kamera – Ich habe – zum Geburtstag – ihr – geschenkt

**ⓑ** Schreiben Sie die Sätze aus a in eine Tabelle.

| Satzanfang | Verb 1 | Satzmitte | Satzende | |
|---|---|---|---|---|
| | | | | Verb 2 |
| ... | | | | |

**ⓒ** Wo stehen diese Teile? Kreuzen Sie an.

| | Satzende | Satzmitte |
|---|---|---|
| 1 Akkusativergänzung mit unbestimmtem Artikel / Nullartikel | ☐ | ☐ |
| 2 Dativergänzung | ☐ | ☐ |
| 3 Ergänzung mit Präposition (s. Band 1, Lektion 5) | ☐ | ☐ |
| 4 Satzteile mit bestimmtem Artikel | ☐ | ☐ |
| 5 abtrennbare Vorsilben | ☐ | ☐ |
| 6 Angaben | ☐ | ☐ |

**ⓓ** Gehen Sie bei der Reihenfolge von Ort und Zeit auf „Nummer sicher":
Lesen Sie die Sätze und markieren Sie die Zeitangabe und die Ortsangabe.
Vergleichen Sie mit dem Lösungsschlüssel.

1 Ich habe zwei Stunden im Bahnhof auf dich gewartet.
2 Ich habe gestern dort auf dich gewartet.
3 Ich habe dort gestern auf dich gewartet.

**29** Stellung der Satzglieder: die Stelle vor dem Verb

**ⓐ** Was ist falsch an diesen Sätzen? Korrigieren Sie.

1 Am Abend, wir sind noch in ein schönes Konzert gegangen.
2 So wir hatten viel Spaß.
3 Erstens das stimmt nicht und zweitens will ich nichts mehr davon hören!
4 Wenn ich fertig bin, ich komme gleich bei dir vorbei.
5 Bei diesem Sauwetter du kannst doch nicht rausgehen.
6 Zum Beispiel es gab kein Eis mehr.

**ⓑ** Variieren Sie die Sätze, indem Sie verschiedene Satzglieder
an die erste Stelle setzen. Es gibt verschiedene Möglichkeiten, aber es passt immer
nur ein Satzglied vor das Verb. Vergleichen Sie dann mit dem Lösungsschlüssel.

1 Unsere Vorsitzende hat nichts dazu gesagt.
2 Deshalb wussten wir nichts von der ganzen Sache.
3 Wegen dieser blöden Situation werden wir noch Schwierigkeiten bekommen.
4 Wenn man nichts sagt, kann man auch Unheil anrichten.
5 Bald werden wir die Konsequenzen sehen.

**ⓒ** Machen Sie eine Tabelle und tragen Sie die Sätze aus a ein. Machen Sie sich klar,
was alles vor dem Verb stehen kann. Vergleichen Sie auch mit dem Lösungsschlüssel.

| Satzanfang | Verb | weitere Satzteile |
|---|---|---|
| Unsere Vorsitzende | hat | nichts dazu gesagt. |

**ⓓ** Variieren Sie die Stellung der Satzglieder jeweils nach dem ersten Satz.
Die Texte werden dadurch eleganter.

1 Ich bin noch nicht fertig. Ich komme deshalb nach.
2 Ich bin um acht aufgestanden. Ich habe mir dann Frühstück gemacht.
  Ich bin danach wieder ins Bett gegangen.
3 Da steht ein Auto vor unserem Haus. Ein Mann sitzt in diesem Auto.
  Die ganze Zeit beobachtet er unser Haus.

**30**

### Der folgende Beschwerdebrief ist durcheinandergeraten.
### Setzen Sie ihn wieder zusammen. Nummerieren Sie die Abschnitte entsprechend.

Hierzu möchte ich noch bemerken, dass es auf dem Flur auch keine Badezimmer und Toiletten gab, ☐
sondern nur im Erdgeschoss und im Keller. Deshalb kamen unsere Kinder immer in unser Zimmer.
Eine Erholung habe ich mir anders vorgestellt.

Schon am ersten Tag fing es an: Als wir ankamen, mussten wir feststellen, dass es das Hotel, ☐
in dem wir unsere drei Zimmer gebucht hatten (für uns, dann eins für unsere Töchter und eins
für unsere Söhne), gar nicht gab bzw. nicht offen war, weil es gerade renoviert wurde.

Ich fordere Sie auf, uns unser Geld zurückzuerstatten, weil unser Urlaub nicht das war, ☐
was wir gebucht hatten. Ich glaube, dass wir auch einen Anspruch auf Entschädigung haben.

Wir bekamen dann zwar von Ihrem Betreuer in einem anderen Hotel unsere Zimmer. 5
Die waren aber viel kleiner und teurer! Außerdem hatte nur eins der Zimmer ein Bad.

Dieses Jahr war es aber anders: Ich muss Ihnen schreiben, weil nichts, was in Ihrem Prospekt ☐
stand und was Sie uns versprochen haben, in Wirklichkeit so war.

Sehr geehrte Damen und Herren, 1

wir buchen nun schon seit vielen Jahren unseren Sommerurlaub in Ihrem Reisebüro. 2
Bisher waren wir auch immer sehr zufrieden.

Außerdem war der Strand zwei Kilometer weit entfernt und nicht, wie versprochen, ☐
direkt vor dem Hotel. Dazu kommt noch, dass der Strand überfüllt und ziemlich schmutzig war.

Mit freundlichen Grüßen ☐

Darüber hinaus war direkt neben dem Hotel eine riesige Baustelle, weil in dem Ort 9
die Hauptstraße verbreitert wird.

Ich bedaure sagen zu müssen, dass dieser Urlaub eine große Enttäuschung war. ☐

Ich möchte auch noch darauf hinweisen, dass wir Zimmer mit Vollpension 7
gebucht hatten. Leider war es so, dass wir für das Frühstück (das war gut) extra bezahlen mussten.
Auch hatte das Hotel keine Vollpension im Angebot.

Isolde Groß

VERTIEFUNG

**31**

**a** ### Das Weiterbildungsseminar hat Sie wirklich enttäuscht.

### Lesen Sie die folgende Ankündigung eines Weiterbildungsseminars und
### die handschriftlichen Anmerkungen eines unzufriedenen Teilnehmers.

**EDV – Auffrischungs- und Weiterbildungskurs**

*nett, aber frisch*
*von der Uni*

● **erfahrene Trainer zeigen die letzten Software-Trends**          *Beamer ständig kaputt*
*okay* ● **neueste Computer, bestausgestattete Seminarräume**          *Seminarraum nicht geheizt*
● **schriftliche Unterlagen zu allen Modulen**
*fliegende Blätter* ● **Pausengetränke und kleine Snacks zu Mittag**
   **telefonische Voranmeldung**          *nur gegen Aufpreis*

**b**

### Worüber möchten Sie sich beschweren?
### Machen Sie sich jetzt Notizen zu Ihrem Brief.

1 Notieren Sie in einer Tabelle (linke Spalte) alles, was die Anzeige verspricht.
2 Schreiben Sie daneben, was der Teilnehmer erfahren hat.
3 Notieren Sie dann Ihre Gesamtbewertung des Seminars.
4 Welche Forderungen haben Sie? Notieren Sie auch diese. Gibt es eine Konsequenz?
5 Worüber möchten Sie zuerst schreiben, worüber zuletzt? Legen Sie eine Reihenfolge fest.
   Nummerieren Sie die Punkte.

**c** Wählen Sie jetzt die Wendungen und Ausdrücke aus, die zu Ihrem Brief passen. Schreiben Sie in die Kästchen, zu welchem Ihrer Punkte Sie die Wendungen und Ausdrücke verwenden wollen.

- ☐ Ich habe nun schon zum ... Mal an einem Ihrer Kurse teilgenommen und war bisher immer sehr zufrieden.
- ☐ Leider muss ich Ihnen nun aber schreiben, weil der letzte Kurs ... nicht so stattgefunden hat, wie es in Ihrer Werbung stand.
- ☐ Leider musste ich im Kurs aber feststellen, dass ... (nicht sein) wie in der Anzeige angeboten.
- ☐ In der Anzeige stand, dass ... , aber wir mussten dafür extra ...
- ☐ Aber ... war ...
- ☐ Außerdem war ... nicht in Ordnung / ständig kaputt ...
- ☐ Es gab zwar ..., aber sonst war das Seminar eine Enttäuschung.
- ☐ Statt der ... bekamen wir vom Trainer ...
- ☐ Ich möchte auch noch darauf hinweisen, dass in der Anzeige ... versprochen wurden. Stattdessen mussten wir aber ...
- ☐ Aus meiner Sicht war ...
- ☐ Ich möchte damit sagen, dass ... (enttäuscht sein / nie wieder an einem Seminar teilnehmen / allen Bekannten und Kollegen abraten / ...)
- ☐ Ich fordere Sie auf, ...

**d** Schreiben Sie jetzt Ihre Beschwerde. Achten Sie dabei auch auf Anrede und Schluss.

12

**FOKUS GRAMMATIK: Test**

**32** Bringen Sie die Satzteile in die richtige Reihenfolge.

1 Ich habe keine Zeit leider.
2 Ich habe keine Hausaufgaben heute auf.
3 Ich habe gestern das gemacht.
4 Ich schenke ein paar Pralinen meiner Liebsten.
5 Ich schenke ein paar Pralinen ihr.
6 Sie wollen also in die richtige Reihenfolge diesen Satz bringen?
7 Ich wünsche viel Glück Ihnen dabei.
8 Lassen Sie sich nicht aus der Ruhe dabei bringen!

**33** Welche Sätze sind richtig? Kreuzen Sie an.

1 ☐ Als ich ihn getroffen habe, hat er ein seltsames Gesicht gemacht.
2 ☐ So ich habe ihn gefragt, was los ist.
3 ☐ Aber hat er nichts gesagt.
4 ☐ In diesem Augenblick, die Straßenbahn ist gekommen.
5 ☐ Ich bin aber nicht eingestiegen.
6 ☐ Dann wir haben zusammen einen Kaffee getrunken.
7 ☐ Nachdem ich bezahlt hatte, wir sind sofort gegangen.
8 ☐ Am Ende war alles gut und richtig.

**34**

55–57 **a**

**b**

Lesen Sie die Aufgaben 1–9.

Hören Sie dann den Text einmal ganz. Hören Sie ihn danach in Abschnitten.

Überlegen Sie anschließend: Ist das in dem Gespräch sinngemäß gesagt worden?
Kreuzen Sie an. Es gibt immer nur eine richtige Lösung.
Die Fragen entsprechen in der Reihenfolge dem Gesprächsverlauf.

1 **Wofür interessiert sich die Moderatorin ganz besonders?**

  a Wie man sich auf Bewerbungsgespräche vorbereiten soll.

  b Wie man mit der Situation eines Bewerbungsgesprächs umgehen soll.

  c Welchen Sinn Bewerbungsgespräche haben.

2 **Herr Wohlgemut möchte aber noch etwas Grundsätzliches festhalten.**

  a Ihm ist es wichtig, dass das Unternehmen wirklich an der Person interessiert ist,
    die sich beworben hat.

  b Ihm ist es wichtig, dass die Person, die sich beworben hat, wirklich an
    dem Unternehmen interessiert ist.

  c Ihm ist es wichtig, dass mit dem Vorstellungsgespräch beide Seiten ein echtes
    Interesse signalisieren.

3 **Welches Ziel verfolgt ein Unternehmen mit einem Vorstellungsgespräch?**
  **Welches Ziel nennt Herr Wohlgemut zuerst?**

  a Für ihn ist es vor allem wichtig, dass die Person zeigt, dass sie die Aufgaben erfüllen kann.

  b Er möchte herausfinden, ob die Person in die Unternehmensstruktur integrierbar ist.

  c Er möchte feststellen, ob die Person seinen Mitarbeitern sympathisch ist.

4 **Herr Wohlgemut gibt dann zu, dass er auch noch andere Ziele verfolgt.**

  a Wichtig ist die Überprüfung, ob die Angaben zur Qualifikation den Tatsachen entsprechen.

  b Wichtig ist ihm zu erfahren, was die Person noch für Abschlüsse hat.

  c Wichtig ist ihm zu erfahren, welche Kenntnisse die Person verschwiegen hat.

5 **Frau Dempe kritisiert den Ablauf der Vorstellungsgespräche. Sie nennt dabei zwei Punkte.**

  a Zum einen verweist sie darauf, dass in der Vorstellungssituation die Person unfreundlich
    empfangen wird und wegen ihres Auftretens verunsichert wird.

  b Einerseits werden die Personen über ihr Allgemeinwissen abgefragt, andererseits wird
    ihr Vorstellungsverhalten kritisch analysiert.

  c Zum einen werden von der Person Kenntnisse über das Unternehmen erwartet,
    zum anderen soll sie diese schwierige Vorstellungssituation gut lösen.

6 **Das Bewerbungsgespräch hat aber auch Vorteile für die Person, die sich um die Stelle bewirbt.**

  a Sie kann das Unternehmen kritisch beobachten.

  b Sie kann sich über viele wesentliche Dinge informieren.

  c Sie kann zeigen, was in ihr steckt.

7 **Auf eine Frage, die sich mit den Vorstellungen der Bewerberin / des Bewerbers beschäftigt,**
  **kommen die Fachleute auch noch zu sprechen.**

  a Die Person soll auf keinen Fall danach fragen, welche Karrierechancen es in dem
    Unternehmen in Zukunft gibt.

  b Die Person soll auf jeden Fall gleich fragen, wann sie mit der ersten Beförderung rechnen kann.

  c Die Person soll ruhig erläutern, welchen beruflichen Werdegang sie sich vorstellt.

8 Tabufragen wurden auch angesprochen. Da hatten die Fachleute eine einheitliche Meinung.

 a Es gibt Fragen, die von Unternehmensseite nicht gestellt werden dürfen. Doch es gibt Situationen, in denen manches aufgrund der Stelle erlaubt ist. ☐

 b Es gibt Fragen, die von Unternehmensseite auf keinen Fall gestellt werden dürfen. Da gibt es keine Ausnahmen. ☐

 c Es gibt von Unternehmensseite keine Fragen, die nicht gestellt werden müssen: Das hängt immer von der jeweiligen Situation ab. ☐

9 Darf man in einem Bewerbungsgespräch lügen?

 a Grundsätzlich darf man die Unwahrheit sagen, auch wenn das später rauskommt, darf man nicht gekündigt werden. ☐

 b Bei Fragen, die man nicht beantworten muss, soll man einfach schweigen oder eine Gegenfrage stellen. ☐

 c Fragen, die nicht gestellt werden dürfen, darf man auch mit einer falschen Aussage beantworten. ☐

---

**TEXTE LESEN: Hypothesen bilden, verifizieren**

**35** **ⓐ** Welche Erlebnisse könnte eine Kellnerin in ihrem Beruf haben, die sie nerven? Notieren Sie, was Ihnen aus dem Kaffeehausleben so einfällt.

**ⓑ** Lesen Sie jetzt den folgenden Text. Welche Dinge, die Sie notiert haben, finden Sie in dem Text wieder?

**ⓒ** Notieren Sie nun in Stichpunkten die Momente, die Sie nicht auf Ihrer Liste hatten, die aber im Text genannt werden.

**Manchmal hasse ich meinen Beruf ...**
7.1.20.. 14.53 Uhr

Fast jeder Beruf hat seine nervigen Seiten, von denen man vorher nichts ahnt. Hier berichten Profis über die Momente, die sie auf die Palme bringen.

**von Vera_Schroeder**

**Gesa Geller**, 26, *Kellnerin*

„Der Zigarettenautomat nimmt auch Scheine." – „Ich kann den Milchkaffee natürlich auch im Glas machen." – „Selbstverständlich dürfen Sie die Tische zusammenschieben." – „Wir nehmen keine Kreditkarten." Hätte ich diese Antworten auf Kassette, mein Kellnerleben wäre um einiges einfacher. Und ich müsste nur noch lernen, mit den Müttern umzugehen. Erst parken sie ihre riesigen Kinderwagen mitten im Raum. Dann kriechen kleine Schreihälse aus diesen trojanischen Pferden, die alle Sitzkissen von den Stühlen ziehen, um sich vor der Küchentür eine Kissenburg zu bauen. Die Mütter machen mit diesen Ungeheuern auch gerne direkt vor der Theke erste Gehversuche. Wie soll man da bitte vorbeikommen? Ansonsten nervt beim Kellnern sommerlicher Platzregen, weil 20 Leute von den Tischen draußen nach drinnen stürmen – und garantiert in dem Moment, wenn alles in der Kasse umbonniert ist, die Sonne wieder rauskommt. Ich persönlich habe außerdem ein Problem mit Kuchen. Ich verschätze mich fast immer, die Stücke werden riesig, die Gäste bekommen einen Schock und rufen: „Oh Gott!" Womit wir wieder bei den Müttern wären. Letztens saß hier eine Mutter mit ihrem Säugling an einem großen Tisch mit vier verschiedenen Parteien, die gerade aßen. Sie packt ihr Baby, riecht am Po, legt den Winzling mitten auf den Tisch, neben wildfremde Menschen, die gerade an ihrem Milchkaffee nippen, und wechselt die Windeln. Das ist hier ein Café, kein Wickeltisch. Und ich bin nicht Hebamme, sondern Kellnerin."

# B  In Vergessenheit geraten

**WORTSCHATZ: Alltagsgegenstände** ········▶ zu Kursbuch Seite 67

## 1  Der neue Komfort?

**ⓐ** Welches sind die heutigen „Nachfolger" der folgenden Gegenstände? Was benutzt man heute stattdessen lieber? Was ist heute aktueller? Ordnen Sie zu.

| | | |
|---|---|---|
| 1 Plattenspieler | ☐ | a Internet |
| 2 Schallplatte | ☐ | b SMS |
| 3 8-mm-Filmkamera | ☐ | c Podcast |
| 4 handgeschriebener Liebesbrief | ☐ | d Kreditkarte |
| 5 Schreibmaschine | ☐ | e MP3-Player |
| 6 Faxgerät | ☐ | f Notebook |
| 7 Videorekorder | ☐ | g E-Mail |
| 8 Sparbuch | ☐ | h DVD-Rekorder |
| 9 Radio | ☐ | i CD |
| 10 Kachelofen | ☐ | j Videokamera |
| 11 Porzellangeschirr | ☐ | k Solaranlage |
| 12 Lexikon | ☐ | l Plastikgeschirr |

**ⓑ** Welche Adjektive passen zu welchen Gegenständen aus a?
Wählen Sie aus. Tragen Sie die Ziffern 1–10 oder die Buchstaben a–l ein.

| | | | |
|---|---|---|---|
| aktuell ............. | cool ............. | neuartig ............. | überholt ............. |
| altbacken ............. | elegant ............. | schick ............. | unmodern ............. |
| altertümlich ............. | fortschrittlich ............. | stilvoll ............. | wegweisend ............. |
| altmodisch ............. | hochmodern ............. | super ............. | zeitgemäß ............. |
| antiquarisch ............. | modisch ............. | traditionell ............. | |

## 2  Formulieren Sie Ihre Ansicht zu den folgenden Gegenständen.

**ⓐ** Wie wirkt dieser Teddybär auf Sie?

alt aussehen ■ auf alt trimmen ■
furchtbar alt ■ so alt ■ recht alt

**ⓑ** Wie finden Sie dieses moderne Hotel in einem alten Gebäude?

höchst modern ■ besonders modern ■
erstaunlich modern ■ modern eingerichtet ■
modern ausgestattet

**3**

Über vergessene Gegenstände, über Vergangenes sprechen.

**ⓐ** Sehen Sie sich zuerst die Fotos an.

Plattenspieler

8-mm-Filmprojektor

Ofenherd

Tante-Emma-Laden

Milchkanne

**ⓑ** Lesen Sie dann die Sätze 1–7.

1  Daran kann ich mich noch gut erinnern.
2  Das ist ja ein Plattenspieler.
3  Bei meinen Großeltern gab es einen tollen Ofenherd.
4  Ich vermisse den Tante-Emma-Laden, den es früher in jedem Dorf gab.
5  Das erinnert mich an meine Sommerferien auf dem Land bei meinen Großeltern.
6  Ich vermisse diese Atmosphäre von früher.
7  Das erinnert mich an früher.

**ⓒ** Verbinden Sie nun die Sätze 1–7 mit den Sätzen 1–12. Was passt?
Tragen Sie die Buchstaben ein. Es sind mehrere Lösungen möglich.
Zu welchem Gegenstand A–E passt Ihre Aussage? Tragen Sie die Bildnummern ein.

A  1  So etwas hatten meine Eltern im Wohnzimmer.                                    ............
☐  2  Ich erinnere mich noch gut an meine ersten Schallplatten.                      ............
☐  3  Ehrlich gesagt, würde ich das heute um kein Geld der Welt mehr verwenden.      ............
☐  4  Als Kind gab es für mich nichts Schöneres, als dort jeden Tag einzukaufen.     ............
☐  5  Vielleicht gibt es sie ja bald wieder, wenn das Autofahren immer teurer wird und
       die Leute wieder in der Nachbarschaft einkaufen möchten.                      ............
☐  6  Jeden Morgen wurden die Kannen vor die Bauernhöfe gestellt und von
       den Molkereien abgeholt.                                                      ............
☐  7  Wenn mit großem Aufwand der Film eingelegt wurde und die ganze Familie
       zusammensaß, um sich den Urlaubsfilm meines Großonkels anzusehen.            ............
☐  8  Damit musste ich als Kind jeden Morgen die Milch vom Bauern holen.            ............
☐  9  Das Besondere daran war nicht nur die Musik, sondern auch dieser leicht
       knisternde Klang.                                                            ............
☐ 10  Daran hat mir gefallen, dass es schon morgens so gemütlich war,
       wenn man in die Küche kam.                                                   ............
☐ 11  Damit hat man früher die Küche geheizt und auch gekocht.                      ............
☐ 12  Früher musste man das alles noch mit der Hand machen.
       Da gab es keine Fernbedienungen.                                             ............

13

**4** Handgeschriebene Liebesbriefe – aus der Mode gekommen

**a** Lesen Sie die Mind-Map*.

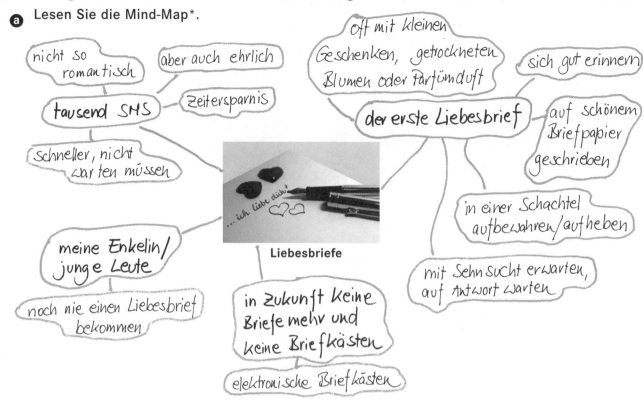

nicht so romantisch

aber auch ehrlich

Zeitersparnis

tausend SMS

schneller, nicht warten müssen

meine Enkelin/ junge Leute

noch nie einen Liebesbrief bekommen

...ich liebe dich?

**Liebesbriefe**

in Zukunft keine Briefe mehr und keine Briefkästen

elektronische Briefkästen

oft mit kleinen Geschenken, getrockneten Blumen oder Parfümduft

sich gut erinnern

der erste Liebesbrief

auf schönem Briefpapier geschrieben

in einer Schachtel aufbewahren/aufheben

mit Sehnsucht erwarten, auf Antwort warten

\* Mind-Map: Arbeitshilfe, mit der man unterschiedliche Ideen, Gedanken, Assoziationen zu einem Thema strukturiert sammeln kann. Diese Sammlungen können einem dabei helfen, Aussagen oder Texte zu einem Thema zu formulieren.

**b** Was könnte diese ältere Dame zum Thema „Liebesbriefe" sagen?
Legen Sie ihr Sätze „in den Mund". Schreiben Sie.
Verwenden Sie die Stichpunkte aus der Mind-Map und die
folgenden Wendungen und Ausdrücke.

Ich erinnere mich noch gut an … ■ Ich vermisse … von früher. ■
Das / … erinnert mich an … ■ Damit kann/konnte man … / hat man … / musste man … ■
Das war/ist sehr … ■ Zu meiner Zeit war es üblich, … ■ Vielleicht gibt es in Zukunft … ■
Es gibt / gab nichts Schöneres, als … zu … ■ Daran hat mir gefallen, dass … ■
Das Besondere daran war/ist, … ■ Ehrlich gesagt, würde ich heute vielleicht auch …

VERTIEFUNG

**c** Zeichnen Sie Ihre eigene Mind-Map zu dem Thema „Sparbuch früher".
Tragen Sie die Stichpunkte in die Mind-Map ein. Was gehört zusammen?

konnte gut sehen, was man gespart hatte ■ war stolz, wenn man Geld einzahlen konnte ■
man wusste genau, wie viel Geld man hatte ■ das war ein feierlicher Moment, wenn man Geld abgehoben
hat ■ auch Kinder können ein Sparbuch „verstehen" ■ moderne Sparkonten virtuell ■
man konnte nur auf einer Bank Geld abheben ■ nun bekommt man überall Geld ■
statt des Sparbuchs eine SparCard ■ an Automaten Geld abheben ■ das Ganze anonym ■
der Kontakt zur Bank sehr persönlich ■ gefährlich, wenn Sparbuch verloren ■ …

**d** Was könnte dieser ältere Herr zum Thema „Sparbuch sagen"?
Legen Sie ihm „Sätze in den Mund".
Verwenden Sie auch die Wendungen und Ausdrücke aus b.
Schreiben Sie Sätze.

# C  Mir liegt es auf der Zunge

WORTSCHATZ: Wörter, die man leicht verwechseln kann ········▶ zu Kursbuch Seite 68

**5** Ergänzen Sie den passenden Ausdruck.

**ⓐ** *wesentlich, im Wesentlichen, das Wesentliche, Wesentliches, wesentliche*

1 So, ich glaube ............................ ist gesagt.

2 Das sind aber ganz ............................ Veränderungen. Darüber müssen Sie mich doch informieren.

3 Die beiden Goethe-Ausgaben sind ............................ gleich, sie unterscheiden sich nur im Preis.

4 Das zweite Angebot scheint mir ............................ teurer als das erste.

5 So, fertig! Ich hoffe nur, ich habe nichts ............................ übersehen.

**ⓑ** *die meisten, meist (meistens), am meisten*

1 Heute bleibt es im Norden ............................ sonnig.

2 Am liebsten entwirft sie Hüte, denn das macht ihr ............................ Spaß.

3 Beim europäischen Song-Contest bekam die Sängerin aus Frankreich ............................ Stimmen.

4 Ich muss sagen, aus diesem Buch habe ich ............................ gelernt.

5 Sie vergisst ............................, das Licht auszuschalten.

**ⓒ** *unter anderem (u. a.), der Anderen, anders, ander-*

1 Wir haben zwei Söhne. Der eine lebt in Australien, der ............................ in Köln.

2 Tut mir leid. Da bin ich ............................ Meinung.

3 Sie hatten sich die Reise einfach ............................ vorgestellt.

4 Bei der Razzia fand man ............................ auch Munition und Schusswaffen.

5 Kennst du den Film „Das Leben ............................"?

6 Würden Sie mir ein ............................ Glas bringen? Das hier hat einen Sprung.

**ⓓ** Vorsicht, Falle! Was bedeutet der folgende Satz? Übersetzen Sie ihn in Ihre Muttersprache.

Bringen Sie mir bitte ein anderes Bier.

GRAMMATIK: unpersönliche Ausdrücke im Kontext ········▶ zu Kursbuch Seite 68

**6** Wer tut hier etwas?

**ⓐ** Lesen Sie die Sätze. Nur im ersten Satz wird gesagt, wer etwas „tut".

1 *Ich* kann die Auskunft nicht erreichen.

2 Im Moment sind alle unsere Leitungen besetzt. Sobald eine Leitung frei wird,
werden Sie mit einem unserer Kundenberater verbunden.

3 Mist, es ist schon wieder niemand erreichbar.

4 Es lässt sich im Augenblick nicht sagen, wann die Störung behoben ist.

5 Liebe Kunden, ab sofort sind wir unter unserer neuen Rufnummer 767667 zu erreichen.

6 Diese Telefonnummer lässt sich einfach nicht anwählen; da ist immer besetzt.

**ⓑ** Formulieren Sie die Sätze 2–6 „persönlich".
Schreiben Sie wie im Beispiel. Vergleichen Sie dann mit dem Lösungsschlüssel.

2 *Sobald eine Leitung frei wird, verbinden wir Sie mit einem unserer Kundenberater.*

**7** *-bar*

**a** Informationen weitergeben

Lesen Sie den Text und formulieren Sie dann die gesprochenen Sätze.

> **Sommer-T-Shirts**
> Auch im Internet bestellbar
> Lieferbar in fünf Farben

> Hast du gewusst, dass man
> die T-Shirts ...........................
> ...........................

> Und die T-Shirts können
> ...........................
> ...........................

**b** Was bedeuten die Wörter mit *-bar* in den folgenden Sätzen? Notieren Sie.

1 Der Pullover ist reduziert und deshalb leider nicht umtauschbar.

   *Man kann ihn nicht umtauschen.*...........................

2 Wenn Sie sich bewegen und sprechen, ist der Blutdruck nicht messbar.

   ...........................

3 Manche Ziele bleiben einfach unerreichbar.

   ...........................

4 Dieses Wetter war wirklich nicht vorhersehbar.

   ...........................

5 Schau mal, eine aufblasbare Matratze.

   ...........................

6 Deine Schrift ist auch nicht besonders gut lesbar.

   ...........................

7 Die beiden Produkte sind nicht vergleichbar.

   ...........................

8 Ihre Bilder sind unverwechselbar.

   ...........................

VERTIEFUNG

**c** Was bedeuten die Wörter mit *-bar* hier? Ordnen Sie zu.

1 absehbare Konsequenzen ☐           a wertvoll
2 ein brauchbares Argument ☐         b anständig
3 ein ehrbarer Bürger ☐              c vorherzusehen
4 eine kostbare Vase ☐               d nicht zu kalkulieren
5 eine streitbare Person ☐          e preiswert
6 ein unberechenbares Risiko ☐      f nützlich
7 ein bezahlbares Produkt ☐         g provokant

VERTIEFUNG

**d** Ganz andere Bedeutungen

Lesen Sie die Sätze und übersetzen Sie sie in Ihre Muttersprache.

1 Die Ausstellung ist wunderbar.
2 Scheinbar kann er sich an nichts erinnern.
3 Offenbar hat er einen Schlag auf den Kopf bekommen.
4 Sein Charakter ist etwas sonderbar.
5 Also, was da passiert ist, das ist doch einfach unfassbar!
6 Heute ist es mal wieder furchtbar heiß.
7 Zum Glück waren wir von der Katastrophe nicht unmittelbar betroffen.

**8** *lässt sich*

**a** Lesen Sie die Sätze und formulieren Sie sie neu. Es gibt mehrere Möglichkeiten.

1 Das lässt sich so nicht sagen.

   *Das kann man so nicht sagen.*

2 Ich fürchte, unser Auto lässt sich nicht mehr reparieren.

   ........................................................................................................................

3 Was ich auch mache: Der Text lässt sich einfach nicht ausdrucken.

   ........................................................................................................................

4 Wie lässt sich dieses Programm deaktivieren?

   ........................................................................................................................

5 Über diesen Vorschlag lässt sich reden.

   ........................................................................................................................

**b** Andere Bedeutungen. Lesen Sie die Sätze und ordnen Sie die Bedeutung zu.

ERHOLUNG

1 Jetzt reicht's! Ich lasse die Wäsche ab sofort waschen!      a   Ich „erlaube" es nicht.

2 Ich lasse mich jetzt nicht aus der Ruhe bringen.     b   Ich tue es nicht selbst.

3 Damit hilfst du niemandem, also lass das bitte.     c   Mach das nicht.

**13**

**9** *sein ... zu*

**a** Lesen Sie die Sätze. In welchen Sätzen steckt *können*, in welchen *müssen*?
Formulieren Sie die Sätze neu mit *können* oder *müssen*.

1 Die Lösung ist nicht ganz leicht zu finden.

2 Keine Angst, dieser Defekt ist leicht zu reparieren.

3 Damit Ihr Antrag noch in diesem Jahr bearbeitet werden kann, ist er bis Ende Dezember zu stellen.

4 Am Freitagnachmittag ist auf den Autobahnen um Köln mit Behinderungen zu rechnen.

5 Ist bei der Bedienung dieser Maschine irgendetwas zu beachten?

**b** Was bedeutet *sein ... zu* hier? Ordnen Sie zu. Übersetzen Sie sie in Ihre Muttersprache

VERTIEFUNG

1 Wie sieht es denn hier aus? Das ist doch nicht zu fassen!    ⬚   a   keine Chance

2 Ich glaube, heute bist du auf niemanden gut zu sprechen.    ⬚   b   Ungeduld / Verärgerung

3 Schon wieder so ein Mistwetter. Das ist nicht zu glauben!    ⬚

4 Unser Gegner ist haushoher Favorit. Da gibt es für uns nichts zu verlieren.    ⬚

5 Wem nicht zu raten ist, dem ist auch nicht zu helfen.    ⬚

6 Was gucken die alle so doof? Da gibt's doch nichts zu sehen.    ⬚

**10** Formulieren Sie die folgenden Sätze mit geeigneten Formen aus den Übungen 6–9.
Vergleichen Sie mit dem Lösungsschlüssel.

1 Diesen Wunsch kann ich dir gern erfüllen.

2 Keine Angst, diese kleine Erkältung lässt sich heilen.

3 Ihre Äußerungen sind nicht zu entschuldigen, verehrter Herr Ministerpräsident.

4 So, diese Straße kann jetzt wieder befahren werden.

WIEDERHOLUNG

**11**  ⓐ  **Was passt? Ordnen Sie zu. Es gibt mehrere Lösungen.**

| | | | | |
|---|---|---|---|---|
| 1 | In diesem / dem Text | a, b, f, k, m, n, o | a | geht es um … |
| 2 | Hier | | b | steht, dass … / steht über …, dass … |
| 3 | Der Autor / Verfasser | | c | schreibt über … |
| 4 | Der Text | | d | ist der Ansicht, dass … |
| 5 | Über das Thema „…" | | e | steht in meinem Text, dass … |
| 6 | Am wichtigsten | | f | finde ich die Information, dass … / über … |
| 7 | Zum Thema „…" | | g | betont, dass … |
| | | | h | handelt von … |
| | | | i | handelt davon, dass … |
| | | | j | schreibt darüber, dass … |
| | | | k | heißt es, dass … |
| | | | l | kritisiert, dass … |
| | | | m | geht es darum, dass … |
| | | | n | schreibt der Autor darüber, dass … |
| | | | o | betont der Autor … |

ⓑ  **Neutral oder subjektiv gefärbt? Ordnen Sie A, B oder C den folgenden Wendungen und Ausdrücke zu.**

⸬ In meinem Text geht es um … ▣ ⸬ Die Hauptaussage in meinem Text über … ist, dass … ▣
⸬ Am wichtigsten finde ich in meinem Text die Information, dass … ▣ ⸬ In meinem Text betont der Autor,
dass … ▣ ⸬ Über … steht in meinem Text, dass …

**A**  neutrale, objektive Aussage über den Text
**B**  hebt die subjektive Meinung/Haltung des Verfassers hervor
**C**  hebt die eigene subjektive Meinung/Haltung hervor

ⓒ  **Lesen Sie den Text. Lesen Sie dann die zusammenfassenden Sätze 1–4 und ergänzen Sie die passenden Wendungen und Ausdrücke.**

Die Hauptaussage in meinem Text ist … ▣ Über Dörfer steht in meinem Text … ▣
In meinem Text betont der Autor … ▣ Am wichtigsten finde ich in meinem Text …

### Leipzig

Meine Heimatstadt ist Leipzig, aber überall auf der Welt gibt es schöne Orte. Sie sind schwer miteinander zu vergleichen. Ich habe schon in verschiedenen Ländern gearbeitet. Aber wo man Freunde findet und sich wohlfühlt, dort ist der schönste Platz auf der Welt. Ein kleines Dorf kann manchmal schöner sein als jeder Kontinent.

1 ............................................................ , dass es überall auf der Welt schöne Orte gibt.

2 ............................................................ die Aussage, dass der schönste Platz auf der Welt
der ist, an dem man sich wohlfühlt.

3 ............................................................ , dass er schon in verschiedenen Ländern gearbeitet hat.

4 ............................................................ , dass sie manchmal schöner sein können als jeder Kontinent.

**d** Lesen Sie die Reiseempfehlung. Fassen Sie dann den Inhalt zusammen.
Ergänzen Sie dazu die Satzanfänge 1–3. Vergleichen Sie mit dem Lösungsschlüssel.

### Unsere Urlaubsempfehlung für August

Deutschland – Insel Amrum: Auf der norddeutschen Insel Amrum liegen die Temperaturen Ende August bei etwa 20 Grad, und es ist nicht mehr ganz so voll wie im Juli. Das Wasser hat noch angenehme 17 Grad, und im Durchschnitt gibt es sieben Stunden Sonne pro Tag. Vor allem für Familien mit Kindern bietet die Insel attraktive Angebote.

1  In diesem Text geht es um ........................................................................................................

2  Im Text heißt es, ........................................................................................................

3  Der Autor empfiehlt ........................................................................................................

**2** **a** Worum geht es dem Autor? Was ist seine Hauptaussage?

1  Lesen Sie und markieren Sie die Schlüsselwörter. Vergleichen Sie dann mit dem Lösungsschlüssel.

## Wie jedesmal am Vatertag* – höhere Spritpreise und schwere Unfälle

Wer einen Ausflug oder eine kleine Reise plant, muss sich auf den Fernstraßen vor allem in Richtung Süden auf einige Staus einstellen. Und das ist nicht das einzige Ärgernis für Autofahrer: Pünktlich vor dem Feiertag und dem Wochenende mit Brückentag haben die Mineralölkonzerne die Benzinpreise wieder angehoben. Ein Liter Superbenzin kostet im Schnitt 1,30 Euro oder mehr, wie der ADAC mitteilte.

Besonders gefährlich dürfte es auf den Straßen am Donnerstag werden: An keinem anderen Tag im Jahr sterben im Straßenverkehr so viele Menschen wie am Vatertag. Auch die Zahl der Unfälle, bei denen mindestens einer der Beteiligten betrunken war, liegt deutlich über dem Durchschnitt. Wer den Tag feuchtfröhlich genießen möchte, sollte sein Auto also unbedingt zu Hause lassen.

\* Feiertag (Christi Himmelfahrt) im Mai, immer an einem Donnerstag

2  Ergänzen Sie die vier Sprechblasen. Verwenden Sie die folgenden Wendungen und Ausdrücke.

( In diesem Text geht es um ... )   ( Der Autor kritisiert ... )   ( Am wichtigsten finde ich die Information ... )   ( Der Autor betont, dass ... )

**b** Worum geht es dem Autor? Was ist seine Hauptaussage?

1  Lesen Sie und markieren Sie die Schlüsselwörter. Vergleichen Sie dann mit dem Lösungsschlüssel.

## Erfolgsmodell Bienenstaat

Unermüdlich fliegen die Bienen von Blüte zu Blüte – immer auf der Suche nach Pollen und zuckersüßem Nektar. Ob im Apfelbaum, im Raps oder auf unserem Pflaumenkuchen. Rund 3000 Pflanzenarten steuert die mitteleuropäische Honigbiene an. Und produziert dabei im Jahr mehr als 25 000 Tonnen goldgelben Brotaufstrich. Ein fleißiges Völkchen mit komplexem Sozialsystem. Und strenger Arbeitsteilung: Neben dem Hofstaat für die Königin gibt es Reinigungspersonal, Türsteher, Ammen und Pollenstampferinnen. Der Karriereverlauf ist dabei genetisch bedingt. Etwa drei Viertel ihres Lebens verbringt eine Biene im Innendienst. Erst dann erkundet sie als Sammlerin die Welt – eine Welt, in der die Weibchen die Hosen anhaben, denn die Männchen haben im Stock nicht viel zu melden und werden am Ende der Paarungszeit auch schon mal vor die Tür gesetzt.

2  Ergänzen Sie die vier Sprechblasen. Verwenden Sie die folgenden Wendungen und Ausdrücke.

( In meinem Text geht es um ... )   ( Am interessantesten finde ich die Information ... )   ( Der Text handelt davon, dass ... )   ( Über ... steht in meinem Text, dass ... )

## 13 Worum geht es dem Autor des Radiobeitrags? Was ist seine Hauptaussage?

**58** **a** Hören Sie den Text. Hören Sie ihn noch einmal und notieren Sie die Schlüsselwörter. Vergleichen Sie dann mit dem Lösungsschlüssel.

Fossil Ida

# Vorfahr gefunden

Fossil Ida in New York präsentiert

..............................................................................

..............................................................................

..............................................................................

..............................................................................

..............................................................................

..............................................................................

**b** Ergänzen Sie die vier Sprechblasen.
Verwenden Sie die folgenden Wendungen und Ausdrücke.

| In dem Radiobeitrag geht es um ... | Der Beitrag handelt davon, dass ... | Es wurde betont, dass ... | Am interessantesten finde ich die Information ... |

---

**PHONETIK** ⟶ zu Kursbuch Seite 69

## 14 **a** Hören Sie und sprechen Sie die Sätze nach.

**59**

1 Wie sieht es denn hier aus? Das ist doch nicht zu fassen!
2 Komm, lass gut sein, die ist heute nicht gut auf mich zu sprechen.
3 Schon wieder so ein Mistwetter. Das ist einfach nicht zu glauben!
4 Wem nicht zu raten ist, dem ist auch nicht zu helfen.
5 Was gucken die alle so doof? Da gibt's doch nichts zu sehen.
6 Retten, was nicht zu retten ist. Das sind wohl aussichtslose Versuche von Krisenmanagern.

**60** **b** Hören Sie den Lagebericht des Firmenchefs.
Hören Sie noch einmal und sprechen Sie die Antworten des Mitarbeiters nach.

1 Unsinn!
2 Ja, zugegeben, ...
3 Das stimmt. Der alte ...
4 Meinen Sie wirklich?
5 Aber natürlich!
6 Ach, ich weiß nicht!
7 Genau!
8 Das ist wahr. ...
9 Na ja, ...
10 Da sehe ich kein Problem!
11 Wahrscheinlich haben Sie recht. Neue ...
12 Ich glaube schon, dass ...
13 Ich bin sicher, dass ...

Kumba

**15** **ⓐ** **Lesen Sie den Text und ordnen Sie die Überschriften zu.**

**1** Modernisierung als Grund für die Mieterhöhung ▪ **2** Rechte und Pflichten des Vermieters bei der Mieterhöhung ▪ **3** Mieterhöhung immer prüfen lassen

**A** Prüfen statt ärgern

Viele Mieter verschenken einige Hundert Euro, weil sie sich zwar über eine Mieterhöhung ärgern, aber nichts dagegen unternehmen. Zwar sind Mieterhöhungen nicht per se unzulässig, aber es gibt klare Regeln, die Vermieter einhalten müssen.

**B**

Der Vermieter kann die Miete innerhalb von drei Jahren um 20 Prozent erhöhen – allerdings nur bis zur Höhe der ortsüblichen Miete. Diese Mieterhöhung muss er zudem begründen: entweder mit dem Mietspiegel, mit Vergleichsmieten oder mit einem Sachverständigengutachten. In Städten wie in München, in denen es einen qualifizierten Mietspiegel gibt, muss er es zusätzlich immer mit dem Mietspiegel begründen.

**C**

Doch die Begründung ist komplizierter, als es klingt. Denn hier spielen viele Faktoren eine Rolle: Größe und Ausstattung der Wohnung, Alt- oder Neubau, Sanierungszustand etc. Weil Vermieter selbst oft gar nicht wissen, wie das sogenannte „Erhöhungsverlangen" korrekt auszusehen hat, und weil Mieter schnell den Überblick verlieren, sollte man immer fachlichen Rat einholen – zum Beispiel beim Mieterbund. Denn die Mieterhöhung führt ja dazu, dass man monatlich mehr Ausgaben hat und nicht einmalig.

**D**

Doch es sind nicht immer nur die einfachen Erhöhungen, die Mietern zu schaffen machen. Denn oft bedeuten auch eine neue Schließanlage, eine sanierte Heizung oder neue Fenster: Jetzt wird's teurer. Von dem, was die Modernisierung gekostet hat, darf der Vermieter elf Prozent auf die Mieter umlegen – nicht auf einmal natürlich, sondern in Form einer Mieterhöhung. Die Modernisierungskosten verschmelzen also mit der Miete, sodass der Mieter letzten Endes sogar mehr als die erlaubten elf Prozent bezahlt. Das ist an und für sich nicht illegal – trotzdem sollte man auch hier die Erhöhung von Experten checken lassen.

**ⓑ** **Lesen Sie jetzt den Text Abschnitt für Abschnitt noch einmal und achten Sie auf die Schlüsselwörter. Welche Informationen zu den Schlüsselwörtern sind wichtig? Unterstreichen Sie.**

**ⓒ** **Schreiben Sie jetzt Ihre Schlüsselwörter mit den Informationen untereinander auf einen Notizzettel. Schreiben Sie nun mithilfe der angegebenen Wendungen und Ausdrücke Ihre Textzusammenfassung.**
**Vergleichen Sie dann mit dem Lösungsschlüssel.**

In diesem Text geht es um … und darum, welche …
In dem Text steht auch, …
Der Autor betont, …
Am wichtigsten ist für mich der Hinweis, …
Über … schreibt der Autor …

Schreiben Sie eine Textzusammenfassung.
Gehen Sie vor wie in Aufgabe 15 beschrieben. Sie haben die Wahl zwischen zwei Texten.

**1** Lesen Sie die Überschriften.

**2** Lesen Sie den Text und markieren Sie die Schlüsselwörter.
   Unterstreichen Sie dann die wichtigen Informationen zu den Schlüsselwörtern.

**3** Wählen Sie die passenden Wendungen und Ausrücke aus Aufgabe 11 a und b aus.

**4** Schreiben Sie jetzt Ihre kurze Textzusammenfassung.

## A  Zucker, Honig & Co. Was soll man nun konsumieren?

Haben Sie heute Morgen Ihren Kaffee mit Milch und Zucker getrunken? Haben Sie sich danach noch ein Brot mit Marmelade oder eine Mehlspeise zum Frühstück gegönnt? Wir alle wissen: Ab und zu etwas Süßes tut der Seele gut – aber immer nur in Maßen genossen.

### Weniger ist mehr
Aus ernährungswissenschaftlicher Sicht ist es empfehlenswert, sich langsam an weniger Süße in Nahrungs- und Genussmitteln zu gewöhnen. Man kann versuchen, Kaffee und Tee schrittweise immer weniger zu süßen. Im Müsli kann man die Süße durch Zugabe von Obst oder Trockenfrüchten erreichen. Und in den meisten Rezepten für Süß- und Mehlspeisen lässt sich der Zuckergehalt um mindestens ein Drittel reduzieren, ohne dass die Mehlspeise an Geschmack einbüßt.

### Versteckter Zucker
Manche Lebensmittel enthalten außerdem große Mengen Zucker, worüber man sich oft gar nicht im Klaren ist. So enthält etwa ein Viertelliter Limonade fast 30 Gramm Zucker. Das entspricht sieben Stück Würfelzucker. Ein Becher Fruchtjoghurt enthält rund 25 Gramm Zucker bzw. sechs Stück Würfelzucker.

Die Weltgesundheitsorganisation empfiehlt, nicht mehr als 10 Prozent der Tagesenergie über die Zufuhr von Zucker zu decken. Bei einer Energieaufnahme von 2000 Kilokalorien pro Tag bedeutet dies: maximal 50 Gramm Zucker.

### Woher kommt der Zucker?
Doch woraus wird Zucker überhaupt hergestellt? Das süße Etwas wird hauptsächlich aus Zuckerrohr und Zuckerrüben gewonnen, deren Pflanzensaft reich an Saccharose ist. Der Rohsaft wird mit Kalkmilch gereinigt, eingedickt und zentrifugiert. Aus dem so gewonnenen Rohzucker wird durch einen Reinigungsprozess (Raffination) weißer Zucker. Dieser ist üblicherweise in Form kleiner Kristalle (Kristallzucker) erhältlich.

### Nährwert verschiedener Zuckerarten
Die einzelnen Zuckersorten (Staub- oder Puderzucker, brauner Zucker, Kandiszucker, Würfelzucker, Gelierzucker, Rohzucker) unterscheiden sich hinsichtlich des Gehalts an Nährstoffen kaum voneinander. Sie alle haben eine geringe Nährstoffdichte; das bedeutet, sie liefern – bezogen auf ihren Energiegehalt – sehr wenig Vitamine und Nährstoffe.

## B  Der Gyrokopter oder auch Tragschrauber – voll im Trend?

**Lange Zeit war der Gyrokopter so gut wie vergessen – nun will ihn alle Welt haben. Ist der Gyrokopter die echte Alternative zu überfüllten Autobahnen, teuren Privatflugzeugen?**

### Was ist ein Gyrokopter?
Der Gyrokopter ähnelt auf den ersten Blick einem Hubschrauber. Eher ließe er sich aber mit einem fliegenden Motorrad vergleichen. Ist der ursprüngliche Gyrokopter doch offen, für ein bis zwei Personen gedacht, die hintereinandersitzen. Was uns an den Hubschrauber erinnert, sind die Rotoren, die Drehflügel. Jedoch werden sie nicht durch einen Motor und ein Triebwerk bewegt, sondern durch den Fahrtwind. Das Drehen der Rotoren ist aber dafür verantwortlich, dass der Gyrokopter langsam und sicher in die Höhe steigt. Zum Starten muss der Gyrokopter von einem Propeller angetrieben werden.

### Flugsicherheit ade?

Unvergessen bleibt den Gyrokopterfans der kurze Fernsehdokumentarfilm über den Gyrokopter, in dem der Fluglehrer plötzlich zu seinen Beifahrer, einem Reporter der Fernsehanstalt, sagte: „Nun schalten wir den Motor aus." Er sagte es nicht nur, sondern tat es auch. Die Rotoren drehten sich ruhig weiter, der Gyrokopter sank sanft und sicher zu Boden: Gyrokopter können nicht abstürzen, weil ihre Rotoren die Form von Ahornsamen haben. Und wie diese drehen sie sich weiter und die Tragschrauber landen langsam auf dem Boden. Wind und Wetter können der kleinen Flugmaschine in der Regel auch nichts anhaben.

### Der Gyrokopter – ein „Flieger für alle"?

In der Tat, heute ist der Gyrokopter inklusive Flugausbildung und Flugschein für 49 000 Euro zu haben, nicht viel mehr als ein kaum gebrauchter Mittelklassewagen mit

Führerschein. Dazu kommt noch, dass die Betriebskosten im Vergleich extrem niedrig sind. Zum Starten braucht der Gyrokopter gerade mal 50 bis 200 Meter, zum Landen so gut wie keine Strecke. Dafür errreicht der Gyrokopter eine Geschwindigkeit von 120 bis 150 Kilometer pro Stunde, kann aber, wenn man will, auch sehr langsam und trotzdem sicher fliegen.

### Alternative zum Auto?

Manche planen den Umstieg, andere sind schon umgestiegen. Landen darf man mit dem Gyrokopter nämlich überall, wo auch andere Kleinflugzeuge landen dürfen. Darüber hinaus gibt es die Möglichkeit, Sonderlandegenehmigungen zu bekommen, zum Beispiel auf dem großen privaten Parkplatz eines Unternehmens in einem Gewerbegebiet. Das ist die Chance für all diejenigen, die viel Kundenkontakt pflegen und ihre wertvolle Arbeitszeit nicht mehr im Stau verbringen wollen.

---

# D Ein perfekter Freund

**GRAMMATIK: verkürzte Antworten** ·······▸ zu Kursbuch Seite 72

**17** Kurze Antworten sind ganz normal.

**a** Lesen Sie den Dialog. Welche Antwort passt nicht? Kreuzen Sie an.

● Möchten Sie noch etwas bestellen?

■ 1 ☐ Ja, bitte. 2 ☐ Für mich noch ein Bier, bitte. 3 ☐ Ja, ich möchte noch etwas bestellen. 4 ☐ Ja.

**b** Streichen Sie aus der Antwort alle Teile, die man nicht braucht.
Vergleichen Sie mit dem Lösungsschlüssel.

1 Wann war das? – Das war vor sechs Tagen.

2 Wo warst du eigentlich gestern Abend? – Ich war in der Kneipe, mit Freunden.

3 Weißt du, wo wir gerade sind? – Da habe ich keine Ahnung.

4 Kommst du bitte mal zu mir? – Ich komme gern!

5 Kennen Sie Dresden schon? – Dresden kenne ich kaum.

6 Das haben Sie doch gestern gesagt! – Das habe ich niemals gesagt.

**18** Geben Sie kurze Antworten. Es gibt mehrere Möglichkeiten.

---
Niemals! ■ Nein. ■ Keine Ahnung. ■ Gern! ■ Manchmal. ■ Gestern. ■ Letzte Woche. ■ Ja! ■
Auf jeden Fall. ■ Nur manchmal. ■ So gegen vier. ■ Absolut. ■ Klar. ■ Geht in Ordnung. ■ Genau.
---

1 Du meinst also, dass sie nicht ganz die Wahrheit gesagt hat.

2 Und, gehst du oft ins Kino?

3 Sie können dann so gegen vier vorbeikommen, da ist jemand zu Hause.

4 Wann haben Sie die Mail denn geschickt?

5 Hilfst du mir auch dabei?

6 Darf ich Sie noch zum Essen einladen?

7 Würdest du da raufklettern?

8 Wann sollen wir uns treffen?

**19** Verschiedene Kurzantworten, verschiedene Bedeutungen
Hören Sie die Dialoge. Was bedeuten die Kurzantworten?

**61 ⓐ** Ordnen Sie die Kurzantworten den Zeichnungen zu.

◆ Gehst du?
1 Ja. ⬚
2 Ja, ich gehe. ⬚

**62 ⓑ** Was bedeutet die Kurzantwort möglicherweise? Ordnen Sie zu.

● Kannst du mir helfen?

1 Ja. ⬚  A Ja, aber nicht bei jeder Sache.
2 Ja, wobei? ⬚  B Ja, aber nur heute.
3 Ja, heute geht's. ⬚  C Ein bedingungsloses „Ja".
4 Lieber morgen. ⬚  D Heute geht es schlecht.

**WORTSCHATZ: ein Gesicht beschreiben** ·······▸ zu Kursbuch Seite 72

**20** Ein Gesicht beschreiben

ⓐ Ordnen Sie die Adjektive den Nomen zu. Einige passen mehrmals.

ausdrucksstark ◼ blass ◼ blau ◼ bleich ◼ hellblond ◼ braun ◼ dunkel ◼ dunkelblond ◼ dünn ◼ gebräunt ◼
gefärbt ◼ geschminkt ◼ glatt ◼ grau ◼ graublau ◼ grün ◼ hell ◼ hübsch ◼ kantig ◼ kurz ◼ lang ◼ länglich ◼
lockig ◼ markant ◼ oval ◼ rot ◼ rund ◼ schief ◼ schmal ◼ schön ◼ schwarz ◼ spitz ◼ voll ◼ weich

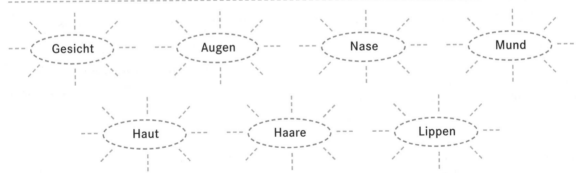

Gesicht      Augen      Nase      Mund

Haut      Haare      Lippen

ⓑ Was passt? Bilden Sie Nomen. Vergleichen Sie mit dem Lösungsschlüssel.

Backen/Wangen ◼ Augen ◼ Lach ◼ Voll ◼ Gesichts ◼ Mittel ◼ Seiten ◼ Mutter ◼
Schönheits ◼ zug ◼ mal ◼ knochen ◼ scheitel ◼ fleck ◼ falten ◼ brauen ◼ bart

*Backenknochen, Wangenknochen* ...............................................................................

ⓒ Beschreiben Sie die Gesichter auf den Fotos mit den Wörtern aus a und b.

**21** Was bedeuten die Modalverben im Kontext der Sätze?
Tragen Sie die Buchstaben ein. Manche passen mehrmals.

| | | |
|---|---|---|
| 1 Das Buch musst du unbedingt lesen! | ☐ | a Erlaubnis |
| 2 Hier müssen Sie noch unterschreiben. | ☐ | b Bitte |
| 3 Wollen wir heute ins Kino gehen? | ☐ | c Möglichkeit |
| 4 Was willst du jetzt machen? | ☐ | d Vorschlag |
| 5 Ich kann kein Italienisch. | ☐ | e Empfehlung |
| 6 Alle Hausaufgaben erledigt? | | f Fähigkeit |
| Dann könnt ihr euch jetzt ein Eis holen. | ☐ | g Verbot |
| 7 Kann man hier baden? | ☐ | h Absicht |
| 8 Darf ich auch mal probieren? | ☐ | |
| 9 Hier am Eingang dürfen Sie Ihr Fahrrad nicht abstellen. | ☐ | |
| 10 Ich möchte bitte eine Auskunft. | ☐ | |

**22** Weitere Verwendungen einiger Modalverben

**ⓐ** *sollen / Sie sollten.* Welche Sätze drücken das Gleiche aus? Kreuzen Sie an
und vergleichen Sie mit dem Lösungsschlüssel.

1 Sie sollten darüber mit dem Chef sprechen.

   a ☐ Es wäre am besten, wenn Sie darüber mit dem Chef sprechen.

   b ☐ Sie müssen mit dem Chef sprechen.

2 Sie sollen den Chef anrufen.

   a ☐ Sie müssen den Chef anrufen.

   b ☐ Der Chef hat darum gebeten, dass Sie ihn anrufen.

**ⓑ** *(nicht) müssen / (nicht) brauchen*

1 Welche Sätze drücken das Gleiche aus?

   Die Sache ist erledigt. Wir müssen nichts mehr tun.

   a ☐ Wir brauchen nichts mehr zu tun.

   b ☐ Wir dürfen nichts mehr tun.

   c ☐ Es ist nicht notwendig, dass wir etwas tun.

2 Korrigieren Sie das Modalverb.

   Nicht nur in Flugzeugen muss man nicht rauchen.
   Sie dürfen das nicht lesen, das ist wirklich nicht nötig.

**ⓒ** *mag* oder *möchte*? Ergänzen Sie das passende Modalverb.

1 Nein, Zitroneneis ........................ ich überhaupt nicht.

2 Also, ich ........................ gern einen Cappuccino.

3 Was, du ........................ schon wieder Geld von mir? Ich hab dir doch erst gestern welches gegeben.

4 Also, diesen Schauspieler ........................ ich sehr.

**13**

**23** Vermutungen. Lesen Sie die Sätze. In welchen Sätzen wird eine Vermutung ausgedrückt? Kreuzen Sie an.

1 Ich glaube, da hast du recht. ☐
2 Sie ist jetzt sicherlich schon zu Hause. ☐
3 Der da drüben? Na, das ist unser neuer Kollege. ☐
4 Die ganze Wäsche ist nass. Es wird hier wohl geregnet haben. ☐
5 Kann sein, zumindest habe ich den noch nie hier gesehen. ☐
6 Vermutlich kam der Täter um Mitternacht. ☐
7 Ich muss jetzt wirklich nach Hause. ☐

**24** Vermutungen und Einschätzungen

**a** Was drücken die Sätze aus? Ordnen Sie zu.

1 Das muss stimmen. ☐      A vielleicht, möglicherweise
2 Das kann stimmen. ☐      B eher neutral: kann sein, kann auch nicht sein
3 Das könnte stimmen. ☐    C ganz sicher, sehr wahrscheinlich

**b** Lesen Sie die Sätze und ordnen Sie zu.

1 Es könnte sein, dass das Päckchen morgen schon kommt. ☐      a möglicherweise, vielleicht
2 Es kann sein, dass ich heute Abend noch einmal wegmuss. ☐    b eher neutral
3 Die Telefonnummer müsste stimmen. Versuchen Sie doch mal,      c ganz sicher
   dort anzurufen. ☐
4 Dieses Ergebnis muss stimmen. Ich habe es zweimal nachprüfen lassen. ☐
5 Wir dürften bald in der Gewinnzone sein. ☐

**c** Drücken Sie die Sachverhalte so aus, dass Sie (a) unsicher (möglicherweise, vielleicht), (b) unentschieden (eher neutral) oder (c) (ganz) sicher sind.

1 Dieser Schal gehört Frau Müller aus dem dritten Stock.

a *Der Schal könnte Frau Müller gehören.*
b *Der Schal kann Frau Müller gehören.*
c *Der Schal muss / dürfte / müsste Frau Müller gehören.*

2 Der da drüben ist ein Fußballer vom HSV.

a ......................................................................
b ......................................................................
c ......................................................................

3 Das Konzert ist ausverkauft.

a ......................................................................
b ......................................................................
c ......................................................................

4 Solche Porzellantassen bekommst du im Internet.

a ......................................................................
b ......................................................................
c ......................................................................

**25** Was bedeutet *sollen* hier?

**ⓐ Was drückt *sollen* hier aus? Kreuzen Sie an. Vergleichen Sie mit dem Lösungsschlüssel.**

1 Hier soll ein neues Einkaufszentrum gebaut werden.

    a ☐ Man muss hier ein neues Einkaufszentrum bauen.

    b ☐ Ich habe gehört, dass man hier ein neues Einkaufszentrum bauen will.

    c ☐ Es wäre gut, wenn hier ein neues Einkaufszentrum gebaut würde.

2 Unser neues Einkaufszentrum soll hier entstehen.

    a ☐ Es ist geplant, dass unser neues Einkaufszentrum hier entsteht.

    b ☐ Es wäre gut, wenn unser neues Einkaufszentrum hier entstehen würde.

    c ☐ Wir haben den Auftrag, unser neues Einkaufszentrum hier zu bauen.

**ⓑ Formulieren Sie Sätze mit *sollen*.**

1 Hier gibt es die beste Currywurst in Berlin, sagt man.

2 Ich habe gelesen, dass unser schöner alter Bahnhof bald abgerissen wird.

3 Wir planen den Baubeginn für die Umgehungsstraße im kommenden Jahr.

**26**

**ⓐ Was drückt *wollen* hier aus?**
**Kreuzen Sie an. Vergleichen Sie mit dem Lösungsschlüssel.**

Bei der Fahrkartenkontrolle: „Und Sie wollen unter fünfzehn sein?
Zeigen Sie doch mal Ihren Ausweis, bitte."

a ☐   Sie wollen endlich fünfzehn sein.

b ☐   Sie sagen, dass Sie fünfzehn sind, aber das glaube ich nicht.

c ☐   Ich will, dass Sie Ihren Ausweis zeigen.

**ⓑ Formulieren Sie Sätze mit *wollen*.**

1 Sie behauptet, dass sie Schauspielerin ist.

2 Du hast noch Geld? Zeig mal her!

3 Du bist schon sieben? Das glaube ich nicht!
   Du bist doch viel zu klein.

**27** Und jetzt alles in der Vergangenheit

**ⓐ Vergleichen Sie die kursiven Verbformen in den beiden Sätzen.**
**Markieren Sie die Unterschiede.**

1 Ich bin mir sicher, dass das     *richtig gewesen ist.*

2 Das muss     *richtig gewesen sein.*

**ⓑ Setzen Sie die folgenden Sätze ins Perfekt (vergleiche Satz 2 in a).**

1 Sie muss zu diesem Zeitpunkt zu Hause sein.

2 In Maxburg soll ein neues Gewerbegebiet entstehen.

3 Das dürfte stimmen.

4 Er will ein berühmter Künstler sein.

WIEDERHOLUNG

**28** **ⓐ** **Wie geht es Natascha? Schreiben Sie vier kurze Sätze. Die Ausdrücke unten helfen Ihnen. Vergleichen Sie mit dem Lösungsschlüssel**

jemanden mit anderen Augen sehen ▪ mehr als ein guter Freund sein ▪
auch jemand anderes sich um Toms Freundschaft bemühen ▪ …

Tom ist Nataschas bester Freund. Mit ihm kann sie über alles quatschen und stundenlang angeln. Doch seit Caroline Tom „sooo" nett findet, ist er irgendwie komisch. Auf einmal sieht Natascha ihren Kumpel mit ganz anderen Augen – und stellt fest, dass Tom ein seltsames Kribbeln (Gefühl im Bauch) bei ihr auslöst.

1   Sie findet es seltsam, ....................................................................................

2   Sie ist sich nicht sicher, ob ..........................................................................

3   Es ist ihr fremd, ..........................................................................................

4   Sie ist es nicht gewohnt, .............................................................................

**ⓑ** **Distanzieren Sie sich im nächsten Schritt von Nataschas Perspektive und schreiben Sie einige Sätze über den Text. Vergleichen Sie dann mit dem Lösungsschlüssel.**

1   Der Text handelt von ...................................................................................

2   In diesem Text geht es um ...........................................................................

3   Die Hauptperson Natascha ...........................................................................

4   Ich könnte mir vorstellen, dass Natascha ....................................................

5   Ich denke, sie wird wohl ..............................................................................

6   Vielleicht ..................................................... aber auch ...................................,

    weil ...........................................................................................................

**ⓒ** **Welche Wendungen und Ausdrücke stehen Ihnen zur Verfügung, um Vermutungen auszudrücken? Sammeln Sie und vergleichen Sie dann mit dem Lösungsschlüssel.**

🔊 63 **ⓓ** **Hören Sie und äußern Sie Ihre Vermutungen. Welches Tier bzw. was für ein Geräusch könnte das sein? (siehe Band 1, Arbeitsbuch, Lektion 1, Übung 21 und Lektion 5, Übung 22)**

Summen der Bienen ▪ Sammelruf der Stare ▪ Brüllen des Löwen ▪ Geschrei einer Möwe ▪
Fauchen einer Katze ▪ Wiehern eines Pferdes ▪ Summen einer Mücke ▪ Surren einer Fliege ▪
Meckern einer Ziege ▪ Blöken eines Schafs

**ⓔ** **Welche der Wendungen und Ausdrücke sind objektiv, welche enthalten eine gewisse Wertung? Notieren Sie: objektiv (o), wertend (w).**

☐ In dem Text geht es um …
☐ In dem Text geht es um eine Person, die anscheinend …
☐ Die Hauptperson des Romans will sich an nichts erinnern können.
☐ Die Hauptperson der Geschichte kann sich an nichts erinnern.
☐ Scheinbar weiß die Hauptperson nicht, …
☐ Die Hauptperson weiß sicherlich nicht, …
☐ Die Hauptperson müsste sich doch erinnern können, wenn …
☐ Die Hauptperson dürfte Angst haben.
☐ Die Hauptperson könnte natürlich auch gute Gründe für ihr Verhalten haben.

Lassen Sie Ihrer Fantasie freien Lauf.

Worum handelt es sich auf diesen Bildern bzw. worum könnte es gehen?

Wie sicher sind Sie sich? Wählen Sie ein Foto aus und schreiben Sie. Verwenden Sie die Wendungen und Ausdrücke aus Übung 28.

Denken Sie daran, die Wendungen und Ausdrücke den Situationen auf den Fotos anzupassen.

Traumurlaub?

verlorenes Match

Hund vor Tierfängern gerettet

---

**PHONETIK** ·······▶ zu Kursbuch Seite 72

**30**

64

Hören Sie die Sätze und sprechen Sie sie nach.

1 Hier soll ein Einkaufszentrum gebaut werden.
2 Du sollst zu Hause anrufen.
3 Den Film musst du dir unbedingt anschauen.
4 Es könnte sein, dass das Päckchen morgen kommt.
5 Das dürfte stimmen.

6 Es kann sein, dass ich noch mal wegmuss.
7 Die Telefonnummer müsste stimmen.
8 Das muss einfach stimmen. Ich habe es geprüft.
9 Sie müsste jetzt zu Hause sein.
10 Das darfst du nicht machen, hörst du?

13

---

**TEXTE BAUEN: die Handlung einer Geschichte zusammenfassen und Vermutungen äußern** ·······▶ zu Kursbuch Seite 72

**31** **a** Worum handelt es sich hier, worum könnte es sich handeln?

Was verbirgt sich hinter der Geschichte? Wie sicher sind Sie sich?

Markieren Sie Tatsachen mit Grün. Markieren Sie diejenigen Stellen, die eine Vermutung, einen Verdacht in Ihnen wecken, mit Rot.

### Liebenswerter Bankräuber

Dieser Bankraub fing an wie jeder Bankraub, und so tut es auch diese Geschichte: Ein bislang unbekannter Täter überfiel am 21. November 2007, gegen 8.25 Uhr eine Bank in Aschheim. Daran ist noch nichts Bemerkenswertes. Das Geldinstitut hatte zu diesem Zeitpunkt noch geschlossen, keine Kunden standen Schlange und warteten darauf, bedient zu werden. Jedoch waren drei der Bankangestellten schon im Schalterraum, um alles für die Öffnung der Bank vorzubereiten. Der spätere Täter stand vor dem Haupteingang der Bank. Er winkte und gestikulierte und gab der jungen Angestellten, nennen wir sie Sonja, zu verstehen, dass er zur Reinigungsfirma gehören würde und sich leider ausgesperrt hätte. Sonja öffnete daraufhin die Tür und ließ den „Putzmann" herein. Die Angestellten kümmerten sich nicht weiter um ihn. In aller Ruhe maskierte sich der Mann daraufhin im Foyer der Bank mit einer Mütze, die er sich über den Kopf zog; außerdem wickelte er sich noch einen Schal um den Hals, um ja unförmig zu wirken. Auch seine Kleidung wirkte eher wie ein Kostüm als wie die Kleidung eines Putzmanns. Mit gezogener Pistole stürmte der Mann in die Schalterhalle und bedrohte die Angestellten – sprichwörtlich wie in einem Kriminalfilm. Eine der Kolleginnen fiel sofort in Ohnmacht, die ältere Kollegin blieb regungslos sitzen, als der Mann sie aufforderte, ihn in den Tresorraum zu begleiten. Nur Sonja behielt die Nerven und rettete so das Leben ihrer Kolleginnen. Souverän begleitete sie den Bankräuber, schloss Türen und Tresor auf. Der Mann bediente sich – und verschwand, nicht ohne sich bei Sonja, einer hübschen Frau, freundlich zu bedanken. Vom Täter fehlt bislang jede Spur, auch von den drei Millionen Euro, die er erbeutet hat. Die Befragung von Sonja und ihren Kolleginnen brachte keinerlei Hinweise auf den Täter. Sonja aber ist – wegen nervlicher Überanstrengung – für die kommenden vier Wochen krankgeschrieben. Die Kolleginnen, die sie besuchen wollten, um sich bei ihr zu bedanken, haben sie zu Hause nicht angetroffen. Sie ist seit dem Bankraub für niemanden erreichbar.

**ⓑ** Stellen Sie nun Fragen zu den markierten Textstellen.
Notieren Sie dann zu Ihren eigenen Fragen die Antworten.

*Wie fing der Bankraub an?*
*Wie verhielt sich Sonja?*
...

**ⓒ** Schreiben Sie jetzt mithilfe Ihrer Antworten eine kurze Textzusammenfassung,
äußern Sie aber auch Ihre Vermutungen zu der Geschichte.
Verwenden Sie Wendungen und Ausdrücke aus Übung 11 a und b sowie aus Übung 28.
Vergleichen Sie dann mit dem Lösungsschlüssel.

# E Für das Erinnern

---

**GRAMMATIK:** *sollen* für Intentionen (Absichten) und Ziele ·······▶ zu Kursbuch Seite 74

**32** Intentionen und Ziele

**ⓐ** Lesen Sie den Satz und kreuzen Sie die richtige Bedeutung an.

Das neue Denkmal soll an die Gründung unserer Gemeinde vor 1200 Jahren erinnern.

1 ☐ Wir müssen uns mit diesem Denkmal an die Gründung unserer Gemeinde vor 1200 Jahren erinnern.
2 ☐ Ich habe gehört, dass die Gemeinde ein Denkmal zu ihrer Gründung vor 1200 Jahren errichten will.
3 ☐ Die Gemeinde will mit diesem Denkmal an die Gründung vor 1200 Jahren erinnern.

**ⓑ** Drücken Sie die Intentionen und Ziele mit *wollen* aus (vergleiche Satz 3 in a).

1 Der Max-Müller-Preis soll die Forschungen auf diesem Gebiet fördern.
2 Dieses Produkt soll einen neuen Standard setzen.
3 Unser neues Gesetz soll das Steuerrecht vereinfachen.
4 Meine Ausführungen sollen die Fragestellung präzisieren.

---

**WORTSCHATZ:** Denkmäler und Erinnerungsstätten in der Stadt ·······▶ zu Kursbuch Seite 74

**33** Denkmäler und Erinnerungsstätten in der Stadt

**ⓐ** Welche Erinnerungsstätten gibt es in Ihrer (Heimat-)Stadt? Kreuzen Sie an.

☐ Automuseum          ☐ historisches Gebäude     ☐ Nationalmuseum
☐ Burgruine           ☐ historisches Museum      ☐ Schloss
☐ Filmmuseum          ☐ Kriegerdenkmal           ☐ Stadtmuseum
☐ Freilichtmuseum     ☐ Kunstmuseum              ☐ Technikmuseum
☐ Heimatmuseum        ☐ Kunstsammlung            ☐ Völkerkundemuseum

**ⓑ** Welches Wort passt nicht? Kreuzen Sie an.

1 ☐ Denkmal ☐ Monument ☐ Ausstellung ☐ Statue ☐ Skulptur ☐ Mahnmal ☐ Gedenkstein
2 ☐ Ausstellung ☐ Stadtführung ☐ Kunsthalle ☐ Kunstsammlung ☐ Museum ☐ Vernissage
3 ☐ Sehenswürdigkeit ☐ Attraktion ☐ Touristenmagnet ☐ Eröffnungsrede
4 ☐ Erinnerungstafel ☐ Gedenkstätte ☐ Eröffnungsrede ☐ Erinnerungsstätte

**c** Was kann man? Kreuzen Sie an. Es gibt manchmal mehrere Möglichkeiten.

1 ein Denkmal ☐ einweihen ☐ errichten ☐ veröffentlichen
2 Besucher durch die Stadt ☐ gehen ☐ führen ☐ besichtigen
3 eine Ausstellung ☐ besuchen ☐ eröffnen ☐ halten
4 eine Eröffnungsrede ☐ halten ☐ geben ☐ begrüßen
5 eine Gedenkstätte ☐ besuchen ☐ teilnehmen ☐ besichtigen
6 an einer Stadtführung ☐ besichtigen ☐ teilnehmen ☐ führen
7 Kunstgegenstände ☐ begrüßen ☐ zeigen ☐ ausstellen
8 eine Statue ☐ einweihen ☐ engagieren ☐ enthüllen

**d** Ordnen Sie passende Adjektive zu. Es gibt mehrere Möglichkeiten.

aktuell ■ antik ■ bedeutend ■ beliebt ■ einzigartig ■ historisch ■ kurzweilig ■ lebend ■
mehrsprachig ■ viel besucht ■ musikalisch ■ naturwissenschaftlich ■ technisch ■ temporär ■
überlebensgroß ■ würdig ■ zeitgenössisch

1 eine ... Stadtführung
2 ein ... Gebäude
3 ein ... Touristenmagnet
4 ein ... Denkmal
5 eine ... Ausstellung
6 ein ... Museum
7 eine ... Kunstsammlung

**e** Welches Wort passt? Ergänzen Sie.

RTIEFUNG

Herrscher ■ Förderung (2x) ■ Schlacht ■ Herausgeber ■ Impulse ■
Nationalfeiertage ■ Revolutionen ■ Ereignisse ■ Persönlichkeiten

1 ................................................ und gesetzliche Feiertage sind fester Bestandteil der religiösen, sozialen und

kulturellen Tradition eines Landes. Diese Feiertage erinnern an große ................................... , weltverändernde

................................... , staatenbildende ..................... oder auch kirchlich bedeutsame ................................... und

Geschehnisse. Sie geben den Menschen damit die Möglichkeit, sich auf sich und ihre Familien zu besinnen,

geben aber immer wieder auch ..................................., sich mit der Vergangenheit und den Werten einer

Gesellschaft auseinanderzusetzen.

2 Als ........................... dieser Broschüre möchten wir an die 1000-jährige Geschichte unserer Stadt erinnern.

Wir möchten uns an dieser Stelle auch für die ................................... dieses Projekts von Seiten der Stadt,

namentlich Bürgermeister Uwe Anton, bedanken. Unser Dank gilt vor allem aber auch der Stadtsparkasse,

ohne deren ................................... aus der Stiftung „Zur Erhaltung der heimatlichen Denkmäler" der Druck

dieses Büchleins nicht möglich gewesen wäre.

3 Eine neue Gedenktafel auf dem „Bodemünzi" erinnert an die ..................... bei Murten, als Karl der Kühne

schwer geschlagen wurde.

**34** **Wie kann man den Inhalt des markierten Satzes noch ausdrücken? Kreuzen Sie an.**

Nach der Eröffnung konnte man das neue Museum drei Tage lang umsonst besichtigen.
Das hatte zur Folge, dass sich vor dem Gebäude eine lange Schlange bildete.

1 ☐ ..., sodass sich vor dem Gebäude eine lange Schlange bildete.
2 ☐ ..., weil sich vor dem Gebäude eine lange Schlange bildete.
3 ☐ Deshalb bildete sich vor dem Gebäude eine lange Schlange.
4 ☐ Also bildete sich vor dem Gebäude eine lange Schlange.
5 ☐ So bildete sich vor dem Gebäude eine lange Schlange.
6 ☐ Somit bildete sich vor dem Gebäude eine lange Schlange.
7 ☐ Trotzdem bildete sich vor dem Gebäude eine lange Schlange.

**35** *sodass, so(mit), also*

**ⓐ Verbinden Sie die Sätze mit den Konjunktionen *sodass*, *so(mit)* und *also*.**

1 Auf der Party war nichts los. Wir sind bald wieder nach Hause gegangen.
2 Unserer Mannschaft fehlte es an der nötigen Fitness. Wir mussten die Trainingsmethoden ändern.
3 Das gibt noch einmal zwölf Punkte für Team A. Team A geht wieder in Führung.
4 Unsere beiden Parteien haben zu wenige Stimmen erhalten. Eine Regierungskoalition
  kann nicht gebildet werden.

**ⓑ Welche Wortstellung ist richtig? Kreuzen Sie an.**

Die Schlange vor dem Museum war mir zu lang ...

1 ☐ ..., sodass ich wieder nach Hause gegangen bin.
2 ☐ ..., sodass ich bin wieder nach Hause gegangen.
3 ☐ Ich bin also wieder nach Hause gegangen.
4 ☐ Also ich bin wieder nach Hause gegangen.

5 ☐ Also bin ich wieder nach Hause gegangen.
6 ☐ So bin ich wieder nach Hause gegangen.
7 ☐ So ich bin wieder nach Hause gegangen.

**ⓒ Ergänzen Sie die beiden Aussagen.**

also ■ so(mit) ■ sodass

1 ................................. schiebt das Verb ans Satzende (Nebensatz).
2 ................................. können vor oder hinter dem Verb stehen. Das Verb steht an der zweiten Stelle.

**ⓓ *so ..., dass* oder *so, dass* oder *sodass*? Was bedeutet sie in den Sätzen?**

VERTIEFUNG **Ordnen Sie zu.**

1 Es war so laut, dass man sein eigenes Wort nicht verstehen konnte.  a Folge
2 Es ist nicht so, dass ich dich nicht verstehen will.  b sehr
3 Es hat stark geregnet, sodass einige Keller unter Wasser standen.  c in der Art

**ⓔ Formulieren Sie die Sätze neu. Es gibt mehrere Möglichkeiten.**

1 Ich hatte es sehr eilig. Ich habe meine Schlüssel vergessen.
2 Es war sehr spät. Es ist kein Bus mehr gefahren.
3 Der Frühling begann in diesem Jahr später. Wir konnten den Spargel erst drei Wochen
  später ernten als sonst.

**Konjunktionen der Schriftsprache:** *folglich* und *infolgedessen*
**Formulieren Sie die folgenden Sätze mit** *sodass*.

1 Eine Anmeldung ist nicht mehr möglich. Folglich gibt es auch keine Anmeldeformulare mehr.

2 *n* ist größer als 1,27. Folglich ist x kleiner als 0.

3 Es herrschte Lawinengefahr. Infolgedessen musste die B12 zwischen Mittenwald und Scharnitz geschlossen werden.

---

**SÄTZE BAUEN: Erinnerungsstätten / Orte der Erinnerung beschreiben** ·······▶ zu Kursbuch Seite 74

**37** **ⓐ** **Betrachten Sie die Abbildungen. Lesen Sie dann die Notizen.**

| | |
|---|---|
| Was? | das Gedenktafelkunstwerk „Familie Mann" von Joachim Jung, geb. 1951 |
| Wo? | Franz-Joseph-Straße 2 in München |
| Woran? | – Erinnerung an Thomas Mann, Schriftsteller, Nobelpreisträger; zum 125. Geburtstag 2000<br>– an das Schicksal seiner Familie, die hier ihre erste Wohnung hatte: Flucht aus Deutschland, Enteignung, Verfolgung durch das nationalsozialistische Regime<br>– Zerstörung des Gebäudes im Zweiten Weltkrieg, 1954 durch ein modernes ersetzt |
| Warum? | – Informationen zum Leben Thomas Manns gehen verloren<br>– sein Schicksal wird vergessen<br>– viele jüngere Menschen wissen nicht, was damals passiert ist |
| Ziel? | – den Schriftsteller nicht vergessen<br>– die Zeit nicht vergessen: die Geschichte des Landes, der Stadt<br>– verhindern helfen, dass so etwas noch einmal geschieht |

**ⓑ** **Was wissen Sie über das Gedenktafelkunstwerk.**
**Ergänzen Sie die Sätze 1–6 mit den Informationen aus a.**

1 Das Gedenktafelkunstwerk befindet sich ....................................................................................................................... .

2 Erst im Jahr 2000 .................................................................................................................................... angebracht.

3 Es soll ...................................................................................................................................................... erinnern.

4 Es soll daran erinnern, dass ......................................................................................................................... .

5 Ich bin mir nicht sicher, ob bekannt ist, dass .............................................................................................. .

6 Das Denkmal soll uns bewusst machen, dass .............................................................................................. .

13

# F  Heute im Studio

**SÄTZE BAUEN: jemanden begrüßen, sich oder jemanden vorstellen** ·······▶ zu Kursbuch Seite 75

**38** **sich begrüßen / sich verabschieden**

**ⓐ Was passt wo? Ordnen Sie die Wendungen und Ausdrücke in eine Tabelle ein.
Es gibt mehrere Möglichkeiten. Vergleichen Sie dann mit dem Lösungsschlüssel.**

Guten Abend ▪ Hallo ▪ Hi ▪ Guten Tag ▪ Herzlich willkommen ▪ Grüezi ▪ Servus ▪ Grüß Gott ▪
Hallihallo ▪ Na, wie geht's ▪ Bis die Tage ▪ Bis bald ▪ Ciao ▪ Grüß dich ▪ Grüße Sie, Frau / Herr …

| auf der Straße | auf einer Party | bei einem Empfang | am Arbeitsplatz | unter jüngeren Menschen |
|---|---|---|---|---|
| | | | | |

VERTIEFUNG

**ⓑ Schriftlich: Auch die schriftliche Korrespondenz gibt einem mehrere Möglichkeiten,
vor allem bei der Verabschiedung.**

1 Sammeln Sie die Ihnen bekannten Anrede- und Grußformeln in Briefen und E-Mails.
Vergleichen Sie dann mit dem Lösungsschlüssel.

2 Lesen Sie nun die folgenden Möglichkeiten, ein Schreiben zu beenden. Welche der Grußformeln würden
Sie in einem beruflichen Schreiben nur einsetzen, wenn Sie die Person persönlich und / oder schon sehr
lange über den schriftlichen Kontakt kennen? Kreuzen Sie an und vergleichen Sie mit dem Lösungsschlüssel.

◻ Herzliche Grüße / Herzlichen Gruß
◻ Schöne Grüße / Schönen Gruß
◻ Liebe Grüße / Lieben Gruß
◻ Viele Grüße
◻ Beste Grüße
◻ Freundliche Grüße
◻ Einen guten Start in die Woche / ins Wochenende
◻ Ein tolles Wochenende

◻ Ein schönes Wochenende
◻ Eine tolle Woche
◻ Noch eine erfolgreiche Woche
◻ Mit den besten Wünschen für …
◻ … in diesem Sinne schöne Grüße
◻ Ich freue mich auf (ein Wiedersehen, das Treffen etc.)
◻ Alles Gute und viele Grüße
◻ Viele Grüße aus Halle

**ⓒ Am Telefon: Ordnen Sie die Wendungen und Ausdrücke in eine Tabelle ein.**

Müller, Hueber Verlag, guten Tag. ▪ Hier spricht Cornelia Uhr. ▪ Hueber Verlag, Sauer. Guten Tag, Herr Simmer.
Ich verbinde Sie mit unserer Abteilungsleiterin, Susanne Stiebel. ▪ Mein Name ist Uhr, Cornelia Uhr vom
Hueber Verlag. ▪ Cornelia Uhr. ▪ Hier ist Jutta. ▪ Hier Cornelia Uhr aus Ludwigsburg. ▪ Hallo?! ▪
Schmidt, Apparat Müller. ▪ Müller.

| am Telefon im beruflichen Kontext | am Telefon im privaten Kontext |
|---|---|
| | |

**SÄTZE BAUEN: sich / anwesende Personen vorstellen** ·······▶ zu Kursbuch Seite 75

**39** **sich vorstellen – jemanden vorstellen**

**ⓐ Wie lautet die passende Formel? Ordnen Sie sie den Fotos zu.**

1  …, ich bin die Freundin / der Mann / die Mutter von …
2  Hi, ich bin der Andreas.
3  Also, dann darf ich euch Frau … vorstellen.
4  Hallo, das ist …
5  Also, das hier ist …
6  Als erste Referentin / Als ersten Referenten darf ich
   Frau / Herrn … begrüßen, die / der über … sprechen
   wird.

7  Unsere nächste Referentin / Unser nächster Referent ist …
8  Darf ich Ihnen Frau / Herrn … vorstellen?
9  Darf ich mich Ihnen kurz vorstellen? Mein Name ist
   Angela Freitag, ich bin die Koordinatorin dieser
   Festveranstaltung und als Presseferentin des Vereins
   „Schöne Bücher" für den Medienbereich verantwortlich.
10 Meine Damen und Herren, ich darf mich Ihnen kurz
   vorstellen.

**154** Vergessen | **LEKTION ⓭**

 .1.0...

**ⓑ** Lesen Sie die folgenden Wendungen und Ausdrücke. In welchem Zusammenhang könnten diese Aussagen zu hören sein? Notieren Sie und vergleichen Sie mit dem Lösungsschlüssel. Übersetzen Sie dann die Sätze in Ihre Muttersprache oder in eine andere Sprache.

1 Hier zu meiner Linken sitzt Frau Conrad. Sie wird in den kommenden vier Monaten Ihre Dissertation abschließen.

2 Also, dann darf ich euch Herrn Olivera vorstellen. Er unterstützt uns ab nächster Woche im Bereich des Direktmarketings.

3 Kennt ihr euch? Nein? Entschuldigung. Das ist Stephanie. – Hallo, Stephanie. Ich bin Susanne.

4 Meine sehr geehrten Damen und Herren, liebe Freunde und Förderer des Vereins, willkommen zur Jahressitzung.

5 Das ist mein Kollege Andreas Döben. Andreas, das ist Bernhard Ligowski vom Marketing.

**TEXTE BAUEN: eine Person kurz vorstellen und ihren Werdegang beschreiben** ·······▸ zu Kursbuch Seite 75

**10** Dort, wo Sie tätig sind, wird eine kleine Konferenz abgehalten. Der Moderator muss dringend wegen eines Notfalls zu Hause anrufen und hat Sie deshalb gebeten, den nächsten Referenten vorzustellen.

1 Lesen Sie die folgenden Notizen über den Referenten. Markieren Sie die Informationen, die Sie in Ihrer Vorstellung erwähnen möchten.

2 Überlegen Sie, welche Wendungen und Ausdrücke Sie verwenden möchten.

3 Notieren Sie sie.

4 Was möchten Sie sagen? Formulieren Sie Ihre Sätze. Schreiben Sie aber nicht zu viel.

**Axel Müller-Mustermann** *
Universität Voerde
Dozent am Institut für Umweltfragen

Schwerpunktthema: Renaturierung von Bächen und Flüssen
Aktueller Forschungsgegenstand: die Wiederherstellung des freien Bachbetts des Rotbachs
(ein Bach im Ruhrgebiet); Ableitung der industriellen Abwässer in ein neuartiges Kanalsystem

Publikationen: zahlreiche Bücher zum Thema, zuletzt den Bestseller „Vom Abwasserkanal zum fischreichen Fluss", der sich eine Million Mal verkaufte und in zahlreiche Sprachen übersetzt wurde

Auszeichnungen: Goldplakette des Deutschen Naturschutzbundes,
zahlreiche Ehrendoktortitel an Universitäten in aller Welt

geboren 15. Juni 1964

1980 Begabtenabitur
1981–1985 Studium der Ökologie und der Abfallwirtschaft
1988 Promotion: „Energie aus Müll erzeugen"
1993 Habilitation zum Thema „Wiederherstellung des ökologischen Lebens im Rhein"

seit 1995 ordentlicher Professor an der Universität Voerde

Vorstandsvorsitzender des Vereins „Aktion für saubere Gewässer",
Berater des Bundestagsausschusses für Umweltfragen

Thema seines heutigen Vortrags: „Moderne Zivilisation ist kein Widerspruch zum Umweltschutz, sondern eine Frage der Moral"

* Alle Angaben sind frei erfunden; dies gilt auch für die Institutionen und die Preise sowie die Publikationen.

**41** Was bedeutet der jeweilige Satz? Kreuzen Sie an.

1 Das war nicht vorhersehbar.

   a ☐ Das konnte man nicht vorhersehen.

   b ☐ Das musste man nicht vorhersehen.

2 Der Raum ist unverzüglich zu verlassen.

   a ☐ Der Raum ist jetzt verlassen.

   b ☐ Man muss den Raum sofort verlassen.

3 Das ist nicht zu verstehen.

   a ☐ Das kann man nicht verstehen.

   b ☐ Das muss man nicht verstehen.

4 Die Arbeit macht sich fast wie von selbst.

   a ☐ Ich mache die Arbeit selbst.

   b ☐ Die Arbeit geht leicht.

5 Dieses Problem lässt sich leicht lösen.

   a ☐ Man kann dieses Problem leicht lösen.

   b ☐ Wir lassen dieses leichte Problem lösen.

6 Ich hoffe, dieser Vorschlag kommt nicht zur Abstimmung.

   a ☐ Ich hoffe, über diesen Vorschlag wird nicht abgestimmt.

   b ☐ Ich hoffe, es wird eine Abstimmung vorgeschlagen.

**42** Modalverben: „besondere" Bedeutungen

**a** In welchen Sätzen wird eine Vermutung ausgedrückt? Kreuzen Sie an.

1 Wir müssen dieses Problem lösen. ☐

2 Das muss die Lösung dieses Problems sein. ☐

3 Ja, das könnte hier gewesen sein. ☐

4 Wir könnten mal wieder ins Kino gehen. ☐

5 Die Stadt da unten? Das dürfte Frankfurt sein. ☐

6 Dürfte ich auch mal erfahren, was hier los ist? ☐

7 Entschuldigung! Wir müssten mal hier durch. ☐

8 Da hinten müsste der Weg weitergehen. ☐

**b** Wie sicher ist sich der Sprecher? Kreuzen Sie an.

| | | | eher sicher | unentschieden | eher unsicher |
|---|---|---|---|---|---|
| 1 | Das | muss | die richtige Lösung sein. | ☐ | ☐ | ☐ |
| 2 | | müsste | | ☐ | ☐ | ☐ |
| 3 | | dürfte | | ☐ | ☐ | ☐ |
| 4 | | könnte | | ☐ | ☐ | ☐ |

**3** Lesen Sie die Fragen. Lesen Sie dann den Text und lösen Sie die Aufgaben.

1 Wie beurteilt der Autor die Tatsache, dass der Milchmann die Milch vor die Haustür stellte?

    ☐ positiv   ☐ negativ

2 Wie würden Jüngere diese Erzählungen von früher bewerten? Was glaubt er?

    ☐ positiv   ☐ negativ

3 Wie findet er es, dass man sich die Semmeln/Brötchen im Supermarkt selbst nimmt?

    ☐ positiv   ☐ negativ

4 Wie beurteilt er generell den Trend unserer Zeit, dass man alles selber macht/machen muss?

    ☐ positiv   ☐ negativ

5 Wie bewertet der Autor Papierrechnungen?

    ☐ positiv   ☐ negativ

**13**

**Axel Hacke – 21. 2. 2008**

## Das Beste aus meinem Leben

Einer der großen Trends unseres Zeitalters ist: dass man alles selbst machen muss. Neulich traf ich nach Jahrzehnten einen Sandkastenfreund wieder. Wir führten ein Weißt-du-noch-Gespräch. „Weißt du noch?", fragte er mich, „wie früher jeden Morgen der Milchmann die Milch vor die Haustür stellte?" Ich sagte, das wüsste ich noch, „und weißt du noch, dass der Bäcker morgens die Semmeln in einem Leinenbeutel an die Türklinke hängte?" Ja, sagte er, das wüsste er noch.

Für Jüngere muss das klingen wie eine Geschichte aus uralten Zeiten, denn heute holt man die Milch natürlich selbst, und sogar die Semmeln grabscht man mit einer Zange aus einem Plastikbehälter im Supermarkt. Man baut seine Möbel selbst zusammen, man gibt seine Bank-Überweisungen selbst in ein Terminal ein. Seine Pakete stopft man selbst in ein Paketannahmegerät. Als mich eine Frau von der Telekom anrief, um mir einen neuen Tarif für Telefon und Internetanschluss anzubieten, flehte ich, man möge mir aber weiterhin meine Rechnung auf Papier und per Post zuschicken, damit ich sie nicht selbst unter www.telekom.de/kundencenter suchen und ausdrucken müsse. Sie verstand mich erst gar nicht und sagte dann zögernd: „Ja, Papierrechnung, ja."

Ein paar Tage später kam dann ein Brief von der Telekom, in dem es hieß: „Bitte beachten Sie, dass Sie keine Papierrechnung mehr bekommen." Meine Rechnung fände ich künftig unter www.telekom.de/kundencenter.

So geht das Tag für Tag.

**44** Die Stadt, in der Sie wohnen, plant zu ihrer 500-Jahr-Feier einen riesigen Flohmarkt. Um Aussteller und Besucher anzulocken, möchte die Stadt eine Broschüre herausgeben. Welches Foto finden Sie am geeignetsten für den Umschlag?

1 Machen Sie einen Vorschlag. Welches Bild würden Sie nehmen und warum?

2 Begründen Sie, warum Ihnen die anderen beiden Fotos dafür nicht geeignet erscheinen.

3 Einigen Sie sich mit Ihrer Lernpartnerin / Ihrem Lernpartner auf ein Foto.

# B  Nachmachen verboten!

**WORTSCHATZ: Zoll, Grenze** ·······▶ zu Kursbuch Seite 82

### Zoll und Grenze

**a** Notieren Sie mögliche Kombinationen.

Fluss ■ Linie ■ Mauer ■ Polizei ■ Stein ■ Zaun ■ Land ■ Staat

Grenz-  *Grenzfluss,* ...........................................................................................

.......................................................................................................................

-grenze  *Landesgrenze,* ..................................................................................

.......................................................................................................................

**b** Ergänzen Sie passende Wörter und Ausdrücke.

an ■ passieren ■ über ■ beim ■ zwischen ■ Schranke ■ überschreiten ■ grüne Grenze

1 Kein Zaun, keine Mauer, keine Zollstation: Das ist wirklich eine ......................... .

2 Wo ist hier jetzt eigentlich die Grenze ......................... Deutschland und der Schweiz?

3 Und am Abend haben wir dann die Grenze nach Alaska ......................... .

4 Alle Papiere sind in Ordnung! Sie können die Grenze ......................... .

5 ......................... der Grenze nach Österreich gibt es heute kein Grenzhäuschen mehr, sondern eine Tankstelle.

6 Nein, ich arbeite nicht ......................... Zoll.

7 Eine ......................... an der Grenze nennt man „Schlagbaum".

8 Und dann haben wir uns leise und heimlich ......................... die Grenze geschlichen.

**c** Was passt zu Ware, was passt zu Reisender.
Ordnen Sie zu. Mehrfachlösungen sind möglich.

| | | | | | |
|---|---|---|---|---|---|
| 1 Ware | a schmuggeln | *1, 2* | h gegen … vorgehen | ............ |
| 2 Reisender | b entdecken | ............ | i überlassen | ............ |
| | c beschlagnahmen | ............ | j über die Grenze bringen | ............ |
| | d erwischen | ............ | k im Gepäck mitführen | ............ |
| | e deklarieren | ............ | l finden | ............ |
| | f einführen | ............ | m verstecken | ............ |
| | g sicherstellen | ............ | | |

**d** Welche Ausdrücke aus c passen zu Zollbeamte/r?
Notieren Sie die Buchstaben.

14

**2** Tätigkeiten an der Grenze

**ⓐ** Ergänzen Sie die passenden Verben. Achten Sie auf die Form.

deklarieren ▪ vorgehen ▪ einführen ▪ sicherstellen ▪ beschlagnahmen ▪ erwischen ▪ mitführen

1 Man darf nur eine begrenzte Menge von Zigaretten und Alkohol in die EU *einführen* .

2 Bei der Zollaktion wurden mehrere Kilogramm Rauschgift ............................ und ............................ .

3 An unserem Großflughafen werden täglich Schmuggler ............................ .

4 Zollpflichtige Waren müssen bei der Einreise ............................ werden.

5 Der Zoll macht regelmäßig Stichproben bei dem von den Reisenden ............................ Gepäck.

6 Wir werden gegen Schmuggler ab jetzt härter ............................ .

**ⓑ** Wie kann man das mit einem Verb ausdrücken? Ergänzen Sie.

1 die Beschlagnahmung der Ware: die Ware *beschlagnahmen*

2 die Einfuhr von Handelswaren: Handelswaren ............................

3 die Kontrolle an der EU-Grenze: an der EU-Grenze ............................

4 der Verstoß gegen das Markenschutzgesetz: gegen das Markenschutzgesetz ............................

5 der Grenzübertritt: die Grenze ............................

6 die Deklaration von Handelsware: die Handelsware ............................

---

**GRAMMATIK:** *lassen* **und seine Ersatzformen** ·······▸ zu Kursbuch Seite 83

**3** Etwas *lässt sich* ... Welche Sätze (b–f) drücken ungefähr das Gleiche aus wie Satz a? Kreuzen Sie an.

Viele Markenwaren, zum Beispiel Uhren, lassen sich leicht fälschen.
a ☐ Viele Markenwaren, zum Beispiel Uhren, werden leicht gefälscht.
b ☐ Man kann viele Markenwaren, zum Beispiel Uhren, leicht fälschen.
c ☐ Viele Markenwaren, zum Beispiel Uhren, können leicht gefälscht werden.
d ☐ Viele Markenwaren, zum Beispiel Uhren, sind leicht zu fälschen.
e ☐ Man fälscht leicht Markenwaren, zum Beispiel Uhren.

**4** Drücken Sie die Sätze anders aus mit *sich lassen* oder mit *man kann* bzw. *können* und Passiv.

1 Mit diesem neuen Medikament lässt sich viel Geld verdienen.

*Mit diesem neuen Medikament kann man viel Geld verdienen.*

*Mit diesem neuen Medikament kann viel Geld verdient werden.*

2 Nicht alle Erfindungen können durch ein Patent geschützt werden.

............................................................................................................................

3 Wertvolle Erfindungen können aber trotz Patent von der Gesellschaft genutzt werden.

............................................................................................................................

4 Mit einer Erfindung für arme Länder kann man nicht viel Geld verdienen.

............................................................................................................................

5 Durch eine Reform des Patentrechts lässt sich vermeiden, dass viele Menschen lebenswichtige Medikamente nicht bezahlen können.

............................................................................................................................

**5** Passiv bei unpersönlicher Redeweise

**ⓐ** Markieren Sie in dem folgenden Text jeweils das Subjekt.

Bei der Abiturprüfung am Gymnasium in Bad Boll erwischte man den Schüler Anton K. mit dem Lösungsschlüssel zur Mathematikprüfung. Der Schüler hatte sich den Lösungsschlüssel über einen guten Bekannten beschafft, dessen Vater im Kultusministerium tätig ist. Die Schule schloss den Schüler daraufhin von der Abiturprüfung aus. Sowohl Anton K. als auch seine Eltern wehrten sich gegen diese Maßnahme und schalteten einen Anwalt ein. Die Polizei untersucht derzeit, wie der Bekannte des Schülers Zugriff auf den Lösungsschlüssel bekommen konnte. Im Kultusministerium diskutiert man inzwischen offen über die Fehler bei der Geheimhaltung von Prüfungsaufgaben.

**ⓑ** Formulieren Sie den Text neu, indem Sie die Sätze ins Passiv setzen, bei denen es sich anbietet. Achten Sie auf einen sinnvollen Wechsel zwischen Aktiv- und Passivsätzen. Vergleichen Sie mit dem Lösungsschlüssel.

*Bei der Abiturprüfung am Gymnasium in Bad Boll wurde der Schüler Anton K. ...*

**ⓒ** Lesen Sie die Sätze. Warum drückt man sie unpersönlich (im Passiv) aus? Kreuzen Sie an.

1 Bei Verkehrskontrollen wurden erhebliche Sicherheitsmängel festgestellt. Mehrere Lastwagen wurden sogar eingezogen.

　a ☐ Man weiß nicht, wer die Verkehrskontrollen durchgeführt hat.

　b ☐ Es ist klar, dass die Polizei die Verkehrskontrollen durchgeführt hat. Das muss man nicht noch extra erwähnen.

2 Bier wird aus drei Zutaten hergestellt: Wasser, Gerste und Hopfen.

　a ☐ Die Regel gilt für jeden, der Bier braut und verkauft. Daher muss man auch keine Person nennen.

　b ☐ Man will nicht sagen, wer Bier braut.

3 Wir bedauern, dass Ihr Antrag nicht gleich bearbeitet werden konnte.

　a ☐ Man weiß, wer den Antrag nicht gleich bearbeitet hat. Man will es aber nicht sagen.

　b ☐ Man weiß nicht, wer den Antrag nicht gleich bearbeitet hat. Und deshalb kann man es nicht sagen.

4 Millionenbeträge wurden ins Ausland verschoben.

　a ☐ Man weiß nicht, von wem, und kann es deshalb nicht sagen.

　b ☐ Es ist klar, von wem, und deshalb braucht man es nicht zu sagen.

**6** Fertig oder noch am Laufen?

**ⓐ** In welchen unterstrichenen Sätzen wird ausgedrückt, dass etwas fertig oder abgeschlossen ist? Kreuzen Sie an.

1 ☐ ● Denkst du noch an die Einladungen? ■ Sind schon erledigt.
2 ☐ Komm mal schnell! Da kommt gerade was über unseren Ort im Fernsehen.
3 ☐ In dem folgenden Beitrag werden verschiedene Aspekte aufgezeigt.
4 ☐ Nimm dir eine Hose von da drüben. Die sind alle gewaschen.
5 ☐ So ist es in Deutschland oft noch immer: Montags wird die Wäsche und samstags das Auto gewaschen.

**ⓑ Lesen Sie die Sätze. Was drücken Sie aus?**
**Übersetzen Sie sie in Ihre Muttersprache.**

1 a Warte noch kurz. Der Computer wird gerade hochgefahren.
  b Der Computer ist jetzt hochgefahren. Du kannst jetzt drangehen.

2 a Der Fall wird gerade abgeschlossen.
  b Der Fall ist längst abgeschlossen.

3 a Die Gasleitung wurde gerade erst erneuert.
  b So, Herr Müller, jetzt ist die Gasleitung erneuert.

4 a Es wurden unzählige Gespräche zu diesem Projekt geführt.
  b Die Gespräche sind alle geführt. Jetzt muss eine Entscheidung fallen.

WIEDERHOLUNG

**7** Verwendung von *werden* als Vollverb (V) und als Hilfsverb für Passiv (P)
und für Futur (F). Lesen Sie die Sätze und ordnen Sie die Buchstaben zu.
Übersetzen Sie die Sätze in Ihre Muttersprache.

1 Und ich kann Ihnen versprechen: Das Wetter wird besser.
  Bereits vor dem Wochenende klettern die Temperaturen auf über 20 Grad. ☐
2 Die Bauarbeiten werden in der kommenden Woche abgeschlossen. ☐
3 Wir werden Ihre Aussagen überprüfen, da können Sie sicher sein. ☐
4 Keine Angst, gleich wird's weitergehen. ☐
5 Was willst du später denn einmal werden, mein Junge? ☐
6 Es wurden verschiedene Maßnahmen ergriffen, leider ohne messbaren Erfolg. ☐
7 Dass sich da noch etwas ändert, das werden wir nicht mehr erleben! ☐

WIEDERHOLUNG

**8** *worden* oder *geworden*?

**ⓐ Ergänzen Sie *worden* bzw. *geworden*.**

1 Nach der Veranstaltung ist noch viel diskutiert *worden* .

2 Wir haben nur noch ein bisschen Karten gespielt, und dabei ist es immer später ............................... .

3 Um Mitternacht ist dann noch eine Gulaschsuppe serviert ............................... .

4 Ich war so durchgefroren. Es ist mir gar nicht mehr warm ............................... .

5 Bist du schon einmal von einem Gaststättenbesitzer eingeladen ............................... ?

6 Das türkische Lokal ist erst vor Kurzem eröffnet ............................... .

7 Er ist durch dümmliche Lieder bekannt ............................... .

**ⓑ Wann nimmt man *worden*, wann *geworden*? Ordnen Sie zu.**

1 Perfekt Passiv      a *worden* (Beispiel: ist diskutiert worden)
2 *werden* als Vollverb   b *geworden* (Beispiel: ist besser geworden)

**ⓒ Bei *werden* wird auch in der Alltagssprache oft das Präteritum als Vergangenheitsform verwendet. Formulieren Sie die Sätze in a „einfacher", indem Sie sie ins Präteritum setzen.**

*Nach der Veranstaltung wurde noch viel diskutiert.*
…

Unpersönliche Ausdrücke (vergl. Lektion 13). Formulieren Sie Sätze wie im Beispiel.

1 Jedes Designerprodukt lässt sich fälschen.

*Jedes Designerprodukt kann man fälschen.*

*Jedes Designerprodukt kann gefälscht werden.*

2 Und die Fälschung ist nicht immer auf den ersten Blick erkennbar.

3 Der Antrag ist von beiden Ehepartnern zu unterschreiben.

4 Nein, hier ist nichts mehr zu tun.

5 Dieser Roman liest sich leicht.

---

**SÄTZE BAUEN: kritisch nachfragen / nachfragen, um etwas besser zu verstehen** ┈┈▶ zu Kursbuch Seite 83

**14**

**Ich habe das leider nicht verstanden.**

**a** **Eine Antwort passt nicht. Welche? Kreuzen Sie an.**

1 Wie wird das Wetter?

   a ☐ Wie bitte?

   b ☐ Meinst du morgen?

   c ☐ Was hast du gesagt?

   d ☐ Sag es doch bitte noch einmal.

2 Bringst du mir bitte meine Tabletten?

   a ☐ Was soll ich dir bringen?

   b ☐ Wie meinst du das?

   c ☐ Was meinst du? Wart', ich komme. Ich hör' dich hier nicht, das Wasser läuft.

   d ☐ Kannst du etwas lauter reden? Hier ist es so laut.

3 Dann bekomme ich noch Ihren Sozialversicherungsnachweis.

   a ☐ Was bedeutet das Wort?

   b ☐ Was bekommen Sie von mir?

   c ☐ Was soll das?

   d ☐ Das habe ich jetzt leider nicht verstanden.

4 Ich kann Ihnen nur helfen, wenn Sie mir einen ausgefüllten Antrag auf Vormundschaft
für Ihren Enkel bringen.

   a ☐ Was? Sagen Sie das noch mal, Sie …!

   b ☐ Was für einen Antrag muss ich Ihnen bringen?

   c ☐ Könnten Sie das bitte wiederholen? Ich habe das, glaube ich, nicht richtig verstanden.

   d ☐ Wie heißt der Antrag?

**ⓑ** Auf einer Veranstaltung gibt ein berühmter Umweltforscher ein Statement ab.
Man darf Fragen stellen, wenn man etwas nicht verstanden hat.
Lesen Sie den Text. Lesen Sie dann die Sprechblasen.
Welche passt zu welcher Stelle im Text? Tragen Sie die Ziffer ein.

Das Meer liefert uns Nahrung und Energie, bestimmt das Klima ☐ und ist für viele ein Ort schöner Urlaubstage. Fast drei Viertel der Erdoberfläche sind Ozeane und Meere, 80 % aller Organismen leben im Meer, und ein Drittel der Biomasse befindet sich in den Ozeanen. Der durch menschliche Aktivitäten bedingte $CO_2$-Ausstoß beläuft sich auf 8 Mill. Tonnen pro Jahr. Davon werden 4,8 Mill. Tonnen vom Meer aufgenommen und teilweise durch Sedimentation langfristig abgelagert ☐ . Doch dieser reiche und faszinierende Lebensraum ist vielfältig durch menschliches Handeln beeinflusst: zu warm, zu sauer, überfischt, verdreckt, vermüllt und durch Lärm belastet ☐ .
Der Vortrag behandelt besonders die Müllproblematik im Mittelmeer ☐ . Die Ursachen ☐ dafür sind Unkenntnis, kurzfristiges Gewinnstreben, illegales Handeln, schlechte oder fehlende Gesetze und Desinteresse ☐ der nationalstaatlich dominierten Politik ☐ .

**1** Was meinen Sie mit nationalstaatlich dominiert?

**2** Bedeutet das, dass wir das Mittelmeer als Müllkippe verwenden?

**3** Entschuldigung, ich verstehe nicht ganz, was Sie mit „ablagern" meinen.

**4** Sie sprechen vom Desinteresse der Politik. Können Sie mir dafür ein Beispiel geben?

**5** Es heißt ja immer, das Meer bestimmt unser Klima. Aber warum ist das so?

**6** Verstehe ich Sie richtig, dass wir neben den anderen Problemen im Meer auch eine Lärmbelastung beobachten können?

**7** Sie sagen, es gibt viele Ursachen für die Verschmutzung des Mittelmeers. Warum tut man dann nichts dagegen? Wie können Sie das erklären?

---

**11** Auf der Messe der wissenschaftlichen Neuigkeiten
An jedem Stand gibt es etwas zu hören oder zu lesen. Aber nicht alles ist gleich verständlich.
Fragen Sie nach. Lesen Sie auch die angebotenen Ausdrücke und Wendungen.
Was passt zu Ihrer Frage? Formulieren Sie dann Ihre Fragen.
Vergleichen Sie mit dem Lösungsschlüssel.

1 Schlechte Noten? Schlechtes Benehmen? Karriereversagen im Berufsleben?
Gescheiterte Ehe? – Eins ist sicher: Schuld sind die Mütter.

Und warum ist das so? ■ Wie können Sie das erklären? ■
Verstehe ich Sie richtig, dass ...?

2 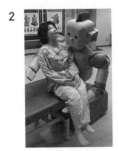 Es gibt immer mehr alte Menschen, die pflegebedürftig sind. Leider gibt es aber auch immer weniger Pflegepersonal. Deshalb werden bald menschliche Roboter die Altenpflege übernehmen. Der menschliche Roboter kann riechen und hören. Er kann verlegte Dinge suchen, für die regelmäßige Einnahme der Medikamente sorgen, vorlesen und vieles mehr.

Heißt das, ...? ■ Entschuldigung, ich verstehe nicht ganz, ... ■
Können Sie mir ein Beispiel geben, wo ... / wie ...?

3 Eins ist klar: Bei der gegenwärtigen Fördermenge sind die Erdölvorräte in 42 Jahren verbraucht. Die Erdgasvorräte reichen, wenn alles weiterläuft wie gehabt, noch 65 Jahre. Immerhin, Kohle hätten wir noch für 169 Jahre. Das ist doch ein klarer Grund, auf alternative Energien umzusteigen.

Was meinen Sie mit ...? ▪ Verstehe ich Sie richtig, dass ...? ▪
Können Sie mir ein Beispiel für ... geben? ▪ Bedeutet das, ...?

4 Fast 50 Millionen Menschen in Deutschland sind eindeutig zu dick! Und daran sind manchmal die Gene, manchmal die Lebensgewohnheiten und sehr oft die jeweilige Diät schuld.

Und warum ist das so? ▪ Wie können Sie das erklären? ▪
Entschuldigung, ich verstehe nicht ganz, ... ▪ Verstehe ich Sie
richtig, dass ...? ▪ Können Sie mir ein Beispiel für ... geben? ▪
Bedeutet das, ...?

---

**12**

Unser Hausmeister hat immer wieder Neuigkeiten auf Lager.

**ⓐ** Lesen Sie die Neuigkeit. Welche Reaktion (a–g) gefällt Ihnen am besten? Kreuzen Sie an.

a Wie kommen Sie denn darauf? ☐
b Ich habe aber gehört, dass sie nächste Woche heiraten. ☐
c Sind Sie sich da ganz sicher? ☐
d Woher wissen Sie, dass er eine Geliebte hat? ☐
e Soviel ich weiß, gab's da schon lange Probleme. ☐
f Das kann ich mir nicht vorstellen. ☐
g Das glaube ich nicht. ☐

> Der Lebensgefährte von Frau Meier hat eine Freundin.

**14**

**ⓑ** Ordnen Sie die folgenden Wendungen und Ausdrücke in die Tabelle ein.

Ich habe aber gehört, dass ... ▪ Das kann ich mir nicht vorstellen. ▪
Woher haben Sie die Information? ▪ Soviel ich weiß, ... ▪ Wie kommen Sie denn darauf? ▪
Sind Sie sich da sicher? ▪ Woher wissen Sie, dass ...? ▪ Das glaube ich nicht.

| Jemand zweifelt oder lehnt eine Aussage ab. | Jemand möchte die Informations-quelle wissen, weil er zweifelt. | Jemand will eine gegenteilige oder zusätzliche Information geben. |
|---|---|---|
| | | Ich habe aber gehört, dass... |

**13**

Auf Behauptungen kritisch reagieren

Lesen Sie, was der Hausmeister erzählt. Sie glauben ihm nicht.
Fragen Sie deshalb nach. Formulieren Sie mit den folgenden Wendungen und Ausdrücken sowie den Argumenten Ihre Reaktionen.

Ich habe aber gehört, dass ... ▪        sollen Bäume gepflanzt werden ▪
Soviel ich weiß, ... ▪                  dürfen Bäume ohne Genehmigung nicht gefällt werden ▪
Woher wissen Sie, dass ...?             Parkplätze geplant sind ▪ ...

> Im Herbst werden hier die Bäume gefällt und Parkplätze gebaut.

**14** Behauptungen über Behauptungen. Wie würden Sie antworten?
Ergänzen Sie die leeren Sprechblasen mit Ihren Antworten.
Verwenden Sie die folgenden Wendungen und Ausdrücke. Achten Sie auf die Anrede.

Ich habe aber gehört, dass ... ■ Sind Sie (sich) sicher? ■ Soviel ich weiß, ... ■ Woher wissen Sie, dass ...? ■
Woher haben Sie die Informationen? ■ Wie kommen Sie denn darauf?

1 Nächstes Jahr werden
die Benzinpreise um
fünfzig Prozent billiger.

4 Mit sofortiger Wirkung werden
nicht nur unsere Prämien, sondern
auch das Urlaubs- und das
Weihnachtsgeld gestrichen.

2 Stell dir vor, die Frau
Meier, der haben sie
fristlos gekündigt.

5 Da, alles leer geräumt.
Ich sage dir, die Kantine
wird geschlossen.

3 Spinat enthält
unglaublich viel Eisen
und ist deshalb das
gesündeste Gemüse.

6 Im nächsten Jahr sollen
alle Internet-Computerspiele
verboten werden.

**15** Auf einer Veranstaltung in der Volkshochschule zum Thema „Gesundheit und Sport"
haben Sie einen Vortrag gehört. Zu diesem Vortrag gibt es auch ein Handout.
Sie möchten einiges wissen oder auch mal kritisch nachfragen.

**a** Lesen Sie den Abschnitt A des Handouts. Markieren Sie vier Stellen,
zu denen Sie eine Erklärung, eine Erläuterung, einen Beweis oder ein Beispiel möchten.

**A**

### Sport allgemein

In unserer modernen mobilen Gesellschaft ist es gelungen, in immer kürzerer Zeit noch größere Entfernungen zurückzulegen. Dies geschieht jedoch nicht mehr wie zu früheren Zeiten durch den Einsatz eigener Muskelkraft. Vielmehr bringt man die Kilometer sitzend im Auto, in der Bahn oder auch im Flugzeug hinter sich. Für Sport hat man (außer als Zuschauer vor dem Fernsehapparat sitzend) häufig auch kein großes Interesse. Bei den über 50-Jährigen in Deutschland treibt nicht einmal mehr jeder Zweite Sport. Der dadurch bedingte Bewegungsmangel trägt häufig in Verbindung mit kalorienreicher, ungesunder Ernährung dazu bei, dass Herz-Kreislauf- und Stoffwechsel-Erkrankungen entstehen, die mit Herzinfarkt oder Schlaganfall tödlich enden können. Um der Entstehung dieser Krankheiten vorzubeugen, sollte jeder seine eigene Bequemlichkeit überwinden und regelmäßig Sport treiben und sich bewegen. Dadurch trägt er entscheidend dazu bei, dass er länger gesund und fit bleibt. Denn wir alle wollen doch alt werden, aber dabei nicht alt und krank sein.

Sport bzw. Bewegung ist aber nicht nur für Gesunde empfehlenswert. Auch bei vielen Erkrankungen wirkt sich das Trainieren körperlicher Fitness positiv auf die individuelle Leistungsfähigkeit und das allgemeine Wohlbefinden aus.

**b** Lesen Sie den Abschnitt B des Handouts. Markieren Sie vier Stellen, zu denen Sie eine Erklärung, eine Erläuterung, einen Beweis oder ein Beispiel möchten.

**B**

Sport wirkt regulierend auf den Fettstoffwechsel! Regelmäßiges Bewegungstraining durch Ausdauersportarten wie Walking, Joggen, Schwimmen und Radfahren wirken sich positiv auf den Fettstoffwechsel aus. So sinken die Triglyzeridwerte sowie die gefäßschädigenden LDL-Cholesterin-Werte durch die sportliche Betätigung ab, während das für die Gefäße günstige HDL-Cholesterin im Blut ansteigt. Um diese Verbesserung des Fettstoffwechsels zu erreichen, muss pro Woche mindestens so viel Sport getrieben werden, dass 2500 kcal dadurch verbraucht werden. Ist das Ziel der Bewegung auch eine bleibende Gewichtsreduktion, sollte man darauf achten, dass der Puls nicht über die sogenannte aerob-anaerobe Schwelle ansteigt. Oberhalb dieses Wertes verwendet der Körper bevorzugt Kohlenhydrate, die in der Muskulatur gespeichert sind, als schnelle Energielieferanten und verzichtet vermehrt auf den langsamer funktionierenden Abbau von Körperfett aus den Fettpolstern. Man sollte mindestens 20 Minuten, besser 45 Minuten, trainieren, da ein effektiver Fettabbau erst nach 20 Minuten einsetzt. Die optimale Trainingsherzfrequenz kann einfach und exakt mittels eines Laktattests und/oder einer sogenannten Spiroergometrie bestimmt werden.

**c** Notieren Sie jetzt Ihre Fragen zu Abschnitt A und Abschnitt B auf den Notizzetteln. Verwenden Sie dazu die folgenden Wendungen und Ausdrücke. Passen Sie sie Ihren Fragen an.

Ich habe (aber) gehört, dass ... ■ Sind Sie (sich) sicher? ■ Soviel ich weiß, ... ■ Woher wissen Sie, dass ...? ■ Woher haben Sie die Informationen? ■ Wie kommen Sie denn darauf? ■ Was meinen Sie mit ...? ■ Und warum ist das so? ■ Wie können Sie das erklären? ■ Verstehe ich Sie richtig, dass ...? ■ Heißt / Bedeutet das, ...? ■ Entschuldigung, ich verstehe nicht ganz, ... ■ Können Sie mir ein Beispiel geben?

**d** Hören und lesen Sie jetzt Fragen, die gestellt wurden. Auf welchen Abschnitt (A oder B) beziehen sie sich? Hören Sie noch einmal und kreuzen Sie an.

|  | A | B |
|---|---|---|
| 1 Sind Sie sich sicher, dass Sport helfen kann, Herz-, Kreislauf- und Stoffwechselerkrankungen zu verhindern? | ☐ | ☐ |
| 2 Verstehe ich Sie richtig, dass durch Sport die schädlichen und gefährlichen Cholesterine weniger werden und das gesunde Cholesterin im Blut ansteigt? | ☐ | ☐ |
| 3 Bedeutet das, dass man ohne aktiv Sport zu treiben nicht dauerhaft abnehmen kann? | ☐ | ☐ |
| 4 Entschuldigung, ich verstehe nicht ganz: Man baut Muskeln und nicht Fett ab, wenn man zu hart und zu anstrengend trainiert? | ☐ | ☐ |
| 5 Wie Sie sagen, fängt der Körper erst nach zwanzig Minuten an, Fett abzubauen. Wie können Sie das erklären? | ☐ | ☐ |
| 6 Woher wissen Sie, dass nicht einmal jeder Zweite über 50-Jährige Sport treibt? | ☐ | ☐ |

7 Sie sagen, dass sich Sport positiv auf den Fettstoffwechsel auswirkt. Warum ist das so?  ⬚ ⬚

8 Ich habe aber gehört, dass Sport sehr schädlich sein kann, wenn man krank ist.
 Deshalb sollte man sehr vorsichtig sein. Stimmt das?  ⬚ ⬚

9 Soviel ich weiß, gibt es sehr gute Medikamente gegen das schädliche Cholesterin.
 Wäre das nicht sicherer und gesünder als Sport?  ⬚ ⬚

10 Zur Verbesserung des Stoffwechsels sollte man pro Woche 2500 kcal durch Sport
 verbrauchen. Woher haben Sie diese Information? Das ist ja mehr als ein ganzer Tagesbedarf.  ⬚ ⬚

11 Sie behaupten, die meisten Menschen hätten nur als Fernsehzuschauer Interesse am Sport.
 Wie kommen Sie denn darauf?  ⬚ ⬚

**e** *denn, eigentlich, etwa.* Lesen Sie die folgenden Wendungen und Ausdrücke.
Welche können Sie mit welcher Partikel erweitern? Wie ändert sich die Bedeutung?
(siehe Lektion 10, Übung 21–24.)

Sind Sie (sich) sicher? ■ Woher wissen Sie, dass ...? ■ Woher haben Sie die Informationen? ■
Was meinen Sie mit ...? ■ Und warum ist das so? ■ Wie können Sie das erklären? ■
Verstehe ich Sie richtig, dass ...? ■ Heißt / Bedeutet das, ...? ■ Können Sie mir ein Beispiel geben?

---

**PHONETIK** ┈┈┈▸ zu Kursbuch Seite 83

**16**  Der Ton macht die Musik.

66 CD2,1 **a** Hören und lesen Sie die folgenden Dialoge.
Welche Rückfrage hat einen negativen Unterton? Kreuzen Sie an.

1 ● Du hast dich sicher wieder mit deinem Mann gestritten.
 ■ Wie kommst du denn darauf?  ⬚

2 ● Du lässt dich scheiden, stimmt's? ■ Woher weißt du das?  ⬚

3 ● Jessika bekommt ein Kind. ■ Ich weiß. ● Woher weißt du das?  ⬚

4 ● Du, Julian ist wieder arbeitslos. ■ Soviel ich weiß, hat er bereits eine neue Stelle.  ⬚

5 ● Unser Haus wird verkauft, stell dir vor.
 ■ Und was passiert mit uns? Woher hast du diese Information?  ⬚

6 ● Dem Meier, du weißt schon, dem soll es richtig schlecht gehen.
 ■ Ich habe aber gehört, dass es ihm schon wieder besser gehen soll.  ⬚

7 ● Dem Schulze haben sie den Führerschein weggenommen. Wegen Trunkenheit am Steuer.
 ■ Bist du dir da auch ganz sicher?  ⬚

67 VERTIEFUNG CD2,2 **b** In einem Fachvortrag wird eine Behauptung aufgestellt, die keiner so recht glauben will.
Hören und lesen Sie. Welche Reaktionen sind nicht angemessen? Kreuzen Sie an.

> Unsere Enkel werden das Ende der Welt nicht erleben und unsere
> Ur-Ur-Ur-Enkel auch nicht. Aber in 7,59 Milliarden Jahren wird es so weit
> sein, da sind wir Forscher uns sicher, dann wird die Erde untergehen.
> Und zwar wird sie verbrennen, weil die Sonne auf die Erde stürzen wird.

**1** ⬚ Ich habe aber gehört, dass die Erde mit einem anderen Planeten zusammenstoßen wird.

**2** ⬚ Sind Sie sich da sicher?

**3** ⬚ Soviel ich weiß, ist man sich weder über den Zeitpunkt noch über das Wie sicher. Außerdem weiß man nicht einmal, ob die Erde untergehen wird.

**4** ⬚ Woher wissen Sie, dass die Erde verbrennen wird?

**5** ⬚ Woher haben Sie die Informationen eigentlich?

**6** ⬚ Wie kommen Sie denn darauf?

**7** ⬚ Wenn das kein Unsinn ist, was dann?

**8** ⬚ Sollen wir Ihnen das etwa glauben?

TIEFUNG

**17** Schauen Sie sich noch einmal die Texte A und B in Übung 15 an.
Sie haben sie im Internet gelesen. Schreiben Sie ein Posting dazu.
Verwenden Sie die entsprechenden Wendungen und Ausdrücke.

## C Bank statt Eltern?

**WORTSCHATZ: Geldverkehr** ·······▶ zu Kursbuch Seite 85

**18** **a** Was brauchen Sie für Ihre Geldgeschäfte? Kreuzen Sie an.

| | | | | |
|---|---|---|---|---|
| ☐ Bankfiliale | ☐ Festgeld | ☐ Gutschrift | ☐ Lastschrift | ☐ Sparkonto |
| ☐ Bankleitzahl | ☐ Geldanlage | ☐ Kontoauszug | ☐ Münze | ☐ Überziehungskredit |
| ☐ Bargeld | ☐ Geldautomat | ☐ Kontoführungsgebühr | ☐ Online-Banking | ☐ Wechselgeld |
| ☐ Darlehen | ☐ Geldbeutel | ☐ Kontonummer | ☐ Quittung | ☐ Zinsen |
| ☐ Dauerauftrag | ☐ Geldschein | ☐ Kredit | ☐ Scheckkarte/Bankomatkarte | |
| ☐ Depot | ☐ Girokonto | ☐ Kreditkarte | ☐ Sparcard | |

**b** Welche Verben passen? Kreuzen Sie an.

1 ein Darlehen ☐ beantragen ☐ anlegen ☐ aufnehmen ☐ zurückzahlen ☐ begleichen
2 einen Kredit ☐ machen ☐ aufnehmen ☐ abzahlen ☐ gewähren
3 Schulden ☐ begleichen ☐ erlassen ☐ geben ☐ machen ☐ tilgen ☐ eintreiben ☐ abbauen
4 Geld vom Konto ☐ anhäufen ☐ abheben ☐ holen
5 Geld auf das Konto ☐ einzahlen ☐ überweisen ☐ verdienen
6 das Konto ☐ tilgen ☐ überziehen ☐ begleichen ☐ belasten
7 Geld ☐ anlegen ☐ ausgeben ☐ einnehmen ☐ erlassen ☐ geben ☐ investieren ☐ wechseln
   ☐ verdienen ☐ auszahlen ☐ gutschreiben ☐ (ver)leihen
8 den Kontostand am Geldautomaten ☐ auszahlen ☐ abfragen ☐ finanzieren
9 eine Eigentumswohnung ☐ anlegen ☐ finanzieren ☐ einnehmen
10 einen Scheck ☐ überweisen ☐ einlösen ☐ einreichen ☐ kaufen

**c** Feste Ausdrücke ums „liebe" Geld.
Ergänzen Sie die passenden Präpositionen. Manche passen mehrmals.

auf ▪ bei ▪ ins ▪ ohne ▪ von ▪ zu ▪ in

1 So, das war die letzte Rate. Jetzt sind wir ......................... Schulden.

2 Das Geld liegt sicher ......................... der Bank – hoffe ich doch!

3 Nein, ich habe kein Konto ......................... der Verbandsbank.

4 Sie können den Betrag auch ......................... unser Konto überweisen.

5 Die neue Wohnung, das neue Auto – alles ......................... Kredit gekauft.

6 Und ich sage Ihnen, wie sich unser Staat finanziert: alles ......................... Pump.

7 Urlaub mit Kindern in der Hochsaison, das geht ganz schön ......................... Geld.

8 Soll ich dir mal verraten, wie der ......................... Geld gekommen ist?

9 Ich fürchte, bei diesem Projekt werden wir noch viel Geld ......................... die Hand nehmen müssen.

10 Wir können Ihnen einen erneuten Kredit in Höhe ......................... 10 000 Euro gewähren, aber mehr nicht.

**d** Achtung Falle! Lesen Sie die beiden Sätze und übersetzen Sie sie in Ihre Muttersprache.

1 Wir haben eine Menge Geld gespendet.
2 Wir haben eine Menge Geld ausgegeben.

**e** Ergänzen Sie die passenden Adjektive.

VERTIEFUNG

aufgelaufen ■ ausgeglichen ■ drückend ■ fällig ■ gedeckt ■
immens ■ Minus ■ restlich ■ zinsgünstig ■ zinslos

1 Einen ........................ Kredit können Sie bei uns immer bekommen, aber leider keinen ........................ .

2 Ziel der Finanzpolitik unserer Regierung ist die Vorlage eines ........................ Haushalts.

3 Dabei hat unsere Regierung ........................ Schulden aufgehäuft.

4 Ich fürchte, wir werden diesen Monat nicht alle ........................ Ratenzahlungen leisten können.

5 Ihre ........................ Schulden betragen dann noch 9438,36 Euro.

6 Auf immer mehr Privathaushalten lastet eine ........................ Schuldenlast.

7 Ich hoffe, Ihr Scheck ist auch ........................!

8 Die ........................ Guthabenzinsen belaufen sich auf 812,84 Euro.

9 Leider ist unser Kontostand mitten im Monat schon wieder im ........................ .

**f** Wörter, Wendungen und Ausdrücke rund ums Geld in der Alltagssprache.
Entscheiden Sie, welche Sie lernen möchten.

VERTIEFUNG

1
| | | | |
|---|---|---|---|
| Heu | Penunzen | Mammon | Mäuse |
| Kies | Koks | Moneten | Pulver |
| Kohlen | Kröten | Moos | Zaster |

2 Zeit ist Geld.
Das kostet sicher eine schöne Stange Geld.
Das geht jetzt aber auf Ihr Konto, Herr Müller.
Wer den Pfennig nicht ehrt, ist des Talers nicht wert.
Sie werden das auf Heller und Pfennig zurückzahlen.

**g** Für Bankspezialisten
Kreuzen Sie an, welche Begriffe für Sie wichtig sind und welche Sie lernen möchten.

VERTIEFUNG

- ☐ Bearbeitungsgebühr
- ☐ Darlehen
- ☐ Direktbank
- ☐ Effektivzins
- ☐ Europäische Zentralbank
- ☐ Fälligkeitstermin
- ☐ Filialbank
- ☐ Finanzierung
- ☐ Fonds
- ☐ Geldinstitut
- ☐ Geldtransporter
- ☐ Genossenschaftsbank
- ☐ Girozentrale
- ☐ Kapitalmarkt
- ☐ Landesbank
- ☐ Nominalzins
- ☐ Sparkasse
- ☐ IBAN
- ☐ SWIFT
- ☐ Wechselkurs

**19** **ⓐ** Was passt zu Schule, was passt zu Studium? Ordnen Sie zu.

Anglistik ■ beibringen ■ Dozent ■ Englisch ■ Fachhochschule ■ Hochschule ■ Kurs ■ lehren ■ Lehrer ■
lernen ■ Professor ■ Sprachenschule ■ Studienrat ■ studieren ■ Universität ■ unterrichten ■ Volkshochschule

**ⓑ** Ergänzen Sie die Präpositionen und manchmal auch den Artikel. Einige passen mehrmals.

an ■ in ■ seit ■ über ■ von

1  Ich studiere ........................ Universität Jena.

2  Sie hat einen Doktortitel ........................ Philosophie.

3  Der Vortrag findet ........................ einem Hörsaal der medizinischen Fakultät statt.

4  Ich arbeite gerade ........................ meiner Magisterarbeit.

5  Sie schreibt ihre Diplomarbeit ........................ ein philosophisches Thema.

6  Jetzt hab' ich aber einen Hunger! Lass uns ........................ Mensa gehen.

7  Hast du noch eine Mitschrift ........................ letzten Vorlesung?

8  Im nächsten Semester wird ein Seminar ........................ Exilliteratur angeboten.

9  Ich studiere ........................ zwei Semestern in Jena.

10  Wir haben ........................ unserem Institut ........................ Forschung große Fortschritte gemacht.

11  Ich hab's eilig. Ich muss schnell ........................ Seminar.

12  ........................ unserer Universität sind Natur- und Geisteswissenschaften gleichermaßen vertreten,

und zwar ........................ Forschung und Lehre.

13  Es kommt schon vor, dass ich ........................ Lesesaal der Unibibliothek einschlafe.

**ⓒ** Was passt zusammen? Kreuzen Sie an.

|  | halten | einschreiben | machen | zahlen | belegen | anmelden | einschlagen | ablegen |
|---|---|---|---|---|---|---|---|---|
| das Bachelordiplom | ☐ | ☐ | ☐ | ☐ | ☐ | ☐ | ☐ | ☐ |
| ein Seminar | ☐ | ☐ | ☐ | ☐ | ☐ | ☐ | ☐ | ☐ |
| ein Referat | ☐ | ☐ | ☐ | ☐ | ☐ | ☐ | ☐ | ☐ |
| Studiengebühren | ☐ | ☐ | ☐ | ☐ | ☐ | ☐ | ☐ | ☐ |
| sich für einen Kurs | ☐ | ☐ | ☐ | ☐ | ☐ | ☐ | ☐ | ☐ |
| sich an einer Universität | ☐ | ☐ | ☐ | ☐ | ☐ | ☐ | ☐ | ☐ |
| eine Studienrichtung | ☐ | ☐ | ☐ | ☐ | ☐ | ☐ | ☐ | ☐ |
| eine Diplomprüfung | ☐ | ☐ | ☐ | ☐ | ☐ | ☐ | ☐ | ☐ |

14

**20** *man sollte / du solltest*

**a** Lesen Sie die Auszüge aus verschiedenen Jahreshoroskopen. Unterstreichen Sie die Stellen, wo eine Empfehlung gegeben wird.

*Das Tempo der ersten Jahreshälfte können Sie nicht das ganze Jahr durchhalten. Sie sollten deshalb anstrengende Tätigkeiten bis zur Jahresmitte abgeschlossen haben. Starten Sie rechtzeitig Ihren Sommerurlaub. So gewinnen Sie wieder Energie zurück und Ihre gute Laune auch.*

*Gesundheitlich kommen Sie ab dem Frühjahr so langsam in Schwung. Seien Sie aber nicht unvorsichtig. Sie sollten im Sommer immer wieder kleine Pausen machen und sich nicht zu viel vornehmen. So kommen Sie gesundheitlich gut durchs Jahr.*

**b** Was drückt der folgende Satz aus? Kreuzen Sie an.

Sie sollten im Sommer immer wieder kleine Pausen machen.

1 ☐ Machen Sie im Sommer immer wieder kleine Pausen.
2 ☐ Am besten, Sie machen im Sommer immer wieder kleine Pausen.
3 ☐ Sie müssen im Sommer immer wieder kleine Pausen machen.
4 ☐ Wir raten Ihnen, im Sommer immer wieder kleine Pausen zu machen.
5 ☐ Wir empfehlen Ihnen, im Sommer immer wieder kleine Pausen zu machen.
6 ☐ Sie dürfen im Sommer immer wieder kleine Pausen machen.

**c** Was drücken die beiden Sätze aus? Ordnen Sie zu.

1 Ich soll mich im Sommer nicht zu sehr anstrengen.   ☐
2 Ich sollte mich im Sommer nicht zu sehr anstrengen.   ☐

A Es wäre am besten für mich, wenn ich mich nicht zu sehr anstrenge. (Empfehlung)
B Im Horoskop steht, dass ich mich nicht so sehr anstrengen soll. (Aufforderung)

**d** In welchen Kontexten passt *soll*, in welchen *sollte*? Formulieren Sie Sätze.

1 Wir – mal wieder einen Ausflug machen
2 Am besten – die Auskunft anrufen
3 Auftrag vom Chef: die Bestellung heute noch rausschicken
4 Empfehlung: den Stau weiträumig umfahren
5 Bitte Ihrer Tochter: zu Hause anrufen

**e** Vorsicht Falle: Vergangenheit. Was bedeutet *sollte* hier? Kreuzen Sie an.

Ich sollte gestern einen Bericht schreiben, aber ich habe es nicht geschafft.

1 ☐ Ich hatte den Wunsch, einen Bericht zu schreiben.
2 ☐ Ich hatte den Auftrag, einen Bericht zu schreiben.

**f** Lesen Sie die Sätze und überlegen Sie noch einmal genau: Wo geht es um eine Empfehlung (E), wo um einen Auftrag von einer anderen Person (A)? Übersetzen Sie die Sätze in Ihre Muttersprache.
Lernen Sie, *sollen* und *sollte* richtig zu verwenden.

1 ☐ Wir sollten wirklich mal wieder ins Kino gehen.
2 ☐ Ja klar, man sollte mehr Sport machen. Das weiß doch jeder. Aber …
3 ☐ Was, ich soll noch das ganze Geschirr spülen? Du spinnst wohl?
4 ☐ Du solltest dich nicht so aufregen, das ist nicht gut für deinen Blutdruck!
5 ☐ Du, ich soll heute Abend noch ins Kino. Der Chefredakteur möchte in der Donnerstagsausgabe eine Filmbesprechung sehen.
6 ☐ Deine Frau war gerade am Telefon. Du sollst bald nach Hause kommen.

**21** Sie möchten dazu auch etwas sagen ...

**ⓐ** Was passt zusammen? Verbinden Sie.

1 Bei diesem Stichwort      a Rat habe ich auch schon bekommen.

2 Etwas Ähnliches      b Ähnliches gelesen.

3 Einen ähnlichen      c mir ein Erlebnis / eine Geschichte ein.

4 Dabei fällt      d fällt mir Folgendes ein: ...

5 Mir hat jemand gesagt,      e habe ich auch schon gehört.

6 Ich habe etwas      f dass so etwas auch typisch für ... ist.

**ⓑ** Ergreifen Sie das Wort und knüpfen Sie an Gesagtes an.
Verwenden Sie die Wendungen und Ausdrücke aus a. Probieren Sie
mehrere Möglichkeiten aus und vergleichen Sie dann mit dem Lösungsschlüssel.

**1**

> Viele Studenten studieren so
> lange, weil sie mehr arbeiten
> und jobben als lernen.

Studenten haben heute gar keine Zeit mehr zu arbeiten.

*Mir hat jemand gesagt, dass Studenten gar keine Zeit mehr haben zu arbeiten.*

**2**

> Es gibt ganz spezielle Kredite,
> die sich nur für die Finanzierung
> der Ausbildung eignen.

Günstiger als ein Studentenkredit ist immer noch
BAföG. Das gibt es auch für ausländische Studenten.

**3**

> Manche Studenten ärgern sich nach dem
> Studium darüber, dass sie jeden Monat
> ihre Schulden zurückzahlen müssen.

Manche haben sogar Probleme, das Geld zurückzuzahlen.

**4**

> Man sollte auf jeden Fall zu
> mehreren Banken gehen und die
> Studentenkredite vergleichen.

Es gibt ja sogar an den Unis Beratungsstellen für
die Finanzierung des Studiums.

**5**

> Studieren und arbeiten –
> das produziert natürlich die
> klassischen Langzeitstudenten.

Ein Freund von mir hat durch Studentenjobs so viel
Berufserfahrung gesammelt, dass er nie sein Diplom gemacht und trotzdem eine gute Arbeitsstelle gefunden hat.

14

**c** Ein Vortrag zum Thema Schlafstörung. Was kann man dagegen tun?
Formulieren Sie Ihre Gedanken in den leeren Sprechblasen. Verwenden Sie
die Argumente unter den Sprechblasen und die Wendungen und Ausdrücke aus a.

**1** Wir verschlafen einen Großteil unseres Lebens. Erwachsene brauchen sieben bis acht Stunden Schlaf, manche auch etwas weniger. Viele aber leiden unter Schlafstörungen: Das ist nicht nur unangenehm für den Betroffenen, sondern auch ziemlich ungesund, wenn die Störung von Dauer ist. Was aber hilft gegen Schlafstörungen. Natürlich, es gibt eine ganze Reihe von Schlafmitteln, auch gute Schlafmittel; dennoch sollte man versuchen, ohne Schlafmittel auszukommen.

Körper gewöhnt sich schnell an Schlaftabletten, dann braucht man eine höhere Dosis ■ man kann auch den Wecker überhören, wenn man ein Schlafmittel genommen hat

**2** Was in der Regel am allerbesten gegen Einschlafprobleme hilft, ist Sport. Regelmäßig Sport zu treiben ist fast ein Garant für einen gesunden Schlaf.

Hochleistungssport oder Extremsport stören beim Einschlafen ■ Sport kurz vor Schlaf nicht gut

**3** Auch unsere Essgewohnheiten können unseren Schlaf beeinflussen.

vor dem Schlafengehen nichts Schweres oder Fettiges essen ■ nicht viel essen ■ keinen Alkohol trinken ■ keinen Kaffee, keine Cola, keinen schwarzen Tee trinken

**4** Wichtig ist auch, was wir machen, bevor wir ins Bett gehen. Deshalb sollte man sich abends keine spannenden Filme ansehen oder gar ein aufregendes Buch lesen.

kein Licht brennen lassen und keine Musik hören ■ in einem langweiligen Buch lesen

**5** Und wer dies alles befolgt, in der Nacht für frische Luft sorgt und am anderen Tag regelmäßig zur gleichen Zeit aufsteht, der wird in der Regel nicht mehr über Schlafstörungen klagen.

# D Ideengeber Natur

WORTSCHATZ: Technik, Wissenschaft und Forschung ·······▶ zu Kursbuch Seite 86

**22** Wörter aus Wissenschaft und Technik

**ⓐ** Welche Wörter haben etwas mit Ihrem Leben / Ihren Interessen zu tun? Kreuzen Sie an.

| | | | |
|---|---|---|---|
| ☐ Ahnenforschung | ☐ Expedition | ☐ Ingenieurwissenschaften | ☐ Sozialforschung |
| ☐ Analyse | ☐ Fachgebiet | ☐ Kernforschung | ☐ Technik |
| ☐ Architektur | ☐ Fertigung | ☐ Klimaforschung | ☐ Theorie |
| ☐ Beobachtung | ☐ Forschung | ☐ Konstruktion | ☐ These |
| ☐ Berechnung | ☐ Forschungsreise | ☐ Krebsforschung | ☐ Ursachenforschung |
| ☐ Bildung | ☐ Friedensforschung | ☐ Lehre | ☐ Versuch |
| ☐ Disziplin | ☐ Geisteswelt | ☐ Marktforschung | ☐ Wirtschaftsforschung |
| ☐ Entwicklung | ☐ Genforschung | ☐ Problemlösung | ☐ Wissenschaft |
| ☐ Erfindung | ☐ Hirnforschung | ☐ Sachgebiet | ☐ Wissenschaftsbetrieb |

**ⓑ** Ordnen Sie die folgenden Wörter in die Tabelle ein und ergänzen Sie den Artikel.

Berechnung ▪ Fertigung ▪ Wissenschaftler ▪ Konstruktion ▪ Bionik ▪ Problemlösung ▪
Flugzeugbauer ▪ Versuch ▪ Ingenieur ▪ Technik ▪ Prothetik ▪ Architekt ▪ Beobachtung ▪ Biologie

| Fach | Beruf | Tätigkeit |
|---|---|---|
| | | *die Berechnung* |
| | | |

**14**

VERTIEFUNG

**23** Ergänzen Sie passende Verben.

gewinnen ▪ umsetzen ▪ suchen ▪ durchführen ▪ entwickeln ▪ anstellen

| | | | | |
|---|---|---|---|---|
| 1 Lösungen | .............. | 4 Erkenntnisse | .............. |
| 2 Versuche | .............. | 5 Produkte | .............. |
| 3 Berechnungen | .............. | 6 etwas in die Tat | .............. |

GRAMMATIK: modale Angaben ·······▶ zu Kursbuch Seite 87

**24** Markieren Sie die Satzteile, die ausdrücken, wie etwas gemacht wurde.

1 Manchmal kommt man durch Geduld schneller ans Ziel.
2 Ich würde es mal mit einem Schraubenzieher probieren.
3 Wege entstehen dadurch, dass man sie geht. (Franz Kafka)
4 Ein Feldarbeiter in Kenia befreite sich von einer Riesenschlange, indem er sie biss.

**25** *indem* und *dadurch, dass*

**ⓐ** Formulieren Sie die Sätze mit *indem* und *dadurch, dass*.
Vergleichen Sie dann mit dem Lösungsschlüssel.

1 Bilder entstehen durch Malen.

*Bilder entstehen, indem wir sie malen.*

*Bilder entstehen dadurch, dass wir sie malen.*

**2** Durch sorgfältiges Korrigieren vermeidet man Fehler im Text.

.................................................................................................................

.................................................................................................................

**3** Vielleicht lösen wir das Problem ja durch ein bisschen Nachdenken.

.................................................................................................................

.................................................................................................................

**4** Mit dieser Küchenmaschine bereiten Sie jeden Teig einfach und mühelos zu.

.................................................................................................................

.................................................................................................................

**5** Jedes Essen wird erst durch gute Zutaten gut, mein Lieber.

.................................................................................................................

.................................................................................................................

WIEDERHOLUNG

**ⓑ** Ergänzen Sie *indem* oder *in dem*. Vergleichen Sie auch mit Band 1, Kapitel 6.

**1** Das war der Augenblick, ............................... alles begann.

**2** Mir ist kein Vertrag bekannt, ............................... das geschrieben steht, was Sie da gerade behaupten.

**3** Das Problem löst sich sicher nicht, ............................... wir es ignorieren.

**4** Bist du dir sicher, dass der Freundeskreis, ............................... du dich befindest, der richtige für dich ist?

**5** Entspannen Sie sich jetzt, ............................... Sie die Augen schließen und an eine grüne Wiese denken.

VERTIEFUNG
**26**

Konjunktionen in Fachtexten und wissenschaftlichen Texten:
*mittels* und *unter Zuhilfenahme*. Formulieren Sie einige Beispiele mit *mit* oder *durch*.

**ⓐ** *mittels*

**1** Festplattenanalyse und -reparatur mittels unserer Testdisc

**2** Messung von Partikeln mittels moderner Lasertechnik

**3** leichtes Umbelegen der Tasten mittels Scancode

**4** sichere Internet-Verbindungen mittels SSL-Verschlüsselung

**ⓑ** *unter Zuhilfenahme*, meist in wissenschaftlichen Fachpublikationen

**1** Man mag ja eigentlich nicht unter Zuhilfenahme anderer Musikstile charakterisiert werden.
Man hat schließlich seinen eigenen Stil.

**2** Der Titel unserer Untersuchung lautet: Die Wirksamkeit eines handelsüblichen Tiershampoos
unter Zuhilfenahme eines Whirlpools bei der Behandlung von Hunden mit Juckreiz.

**3** In diesem Tutorial wird erklärt, wie man sich unter Zuhilfenahme eines Scripts die Arbeit
mit Photoshop wesentlich erleichtern kann.

**27**

Lesen Sie die Sätze. Übersetzen Sie sie in Ihre Muttersprache. Machen Sie sich klar,
was hier fehlt oder nicht gebraucht wird. Vergleichen Sie dann mit dem Lösungsschlüssel.

**1** Ohne zu zögern, stürzte sie sich ins Abenteuer.

**2** Sie tat das, ohne dass jemand etwas davon wusste.

**3** Sie hätte das ohne eine besondere Genehmigung nicht tun dürfen. Hat sie aber getan.

**28** Formulieren Sie Sätze mit *ohne dass*, *ohne ... zu* oder *ohne*.

1 Wenn man kein Abitur hat, kann man auch nicht studieren. So ist es eben.
2 Ich habe dieses Gerät gekauft. Ich habe mich aber nicht darüber informiert, wie man es bedient. Und jetzt sitze ich da ...
3 Er wollte sein Dachgeschoss ausbauen. Er hatte aber keine Ahnung, wie man das macht.
4 Sie ging. Sie sagte kein Wort.
5 Er fuhr los. Er wusste nicht, wohin. Einen Führerschein hatte er auch nicht.
6 Sie dürfen hier nicht parken. Sie brauchen einen Anwohnerparkausweis.

**PHONETIK:** ⋯⋯▶ zu Kursbuch Seite 87

**29** Hören Sie die Sätze und sprechen Sie sie nach.

68
CD 2,3

1 Darf ich dazu noch schnell etwas sagen?
2 Ich würde hier noch gern ergänzen, was ich gestern in der Zeitung gelesen habe.
3 Ich möchte an dieser Stelle hinzufügen, dass es da aber auch noch andere Forschungsergebnisse gibt.
4 Bevor Sie zum nächsten Punkt kommen, möchte ich doch noch gern eine Frage stellen.
5 Ich würde gern direkt etwas dazu sagen.
6 Ich habe da gerade etwas gelesen. Das passt genau dazu.

**SÄTZE BAUEN: unterbrechen, um inhaltlich etwas hinzuzufügen** ⋯⋯▶ zu Kursbuch Seite 87

**14**

**30** Der Ton macht die Musik. Sie möchten gleich etwas dazu sagen?
Kein Problem, wenn Sie dies ankündigen oder einleiten.

**a** Was gehört zusammen? Ordnen Sie zu und schreiben Sie die Ausdrücke auf.

| | | |
|---|---|---|
| 1 Darf ich dazu | ☐ | A möchte ich ... |
| 2 Ich würde hier noch gern ergänzen, was | ☐ | B direkt etwas dazu sagen. |
| 3 Ich möchte an dieser | ☐ | C ich gelesen habe. |
| 4 Bevor Sie zum nächsten Punkt kommen, | ☐ | D gelesen, das passt genau dazu. |
| 5 Ich würde gern | ☐ | E Stelle hinzufügen, dass ... |
| 6 Ich habe da gerade etwas | ☐ | F noch schnell etwas sagen? |

**b** Lesen Sie die folgenden Statements. Formulieren Sie dann Ihr Argument, Ihren Einwand. Verwenden Sie dazu die Wendungen und Ausdrücke aus a.

1 **Wir Eltern stehen ja zunehmend unter Druck, unsere Kinder richtig zu erziehen. Laut einer aktuellen Umfrage meinen sechzig Prozent der Deutschen, dass unsere Kinder unerzogen und respektlos sind.**

Auch die Lehrerinnen und Lehrer beklagen sich über schlecht erzogene Kinder. ◼
Die Erwachsenen haben das Kindsein vergessen: Kinder sollen wie kleine Erwachsene sein. ◼
Kinder müssen ihre Grenzen finden und austesten.

2 **Wer sich etwas einsam fühlt, sollte sich ein Haustier zulegen. Dann hat er jemanden, mit dem er sprechen kann.**

Um ein Haustier muss man sich kümmern. Das ist gut, weil man dann für jemanden sorgen kann, für jemanden da ist. ◼ Ein Haustier kann ein guter Freund sein, aber echte Freunde sind doch wichtiger. ◼ Viele ältere Menschen arbeiten ehrenamtlich; das ist besser, als ein Haustier zu haben.

**3** **Ich rate Ihnen: Wenn Sie es sich leisten können, kaufen Sie sich eine Wohnung. Das ist immer besser, als Miete zu zahlen.**

Ein großes Risiko: Man muss auch dann bezahlen, wenn man plötzlich kein Geld mehr hat, weil man arbeitslos ist. ■ Kaufen ist besser, weil man das Geld, das man ausgibt, mit der Immobilie eigentlich spart.

VERTIEFUNG

**31**

69
CD 2, 4

**Erziehung zum couragierten Handeln**

**ⓐ Hören und lesen Sie einen kurzen Vortrag über Erziehung.**

Kindererziehung ist für viele Erwachsene zum Problem geworden. Aus Angst, Fehler zu machen, und oft auch aus Angst vor den Kindern handeln diese entweder gar nicht, oder sie suchen Zuflucht bei fragwürdigen Erziehungsmythen und -methoden. Verunsicherte Erwachsene erziehen desorientierte Kinder. Eine Generation wächst heran, die unter einem Mangel an Grundsätzen leidet. Da sucht man nach Beispielen, wie konsequente, couragierte und fantasievolle Erziehung aussehen sollte. Nach einem Streit den ersten Schritt zur Versöhnung machen. Einem alten Menschen den eigenen Sitzplatz anbieten. Sich über ein Dankeschön freuen. Eine lebenswerte Zukunft erwächst aus Kindern, die dazu fähig sind. Doch warum fällt es vielen so schwer, so zu handeln? Vielleicht weil Erwachsene oft über Werte reden, statt sie vorzuleben und kindgerecht zu vermitteln: Aufrichtigkeit zum Beispiel, Hilfsbereitschaft oder Toleranz.

**ⓑ Dazu fällt Ihnen sicher viel ein. Dieser kleine Vortrag wird in einer Elternarbeitsgruppe noch einmal vorgelesen. Nun haben Sie hier die Möglichkeit, eigene Ideen einzubringen. Unterbrechen Sie den Vortrag. Verwenden Sie die Wendungen und Ausdrücke aus Übung 30. Die folgenden Argumente helfen Ihnen. Schreiben Sie in die Sprechblasen.**

im Forum: unerzogene Kinder stören Erwachsene beim Abendessen in Restaurant ■ in einer Zeitung stand: Schulklasse hat Rentner mit lautem Geschrei aus U-Bahn-Wagen vertrieben ■ Zeitung: schlecht erzogene Kinder sind aggressiver ■ Studie: nicht die Kinder sind schlecht erzogen, sondern die Gesellschaft ist intolerant ■ Forderung: Ganztagsschulen mit gutem Freizeitangebot, das die Kreativität der Schüler fördert ■ viel Kunstunterricht, Musikunterricht, Sportunterricht: All das fördert die Disziplin und das Selbstbewusstsein ■ auch in Zeitung: Studien haben bewiesen, dass Beispiele viel wirksamer sind als Gebote und Verbote. Eltern, die sich richtig verhalten, haben meistens auch gut erzogene Kinder.

**A**
Kindererziehung ist für viele Erwachsene zum Problem geworden. Aus Angst, Fehler zu machen, und oft auch aus Angst, vor den Kindern handeln diese entweder gar nicht, oder sie suchen Zuflucht bei fragwürdigen Erziehungsmythen und -methoden. Verunsicherte Erwachsene erziehen desorientierte Kinder. Eine Generation wächst heran, die unter einem Mangel an Grundsätzen leidet.

**B**
Da sucht man nach Beispielen, wie konsequente, couragierte und fantasievolle Erziehung aussehen sollte.

**C**
Nach einem Streit den ersten Schritt zur Versöhnung machen. Einem alten Menschen den eigenen Sitzplatz anbieten. Sich über ein Dankeschön freuen. Eine lebenswerte Zukunft erwächst aus Kindern, die dazu fähig sind. Doch warum fällt es vielen so schwer, so zu handeln? Vielleicht weil Erwachsene oft über Werte reden, statt sie vorzuleben und kindgerecht zu vermitteln: Aufrichtigkeit zum Beispiel, Hilfsbereitschaft oder Toleranz.

**32    Passiv**

**ⓐ In welchem Satz wird gesagt, wer etwas getan hat? Kreuzen Sie an.**

1  Der Fall war nicht lösbar.                      ⬚
2  Der Fall ließ sich nicht lösen.                 ⬚
3  Ich konnte den Fall nicht lösen.                ⬚
4  Man konnte den Fall nicht lösen.                ⬚
5  Der Fall wurde nicht gelöst.                     ⬚

**ⓑ Wie ist die Aussage richtig? Kreuzen Sie an.**

Wenn man nicht ausdrücken möchte, wer etwas gemacht hat,

1  ⬚ stehen verschiedene Formen gleichberechtigt zur Verfügung. Man kann und darf sie alle verwenden.

2  ⬚ ist eigentlich die Passivform die bessere und schönere. Nur wer die nicht verwenden kann,
    nimmt die anderen Formen.

**33    Modale Angaben**

**ⓐ Formulieren Sie Sätze mit *indem* und *dadurch, dass*.**

1  Abgeordnete kommen durch Wahlen ins Parlament.
2  Die Pflanzen können nur durch regelmäßiges Gießen überleben.
3  Durch Fehler wird man klug.
4  Probier's mal mit einem Hammer.

**ⓑ Formulieren Sie Sätze mit *ohne ... zu* und *ohne dass*.**

1  Er verließ den Raum. Er sagte kein Wort.
2  Ich gehe auch immer ohne Frühstück zur Arbeit.
3  Nein, du gehst nicht ohne Jacke raus!
4  Wir sollten das nicht ohne den Chef entscheiden.

14

## Darüber hinaus

**34   ⓐ Welcher kurze Nachrichtentext gehört zu welcher Rubrik?**
     **Nicht zu allen Rubriken gibt es einen passenden Text.**
     **Manchmal passen zu einer Rubrik auch mehrere Texte.**

| | | | |
|---|---|---|---|
| Kultur | ................................. | Sport | ................................. |
| Wirtschaft | ................................. | Lokales | ................................. |
| Politik | ................................. | Wissenschaft | ................................. |
| Gesundheit | ................................. | | |

**A**

Unter den Bewerbern für die Übernahme des Unternehmens favorisiert die Bundesregierung nach Informationen der Bild-Zeitung ein internationales Konsortium. Es habe schon erste Gespräche mit der Kanzlerin und Vertretern des Wirtschaftsministeriums gegeben.

**B**

Der wirtschaftspolitische Sprecher der CDU macht Managementfehler für die Schwierigkeiten der Kaufhauskette verantwortlich. Er lehnt deshalb Bürgschaften des Staates ab und fordert eine privatwirtschaftliche Lösung.

**C**

Mit einer Sternfahrt zur Siegessäule wollen Tausende Bauern heute in der Bundeshauptstadt auf ihre schwierige Lage aufmerksam machen. Sie fordern vor allem, die Agrardieselsteuer zu senken. Dem Bundesfinanzminister werden sie eine entsprechende Resolution übergeben.

**D**

Erstmals seit 25 Jahren hat ein deutschsprachiger Regisseur bei den Filmfestspielen in Cannes wieder eine Goldene Palme gewonnen. Die Jury zeichnete Haneke für den Film „Das weiße Band" aus, den der Bayerische Rundfunk koproduziert hatte.

**E**

Das entscheidende Kriterium dafür, den Grad der Pflegebedürftigkeit zu bestimmen, war bisher, wie viel Zeit benötigt wird, jemanden zu pflegen. Ein Beirat schlägt nun vor, stattdessen zu untersuchen, wie selbstständig jemand noch ist. Der Bericht des Beirats wird heute der Gesundheitsministerin übergeben.

**F**

Nachdem es mit dem direkten Aufstieg in die erste Fußballbundesliga nicht geklappt hat, muss der Klub nun in der Relegation gegen Cottbus seine Qualitäten unter Beweis stellen. Einen Grund zum Feiern gibt es aber schon jetzt: Die Clubberer stellen in dieser Saison den Torschützenkönig.

**b** Welche Überschrift passt zu welchem Nachrichtentext?

1  1. FC Nürnberg bereitet sich auf Cottbus vor ☐
2  Neue Definition des Begriffs „Pflegebedürftigkeit" ☐
3  Union lehnt Staatsbürgschaft ab ☐
4  Bewerbungen einer internationalen Investorengruppe ☐
5  Bauern für Senkung der Kraftfahrzeugsteuer ☐
6  Bundesregierung bevorzugt angeblich internationale Investorengruppe ☐
7  Ältere Menschen sollen länger selbstständig bleiben ☐
8  Mit 600 Traktoren nach Berlin ☐
9  Der 1. FC Nürnberg schaffte den Sprung nach vorn ☐
10 Goldene Palme für Haneke ☐

**35**

**ⓐ** Lesen Sie die Situationsbeschreibung und die Statistik in c.

**ⓑ** Beschreiben Sie die Grafik und überlegen Sie, was die Grafik bedeuten könnte und welche Ursachen es dafür geben könnte.

**ⓒ** Wie sehen Sie das? Was haben Sie zu diesen Themen schon gehört? Schreiben Sie.

In einem Seminar am Lehrstuhl für Sozialwissenschaften sprechen Sie über die gefühlte Realität am Beispiel subjektiver Ängste. Dazu liegt Ihnen auch eine Statistik vor. Geantwortet haben auf die Fragen 12–25-jährige Jugendliche und junge Erwachsene.

| **Welche Dinge machen Ihnen Angst bzw. wovor fürchten Sie sich, was sehen Sie für die Zukunft problematisch?** | |
| --- | --- |
| schlechte Wirtschaftslage, steigende Armut | 72 % |
| Arbeitslosigkeit | 69 % |
| Terroranschläge | 67 % |
| Umweltverschmutzung | 61 % |
| schwere Krankheit | 58 % |
| Krieg in Europa | 51 % |
| Ausländerfeindlichkeit | 42 % |
| Angriff auf eigene Person | 39 % |
| Zuwanderung nach Deutschland | 34 % |
| Diebstahl | 32 % |

14

# B Für mich entdeckt

SÄTZE BAUEN: über Vorteile und Nachteile sprechen ······▸ zu Kursbuch Seite 95

**1** Über Vorteile und Nachteile sprechen

**a** Lesen Sie den folgenden Text und ergänzen Sie die Wendungen und Ausdrücke.

finde ich großartig ■ hat für mich viele Vorteile ■ (hat) für mich den Vorteil, dass

### Digicam

Ich fotografiere gern und habe eine alte Spiegelreflexkamera.

Vor ein paar Jahren habe ich mir auch eine kleine Digitalkamera zugelegt. Sie ........................................................ .

Gegenüber einer manuellen Kamera hat sie ........................................ sie klein, leicht und handlich ist.

Beim Skifahren zum Beispiel kann ich sie in die Jackentasche stecken und auf der Piste tolle Aufnahmen

machen. Das ..................................................... .

**b** Lesen Sie den folgenden Text und ergänzen Sie die Wendungen und Ausdrücke.

hilft gegen ■ das hilft vielen Menschen ■ ohne … könnte man nicht ■
finde ich großartig ■ hat für mich viele Vorteile

### Skype

Skype .................................... . Skype ist nämlich ein Programm, mit dem die Internettelefonie erst möglich

wird. Das heißt, mit Skype kann man von PC zu PC beziehungsweise vom PC auf einen Festnetzanschluss

oder mit einem Mobiltelefon telefonieren.

Das .......................... in meinem Beruf. ................................ Skype ............................ kostenlos

telefonieren. ................................ mit Freunden in Kontakt zu bleiben oder auch neue Kontakte aufzubauen.

Meine brasilianischen Freunde, die hier in Deutschland leben, sagen, Skype ............................ Heimweh.

Denn man kann die Familie nicht nur hören, sondern auch sehen.

**c** Lesen Sie die folgenden Sätze und ergänzen Sie die Wendungen und Ausdrücke.

schadet ■ hat den Nachteil, dass ■ erschwert mir das Leben ■
hat für mich viele Nachteile ■ ohne … könnte man sehr gut

1 Ein Auto ................................ : Es verdreckt die Luft, ist teuer, nimmt viel Platz weg und

raubt mir die Freiheit.

2 Sahne ohne Stabilisator ................................ sie ihre Konsistenz nicht so lange behält.

3 Die Bürokratie ................................ unnötigerweise.

4 Auch .................... elektrische Haushaltsgeräte .................... im Alltag zurechtkommen.

5 Neue Ergebnisse der Klimaforschung: Übergewicht einer Bevölkerung .................... der Umwelt.

Generelles Abnehmen ist daher angesagt.

**2** Lesen Sie die Sätze und markieren Sie die Konjunktionen.
Machen Sie sich die Bedeutung klar, indem Sie sie in Ihre Muttersprache übersetzen.

1 Ich habe keine Zeit. Außerdem interessiert mich dieser Film nicht.
2 Ich habe keine Zeit. Darüber hinaus habe ich auch kein Interesse an diesem Film.
3 Ich habe keine Zeit. Dazu kommt noch, dass mich dieser Film nicht interessiert.
4 Erstens habe ich keine Zeit, zweitens interessiert mich dieser Film nicht.
5 Neben einem allgemeinen Desinteresse für diesen Film kamen auch noch ungünstige Spielzeiten dazu.
6 Zum einen habe ich keine Zeit, zum anderen interessiert mich dieser Film nicht.
7 Ich habe weder Zeit, noch interessiert mich der Film.
8 Mir fehlt es bei diesem Film an Interesse und an Zeit.
9 Dieser Film ist nicht nur langweilig, sondern auch zu lang.
10 Dieser Film ist sowohl langweilig als auch zu lang.

**3** In einer Reihenfolge

**a** Zählen Sie die folgenden Argumente mit *erstens*, *zweitens*, *drittens* etc. auf.

Lernen mit dem Computer hat viele Vorteile:
– Man kann ihn zu jeder Tages- und Nachtzeit benutzen.
– Jeder kann sein eigenes Tempo bestimmen.
– Man kann Übungen so oft wiederholen, wie man nur will.
– Die Lernsoftware ist vielseitig und umfangreich.

**b** Formulieren Sie den Text in a noch einmal mit *außerdem*, *darüber hinaus*, *dazu*.
Probieren Sie verschiedene Varianten.

**4** Nebeneinander

**a** Formulieren Sie die Sätze mit *zum einen ..., zum anderen*, *sowie*, *sowohl ... als auch*, *nicht nur ..., sondern auch*. Probieren Sie mehrere Varianten.

1 Dieses Gerät ist leicht bedienbar und günstig im Preis.
2 Diese Pflanzen brauchen viel Licht und viel Wasser.
3 Ich möchte daran erinnern, dass wir das ausführlich diskutiert und auch beschlossen haben,
 liebe Kolleginnen und Kollegen.
4 In dieser Ausstellung werden das Leben und das Werk des Künstlers dokumentiert.

**b** Formulieren Sie die Sätze in a mit *dazu kommt noch* und *neben ... auch*.
Vergleichen Sie Ihre Lösungen dann mit dem Lösungsschlüssel.

*Dieses Gerät ist leicht zu bedienen. Dazu kommt noch sein günstiger Preis.*
*Neben seiner leichten Bedienbarkeit ist das Gerät auch günstig im Preis.*

**5** Gegeneinander. Formulieren Sie Sätze mit *weder ... noch*.

1 Ich finde, dein neuer DVD-Player ist nicht leicht zu bedienen. Er war auch nicht besonders günstig.
 *Ich finde, dein neuer DVD-Player ist weder leicht zu bedienen,*
 *noch war er besonders günstig.*

2 Die Stadträte haben das nicht diskutiert und auch nicht beschlossen.
3 Ich war zur Tatzeit nicht in diesem Gebäude. Ich hatte auch nicht vor, dort hinzugehen.
4 Diese Bedienungsanleitung ist nicht verständlich. Sie ist auch nicht übersichtlich.

15

**6** **ⓐ** Schreiben Sie schnell Ihre Meinung. Sind Sie dafür oder dagegen?

**A** Tempolimit 100 km/h auf allen Autobahnen

> ............................................................
> ............................................................
> ............................................................

**B** Kindergartenpflicht: Jedes Kind muss drei Jahre in den Kindergarten, bevor es in die Schule darf.

> ............................................................
> ............................................................
> ............................................................

**C** Politiker müssen eine Prüfung ablegen, bevor sie sich in das Parlament wählen lassen können. Erst nach bestandener Prüfung dürfen Sie kandidieren.

> ............................................................
> ............................................................
> ............................................................

**D** Eltern müssen jedes Jahr einen Kurs zum Thema „Wie erziehe ich mein Kind richtig?" besuchen.

> ............................................................
> ............................................................

**ⓑ** **Familienurlaub. Mit dem Auto oder mit dem Zug zum Ferienort?**

**1** Welche Vorteile hat die Fahrt mit dem eigenen Pkw, welche Nachteile? Und wie ist es bei der Fahrt mit dem Zug? Markieren Sie Ihre Argumente in der folgenden Sammlung.

---

**Argumente:** das Auto muss technisch gut vorbereitet sein ▪ der Check im Kfz-Meisterbetrieb ist teuer ▪ gutes und sicheres Beladen des Autos wichtig ▪ Gewichtsobergrenze: Wie viel darf man mitnehmen? ▪ lange Staus auf den Autobahnen ▪ für Kinder furchtbar langweilig ▪ anstrengend, weil man sich nicht bewegen kann ▪ Autofahren – ein Stress ▪ die Autofahrt macht die Erholung kaputt ▪ man kann viel mehr mitnehmen ▪ interessante Strecken fahren ▪ zwischendurch anhalten – schöne Orte ansehen ▪ kommt direkt an den Urlaubsort, auch wenn abgelegen ▪ Benzin teuer ▪ Pausen verlängern die Fahrzeit ▪ ... Zugfahren kein Stress für den Fahrer ▪ genaue Planung ▪ wenig Gepäck ▪ umsteigen ▪ überfüllte Züge ▪ Verspätungen ▪ verpasste Anschlusszüge ▪ für Kinder ungünstige Fahrzeiten ▪ ...

---

**2** Formulieren Sie jetzt Ihre Argumente. Verwenden Sie dazu auch die Wendungen und Ausdrücke aus Übung 1 a–c. Denken Sie auch daran, was Sie zum Thema „Texte / Aussagen strukturieren" gelernt haben. Schreiben Sie Ihre Sätze in die Sprechblasen.

**7** Hören Sie die Sätze aus Übung 2 und sprechen Sie sie nach.

70
CD2,5

**TEXTE BAUEN: in Forumsdiskussionen seine Meinung äußern** ········▸ zu Kursbuch Seite 96

**8** Schreiben Sie zu beiden Forumsbeiträgen ein Posting.
Wenden Sie alles an, was Sie in den Übungen 1–6 gelernt haben.
Wählen Sie die Argumente aus, die Sie überzeugen, und schreiben Sie dann.

A

**neues Familienmitglied – Oldtimer**
Wir haben einen Oldtimer, siehe Foto, geerbt. Eigentlich haben wir
aber kein Geld, um ihn in Ordnung zu halten. Auch haben wir keine
Garage. Aber die beiden Jungs (10 und 14) finden ihn natürlich toll.
Die Nachbarn gucken komisch, unsere Freunde meinen, wir sollten
ihn verkaufen und uns ein neues Auto kaufen. Was meint Ihr?

◀◀ ▶▶

ein schönes Auto haben ▪ andere davon träumen ▪ sehr wertvoll ▪ jede Reparatur sehr teuer ▪
selber machen, keine Werkstatt in der Nähe ▪ keine Ersatzteile ▪ nur bei schönem Wetter fahren ▪
Kinder die Lust verlieren ▪ nur einmal so was Tolles erben ▪ eine Geschichte wie im Film ▪
behalten, fahren ▪ ein Jahr behalten, dann verkaufen ▪ ...

◀◀ ▶▶

**15**

B

**Heimtrainer**
Hallo, Leute, mein Arzt hat mir geraten, Sport zu machen. Soll ich mir einen
Heimtrainer kaufen? Habe aber nur eine – allerdings große – Einzimmerwohnung. Also,
was denkt Ihr? Was sind Eure Erfahrungen?
Sportmuffel34

◀◀ ▶▶

der häufigste Fehlkauf ▪ gute Geräte sehr teuer ▪ wird schnell langweilig ▪ allein trainieren
macht keinen Spaß ▪ man hat keine Lust, sich anzustrengen, das Training bringt nichts ▪ wer nie Sport
macht, benutzt auch den Heimtrainer nicht ▪ ja, wenn Sie sowieso Sport machen ▪ wenn Sie keine
Zeit mehr für ein Fitnessstudio haben ▪ wenn Sie aus privaten Gründen eine Zeit lang nicht ins
Fitnessstudio gehen können (z. B. Kleinkind zu Hause) ▪ Millionen von Heimtrainern verstauben in
Kellern ▪ mit einem Heimtrainer zeitlich flexibel ▪ ein Heimtrainer langfristig billiger ▪ ...

◀◀ ▶▶

**9** Diskutieren in einem Forum

**ⓐ** Lesen Sie den Forumsbeitrag.

**Zusammenziehen** Drei unter einem Dach
Hallo, wir sind etwas ratlos. Wir, das sind mein Mann, unsere beiden
Kinder (3 und 7) und ich. Wir würden gern im eigenen Haus wohnen, mit
Garten, versteht sich. Aber das ginge nur, wenn wir mit meinen Eltern
und meinen Schwiegereltern zusammenziehen würden. Wir haben hier im
Ort auch schon das passende Objekt gefunden, doch kommen mir jetzt
Zweifel. Aber allein können wir uns so ein Haus nicht leisten.
Hat jemand Erfahrungen? Oder will mir jemand seine Meinung sagen?
VLG
Ratlos02

◀◀ ▶▶

**ⓑ** Lesen Sie jetzt die Argumentationspunkte und formulieren Sie die Antworten.
Vergleichen Sie dann mit dem Lösungsschlüssel.

Antwort 1   **Zusammenziehen** Drei unter einem Dach

**dafür:** Mut haben zum Risiko ■ für die Kinder toll, Großeltern da ■ Hilfe, wenn jemand mal krank ist

◀◀ ▶▶

Antwort 2   **Zusammenziehen** Drei unter einem Dach

**dagegen:** nur zusammenziehen, weil zu wenig Geld da, nicht weil Ihr zusammen sein wollt ■
gefährlich, am Ende Streit ■ Kinder werden von den Großeltern verwöhnt ■ Du musst Dich immer um
die Eltern und die Schwiegereltern kümmern, keine Zeit für Dich

◀◀ ▶▶

Antwort 3   **Zusammenziehen** Drei unter einem Dach

**dafür:** toll in einer Großfamilie ■ jede Generation kann von der anderen lernen ■ alle haben Vorteile ■
viele Dinge wie Rasenmäher, Trockner, vielleicht sogar das Auto braucht man nur einmal ■
viele Aufgaben kann man teilen: wer Erdbeermarmelade kocht, wer den Geburtstagskuchen backt usw. ■
Du hast dann mehr Zeit für Dich

◀◀ ▶▶

Antwort 4   **Zusammenziehen** Drei unter einem Dach

**dagegen:** tu es nicht, ich habe meine Erfahrungen ■ jeder erwartet vom anderen zu viel ■ alle glauben,
Du musst für sie da sein ■ Du arbeitest Dich halb tot ■ bist völlig fertig ■ und bekommst keinen Dank ■
in eine Erdgeschosswohnung mit Gartenstück ziehen ■ keine Gartenarbeit ■ niemand redet Dir rein

◀◀ ▶▶

# C Ausgesuchte Orte

GRAMMATIK: lokale Angaben: Adverbien, Präpositionen ········▶ zu Kursbuch Seite 99

WIEDERHOLUNG

**10** Lokale Präpositionen

**a** *Wo* und *wohin*? Schreiben Sie die Buchstaben in die Zeichnungen.

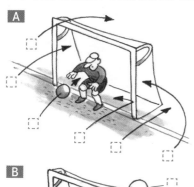

Der Schuss geht

a ins Tor.
b über das Tor.
c neben das Tor.
d an den Pfosten.
e auf den Torwart.
f hinter das Tor.

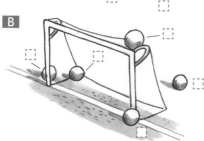

Der Ball liegt

a im Tor.
b auf dem Tor.
c neben dem Tor.
d am Pfosten.
e hinter dem Tor.

**b** Ergänzen Sie die passende Präposition in der richtigen Form mit Artikel, wo nötig. Mehrfachnennungen sind möglich.

an ▪ auf ▪ in ▪ nach ▪ über ▪ von ▪ zu ▪ bei ▪ aus

1 Ich gehe ........... Kino, ........... Schule, ........... Kurs, ........... Haus, ........... Hause, ........... Fußballplatz, ........... See, ........... Straße, ........... Freunden.

2 Ich bin ........... Kino, ........... Schule, ........... Kurs, ........... Haus, ........... Hause, ........... Fußballplatz, ........... See, ........... Straße, ........... Freunden.

3 Ich komme ........... Thüringen, ........... Erfurt, ........... Fußballplatz, ........... Keller, ........... Bank, ........... Freunden.

**c** Wegbeschreibungen. Wiederholen Sie die Übungen 1c und 3a in Lektion 9.

**d** See und Berg. Ergänzen Sie passende Präpositionen und den Artikel, wo nötig.

an ▪ auf ▪ über ▪ um ▪ durch

1 Zu verkaufen: traumhaftes Grundstück ........... See.

2 Von dieser Stelle hat man einen schönen Blick ........... See.

3 Ja, es gibt einen Rundweg ........... See.

4 Ich bin schon einmal ........... ganzen See geschwommen.

5 Es gibt einen Tunnel ........... Berg.

6 ........... Berg steht ein Gipfelkreuz.

15

**11**    Weitere Präpositionen. Ergänzen Sie.

außerhalb ■ diesseits und jenseits ■ entlang ■ gegenüber ■ oberhalb ■
quer durch ■ quer über ■ unterhalb ■ innerhalb

1   Wir sind einfach den Fluss ........................ gelaufen, ........................ die ganze Stadt.

2   Das Hotel liegt direkt ........................ dem Rathaus.

3   Der Stürmer lief ........................ ganzen Platz und traf auch noch ins Tor.

4   Es gibt ........................ dieses Stadtviertels nur Anwohnerparkplätze.

5   Skifahren ist ........................ von 1200 Meter nicht mehr möglich.

6   Die Menschen feierten ........................ der Grenze.

7   Skifahren ist nur noch ........................ von 1200 Meter möglich.

8   Nein, hier gibt es keine Geschäfte mehr. Die Einkaufszentren liegen alle ........................ der Ortschaft.

**12**    Leicht zu verwechseln. Welche Präposition ist richtig? Kreuzen Sie an.

1   Nein, das Hotel Rheinblick liegt nicht ☐ neben der ☐ an der Elbe.

2   Die Lampe hängt ☐ an der ☐ von der Wand.

3   Ich sitze ☐ vor dem ☐ am Tisch.

4   Das Poster hängt ☐ auf der ☐ an der Wand.

5   Das steht doch ☐ auf der ☐ an der Tafel.

6   Ich bin gerade ☐ mit meiner ☐ bei meiner Freundin.

**13**    Adverbien

**ⓐ**   Schreiben Sie die Buchstaben in das Foto.

a oben ■ b unten ■
c hinten ■ d vorn ■
e links ■ f rechts ■
g innen ■ h außen

**ⓑ**   Manchmal kann man *da* + Präposition verwenden, aber nicht immer.
Finden Sie mithilfe des Lösungsschlüssels heraus, welche Beispiele richtig sind.

1   Das Auto steht *hinter / vor / neben dem Haus*.
    ☐ Das Auto steht *dahinter / davor / daneben*.

2   Die Katze sitzt *auf dem bequemen Kissen*.
    ☐ Die Katze sitzt *darauf*.

3   Dort gibt es einen See, und *am* See liegt ein kleiner Jachthafen.
    ☐ Dort gibt es einen See, und *daran* liegt ein kleiner Jachthafen.

4   *In dem See* schwimmen viele kleine Fische.
    ☐ *Darin* schwimmen viele kleine Fische.

**c** Ergänzen Sie *nebenan* bzw. *daneben*.

1 Und dann fährst du die Dorfstraße entlang bis zum Hotel Zur Post. Unser Haus ist direkt ........................ .

2 Der Mieter von ........................ renoviert gerade mal wieder seine Wohnung, wie man hört.

3 Das Formular erhalten Sie bei meiner Kollegin. Die sitzt im Büro ........................ .

4 Schau mal: Dieser Stuhl ist für dich, und ........................ sitzt dann deine Cousine.

**d** Ergänzen Sie *nach* bzw. *von*.

1 Ich gehe ............. links, rechts, oben, unten, hinten, vorn, draußen, drinnen.

2 Der Wagen kam ............. links, rechts, oben, unten, hinten, vorn, draußen, drinnen.

**e** Ergänzen Sie passende Adverbien. Es gibt manchmal mehrere Möglichkeiten.

da ∎ dahin ∎ dahinten ∎ da oben ∎ da vorn(e) ∎ dorthin ∎ hierher ∎
nirgends ∎ nirgendwo ∎ irgendwoher ∎ nirgendwohin ∎ überall

1 Ich bin hier. Komm doch auch ........................ .

2 Am Wochenende ist Stadtfest. Gehst du auch ........................ ?

3 Schau mal, ........................ steht ein Reh.

4 Hast du den Zeppelin ........................ auch gesehen?

5 Zu der Ausstellung kamen die Leute von ........................ her.

6 Ich habe den Schlüssel ........................ gefunden.

7 Ich hab dir doch gesagt: Ich gehe heute ........................ . Ich bleibe daheim.

8 Von ........................ muss der Stein doch in unseren Garten geflogen sein!

9 Ich bin jetzt ........................ . Holst du mich am Bahnhof ab?

**14** Ergänzen Sie passende Adverbien. Es gibt manchmal mehrere Möglichkeiten.

dort ∎ draußen ∎ drinnen ∎ hier ∎ hinten ∎ links ∎ nach unten ∎ oben ∎ rechts ∎ unten ∎ von oben

1 Entschuldigung, die Dame wartet schon länger. Stellen Sie sich bitte ........................ an.

2 Wenn man den richtigen Weg finden will, darf man ........................ und ........................ nicht verwechseln.

3 Und nach weiteren zwei Stunden standen wir ganz ........................ auf dem Gipfel.

4 Komm rein. Hier ........................ ist es schön warm!

5 Das ist vielleicht ein Sauwetter ........................ !

6 Warum liegen meine Schlüssel eigentlich immer ganz ........................ in der Handtasche?

7 Das Motto moderner Nomaden: Heute ........................ , morgen ........................ .

8 Jetzt suche ich schon zehn Minuten. Das Haus muss doch irgendwo ........................ sein.

9 Zur Börse: Bankaktien drücken DAX ........................

10 Müller's Ballonfahrten: Erleben Sie die Welt ........................ .

11 Im Arabischen schreibt man von ........................ nach ........................ und im Chinesischen ........................ nach ........................ .

12 Kannst du mir die Wanderschuhe mitbringen, wenn du ........................ in den Keller gehst?

**15** **Was bedeuten die markierten Ausdrücke? Ordnen Sie zu.**

1 Zum Stadtfest kamen die Leute *von nah und fern*.     ☐    **a** ins Zimmer und wieder hinaus
2 Auf dem Festival ging's *drunter und drüber*.     ☐    **b** total
3 Unser Hamster rennt die ganze Nacht *kreuz und quer* durch den Käfig. ☐    **c** chaotisch
4 In unserem Gasthaus geht die ganze Prominenz *ein und aus*.     ☐    **d** manchmal
5 Was läufst du denn die ganze Zeit *hin und her*?     ☐    **e** nach oben und nach unten
6 Sie war *landauf, landab* bekannt.     ☐    **f** von überall her
7 Er ist *durch und durch* Gitarrist.     ☐    **g** ohne Ziel
8 Kinder, rennt doch nicht die ganze Zeit *rein und raus*!     ☐    **h** überall
9 Sicher kann es *hier und da* noch ein Problem geben.     ☐    **i** regelmäßig kommen
10 Die Leute rennen die ganze Zeit den Berg *rauf und runter*.     ☐    **j** von der einen auf die andere Seite

**16** **Weitere Ausdrücke**

**a** **Ordnen Sie die Ausdrücke zu. Ein Ausdruck passt zweimal.**

1 im Zentrum (von)     **a** liegt xy Meter hoch
2 in der Nähe von     **b** unterwegs sein von/nach …
3 auf halbem Weg     **c** nicht im Zentrum
4 auf dem Weg von/nach     **d** nicht weit von … entfernt
5 in/auf einer Höhe von     **e** in der Mitte von a und b
6 im Herzen (von)     **f** gehen/fahren in / aus der Richtung
7 am Rand (von)     **g** in der Mitte

**b** **Ergänzen Sie passende Ausdrücke aus a.**

1 Entdecken Sie Luzern ..................... der Schweiz.

2 Die Stadt Luzern liegt ..................... 436 Meter.

3 ..................... der Stadt befinden sich ein ganze Reihe von Sehenswürdigkeiten.

4 ..................... Wien sind wir auch durch Linz gekommen.

5 Ich glaube, wir machen jetzt ..................... eine Pause.

6 Potsdam liegt ..................... Berlin.

7 Das neue Einkaufszentrum wird nicht in der Stadt, sondern ..................... der Stadt gebaut.

8 Wir mussten wegen eines Unwetters ..................... umkehren.

**17** **Ergänzen Sie passende Präpositionen und Adverbien aus den Aufgaben 10–16.**
**Es gibt mehrere Möglichkeiten.**

1 Ich gehe jetzt ..................... oben, Sportschau gucken.

2 Wir treffen uns ..................... Brandenburger Tor.

3 Heute Abend gibt es ein Konzert ..................... Odeonsplatz.

4 Ich würde sagen, den Picasso hängen wir ..................... diese Wand.

5 Wir machen dieses Jahr mal nicht Urlaub ..................... Nordsee, sondern ..................... Bodensee.

6 Stellst du bitte den Mülleimer ..................... Tür?

7 Die Maus sitzt sicher in ihrem Loch, aber ..................... sitzt eine Katze.

8 Der Unfallverursacher kam ..................... links.

9 Gleich nach dem Rathaus gehst du ..................... unten, da, wo die Treppe ist.

Und noch ein erhellender Satz zum Schluss:
**Dass die Schüler in Österreich bei der Pisa-Studie besser abschneiden, ist ja klar:**
**Die gehen nämlich *in die* Schule und nicht nur *zur* Schule.**

**3**

*man*

**ⓐ** **Lesen Sie die Sätze und ordnen Sie die Bedeutung zu.**
**Übersetzen Sie die Sätze in Ihre Muttersprache und machen Sie sich klar,**
**was *man*, *Mann* und *Mensch* jeweils bedeuten.**

1. In der Schweiz spricht man Französisch, Deutsch, Italienisch und Rätoromanisch. ☐
2. Mein Mann spricht Französisch, Deutsch und Italienisch, aber kein Rätoromanisch. ☐
3. Das macht man aber nicht, einfach das Papier auf den Boden werfen! ☐
4. Was, du willst ein Mann sein? Dann verhalte dich auch so! ☐
5. Ich bin halt auch nur ein Mensch! ☐
6. Mensch, Martin, dass du das für mich gemacht hast! Das werde ich dir nie vergessen. ☐

A männliches Wesen
B Ausdruck des Erstaunens
C jeder, allgemeine Angabe
D männlicher Ehepartner, Ehemann

**ⓑ** ***man* ist nicht *er*! Oder: *man* bleibt *man*.**
**Korrigieren Sie die Sätze.**

1. Wenn man A sagt, muss er auch B sagen.

2. Wenn man etwas nicht versteht, muss er halt nachfragen.

3. Wie kann man das verstehen, wenn er das noch nie vorher gehört hat?

4. Wenn man nichts weiß, sollte er besser ruhig sein.

**ⓒ** ***man* gibt es auch im Akkusativ und im Dativ.**
**Lesen Sie die Sätze, markieren Sie die Formen von *man* und ergänzen Sie die Tabelle.**

1. Das kann man so nicht sagen.
2. Das kann einen schon ärgern, so was.
3. Du machst es einem aber schwer.

| Nominativ | Akkusativ | Dativ |
|---|---|---|
| ⋯⋯⋯ | ⋯⋯⋯ | ⋯⋯⋯ |

**ⓓ** **Ergänzen Sie das passende Wort.**

┄┄┄┄┄┄┄┄┄┄┄┄┄┄┄┄┄┄┄┄┄┄┄┄┄┄┄┄┄┄┄
einem ▪ einen ▪ man ▪ Mann ▪ Mensch
┄┄┄┄┄┄┄┄┄┄┄┄┄┄┄┄┄┄┄┄┄┄┄┄┄┄┄┄┄┄┄

1. Also, dieser Lärm! Das kann doch kein ⋯⋯⋯ ertragen.

2. Das ist doch nicht so schlimm. Das kann ⋯⋯⋯ doch mal passieren.

3. Darf ich Ihnen meinen ⋯⋯⋯ vorstellen?

4. Das kann ⋯⋯⋯ schon ärgern.

5. Hier kann ⋯⋯⋯ auch im Sommer Ski fahren.

6. Nach acht Uhr ist hier kein ⋯⋯⋯ mehr auf der Straße.

7. Das macht ⋯⋯⋯ bei uns so.

8. Bist du dir sicher, dass der ⋯⋯⋯ ein gutes Wesen ist?

9. Nein, das da drüben ist keine Frau. Ich bin sicher, dass das ein ⋯⋯⋯ ist.

10. ⋯⋯⋯, Alfred, so eine Überraschung! Lange nicht mehr gesehen!

**15**

**19** **Orte beschreiben**

**a** Was gibt es in Ihrer Stadt/Region? Kreuzen Sie an.

| | | |
|---|---|---|
| ☐ Altstadt | ☐ Marktplatz | ☐ Steine |
| ☐ Berge | ☐ Meer | ☐ Sporthalle |
| ☐ Fachwerkhäuser | ☐ Radwege | ☐ Theater |
| ☐ Fußballstadion | ☐ Schloss | ☐ Tierpark |
| ☐ Hochhäuser | ☐ Seen | ☐ Waldgebiete |
| ☐ Höhle | ☐ Skigebiet | ☐ Wanderwege |
| ☐ Konzerthalle | ☐ Stadtmauer | ☐ Wiesen und Wälder |
| ☐ Klippen | ☐ Stadtpark | ☐ Zoo |
| ☐ Küste | ☐ Stadtteil | |

**b** Was kann man in Ihrer Stadt/Region machen? Kreuzen Sie an.

| | | |
|---|---|---|
| ☐ Wanderungen machen | ☐ verschiedene Sportarten | ☐ Wintersport |
| ☐ Museen und Galerien besuchen | ☐ Stadtrundfahrt | ☐ Wellness |
| ☐ ins Kino gehen | ☐ fischen | ☐ Sehenswürdigkeiten besichtigen |
| ☐ ins Theater gehen | ☐ im See baden | ☐ Rundfahrten machen |
| ☐ historische Gebäude besichtigen | ☐ Wassersport | ☐ mit dem Schiff fahren |

**c** Ergänzen Sie die passende Präposition in der richtigen Form / mit Artikel, wo nötig.

an ■ auf dem Gipfel (+ Genitiv) ■ bei ■ in ■ in der Nähe von

1 Hamburg liegt nicht ..................... Nordsee, sondern ..................... Elbe.

2 Zermatt liegt ..................... Fuß des Matterhorns.

3 Innsbruck liegt ..................... Inntal.

4 Ismaning liegt ..................... München.

5 Der Attersee liegt ..................... Salzburg.

6 Das „Münchner Haus" liegt ..................... Zugspitze.

**d** Leicht zu verwechseln. Was ist richtig? Kreuzen Sie an.
Es können auch mehrere Lösungen richtig sein.

1 Die Alpen sind ein(e) ☐ Berg ☐ Gebirge ☐ Bergregion.

2 Das Matterhorn ist ein ☐ Hügel ☐ Berg.

3 Der Olympiaberg in München ist ein ☐ Hügel ☐ Berg.

4 Komm, wir fahren ☐ in die Hügel ☐ ins Gebirge ☐ in die Berge.

**e** Ergänzen Sie die passenden Wörter.

Aussicht ■ befinden ■ bekannt ■ besteigen ■ gelegen ■ reizvoll ■ sehenswert ■ Wahrzeichen

1 Unsere Region ist ..................... für Glasbläserei.

2 Vom Kirchturm haben Sie eine wunderbare ..................... auf die Stadt.

3 Das alte Schloss ist das ..................... unserer Stadt.

4 Das Matterhorn kann man auch ....................., aber nur mit guter Kondition und einem Bergführer.

5 In der Altstadt ..................... sich einige ..................... historische Gebäude.

6 Viele Menschen besuchen unser Tal wegen seiner ..................... Lage.

7 Unser Hotel am Bahnhof ist sehr verkehrsgünstig ..................... .

**20** Stadtkurzporträt: Luzern

**ⓐ** **Lesen Sie den Text. Zu welchen Themen erfahren Sie etwas? Kreuzen Sie an.**

**1** Lage ⬚ ▪ **2** Größe ⬚ ▪ **3** Klima ⬚ ▪ **4** Höhe ⬚ ▪ **5** Sportmöglichkeiten ⬚ ▪
**6** Einkaufsmöglichkeiten ⬚ ▪ **7** Verkehrsmittel ⬚ ▪ **8** Umgebung ⬚ ▪ **9** Sehenswürdigkeiten ⬚ ▪
**10** Geschichte ⬚ ▪ **11** Alter ⬚ ▪ **12** persönliche Bemerkung ⬚

### Luzern (CH)

Ich möchte Ihnen kurz meine Heimatstadt Luzern vorstellen. Luzern liegt im Herzen der Schweiz an der nordwestlichen Ecke des Vierwaldstätter Sees. Die Stadt hat 60 000 Einwohner und ist die Hauptstadt des Kantons Luzern. Das Wahrzeichen von Luzern ist die Kapellbrücke mit dem angebauten Wasserturm. Wer die Natur liebt, kann von Luzern aus schöne Ausflüge ins Voralpenland und rund um den Vierwaldstätter See unternehmen. Der Hausberg von Luzern ist der 2120 Meter hohe Pilatus. Man kann mit der steilsten Zahnradbahn der Welt fast bis zum Gipfel fahren. Von dort hat man eine wunderbare Aussicht auf die Alpen. Für Wanderer gibt es einige eher einfache Wanderwege. Luzern bietet aber auch zahlreiche andere Sportmöglichkeiten wie Schlittschuhlaufen, Skifahren, Radfahren, Wandern, Schwimmen und Golfspielen. das Wetter ist bei uns eher wechselhaft, manchmal sehr schwül. Aber eins ist sicher: Dass es die nächsten Jahre über Fasnacht regnen wird. Was ich an Luzern besonders liebe: vielleicht gerade die Fasnacht. Auf jeden Fall bin ich zur Fasnacht immer in Luzern, das ist mir sehr wichtig.

**ⓑ** **Markieren Sie auch, wo im Text die Themen vorkommen.**
**Schreiben Sie die Ziffern aus a an das Zeilenende.**

**21** Städte beschreiben

**ⓐ** **Lesen Sie die Informationen über Frankfurt und ergänzen Sie die Sätze 1–14.**
**Wenn entsprechende Informationen fehlen, machen Sie einen Strich.**

665 000 Einwohner
Lage: Deutschland, Bundesland Hessen, am Main, größte Stadt
Wahrzeichen: der Römer
Sehenswürdigkeiten: Messeturm, Museumsufer, Dom, Paulskirche, Goethehaus, Alte Oper
berühmte Speisen und Getränke: Apfelwein, Handkäs' mit Musik, Grüne Soße
viele Geschäftsleute zu den berühmten internationalen Messen
berühmt: viele Banken, mehr als in jeder anderen deutschen Stadt

**Lage/Größe**

1  Frankfurt ist eine Stadt in ............................................................................ .

2  Sie liegt am ............................................................................................. .

3  Frankfurt hat ........................................................... Einwohner.

4  Die Stadt liegt ......................................... Meter über dem Meeresspiegel.

5  Frankfurt ist die .......................................................... in Hessen.

15

### Besonderheiten

6 Das Wahrzeichen von Frankfurt ist ................................................................................................................. .

7 Frankfurts Hausberg ist ................................................................................................................................. .

8 Frankfurt ist bekannt für .............................................................................................................................. .

9 Sehenswürdigkeiten gibt es viele: ................................................................................................................ .

10 Sehenswert ist auch ..................................................................................................................................... .

11 Nirgendwo sonst findet man ......................................................................................................................... .

12 Nach Frankfurt kommen ............................................................................................................................... .

### Aktivitäten

13 Man kann dort ............................................................................................................................................. .

14 Frankfurt bietet viele ........................................................... wie .............................................................. .

**b** Schreiben Sie nun über Innsbruck. Verwenden Sie dazu die
folgenden Wendungen und Ausdrücke. Das Beispiel in a hilft Ihnen.

**Innsbruck**

in Österreich, Hauptstadt von Tirol; 120 000 Einwohner

Lage: am Fluss Inn, fast 600 Meter über dem Meeresspiegel

Wahrzeichen: Goldenes Dachl

Sehenswürdigkeiten: die Sprungschanze Bergisel (von der Architektin Zaha Hadit),
                    Schloss Ambras, die kaiserliche Hofburg, die Hofkirche

Sport: Wintersport, Wandern, Klettern

besondere Gastfreundschaft

Touristen: vor allem wegen der Berge, der Sportmöglichkeiten

- - - - - - - - - - - - - - - - - - - - - - - - - - - - - - - - - - - - - - - - - - - - - - - - - - - - - - - - - - - - - - - - - - - - - -

... liegt in ... ■ ... liegt an / am ... ■ ... liegt ... Meter über dem Meeresspiegel ■ ... liegt in einer Höhe von ...
Meter ■ ... hat eine Höhe von ... Metern ■ ... gehört zu ... ■ ... hat ... Einwohner ■ Das Wahrzeichen von ... ist ... ■
... ist bekannt für ... ■ Sehenswürdigkeiten gibt es viele: ... ■ Sehenswert
sind / ist auch ... ■ Man kann dort ... ■ Man kann dort sowohl ... als auch ... ■ Man kann dort nicht nur ...,
sondern auch ... ■ ... bietet viele ... wie ... ■ Besonders schätzen die Touristen ...

- - - - - - - - - - - - - - - - - - - - - - - - - - - - - - - - - - - - - - - - - - - - - - - - - - - - - - - - - - - - - - - - - - - - - -

---

**PHONETIK: Adverbien im Satz** ·······▶ zu Kursbuch Seite 99

**22**

71
CD 2,6

### Hören Sie die Sätze und sprechen Sie sie nach.

1 Setzen Sie sich doch einfach hierhin.
2 Hier hat niemand angerufen.
3 Könnten Sie mal kurz herkommen?
4 Ich habe die Unterlagen dorthin gelegt.
5 Der hat sich hier nicht gemeldet.
6 Mein Gott, lauf doch nicht ständig hin und her!

---

**TEXTE BAUEN: Kurzvortrag / Präsentation** ·······▶ zu Kursbuch Seite 99

**23** **a** Lesen Sie den folgenden Text über Bremen. Er ist nicht besonders abwechslungsreich.

Bremen ist ein Stadtstaat in Deutschland. 660 000 Menschen leben in Bremen. Bremen ist am Fluss Weser. Da gibt es das Denkmal für die Bremer Stadtmusikanten; die kennen alle Leute. Und da gibt es den Bremer Roland und das Rathaus. Das ist 600 Jahre alt. In Bremen ist die berühmte Böttcherstraße (ein Kulturdenkmal) mit dem Glockenspiel; die 40 Glocken bestehen aus Meissner Porzellan (!). Das Schnoor ist ein schöner alter Stadtteil. Und da gibt es auch noch die Mühle am Wall. Da ist ein Café drin. Man kann in und um Bremen gut mit dem Fahrrad fahren. In Bremen gibt es einen großen evangelischen (!) Dom, Sankt Petri. Man kann auch mal an die Nordsee und am Meer spazieren oder nach Worpswede fahren: Da gibt es viele Museen und Galerien und da leben viele Künstler; dort waren vor allem die beiden berühmten Künstlerinnen Clara Rilke-Westhoff und Paula Modersohn-Becker. Viele Touristen besuchen das Modersohn-Becker-Museum. Es gibt das Märchen der Brüder Grimm, das von den Bremer Stadtmusikanten erzählt.

**ⓑ Formulieren Sie den Text über Bremen persönlicher und interessanter.**
**Verwenden Sie dazu auch die folgenden Wendungen und Ausdrücke.**

Ich möchte Ihnen ... vorstellen, die vor allem für ... berühmt / bekannt ist. ■ ... liegt in ... und ist ... ■ ... kennt
man von ... ■ Man kann hier ... ■ In ... gibt es ... ■ Nirgendwo sonst findet man ... ■ Man kann hier sowohl ...
als auch ... ■ Man kann hier nicht nur ..., sondern auch ... ■ Hierhin kommen die Menschen vor allem, um ... /
weil / wegen ... ■ Weltweit kennt man das Märchen ...

**ⓒ Kontrollieren Sie jetzt, wie Ihr Text strukturiert ist.**
**Vergleichen Sie mit den Übungen 2–5. Überarbeiten Sie ihn, falls nötig.**

TIEFUNG
**24**

**Eine Stadt präsentieren**

**ⓐ Welche Fragen helfen Ihnen, eine Präsentation vorzubereiten? Kreuzen Sie an.**

1  Welche Stadt möchte ich präsentieren? ☐
2  Wo liegt die Stadt? In welchem Land? Auf einem Berg? Wie hoch? Wie hoch über dem Meeresspiegel? ☐
   An einem See? An einem Fluss? Am Meer? Oder ...?
3  Hat die Stadt eine wichtige Funktion? Hauptstadt? ☐
4  Gibt es etwas historisch Wichtiges, was man über die Stadt wissen muss? ☐
5  Welche Sehenswürdigkeiten gibt es in der Stadt? Wofür ist sie berühmt? ☐
6  Welche berühmten Menschen haben in der Stadt gewohnt? ☐
7  Was kann man in der Stadt machen, unternehmen? Welche kulturellen Aktivitäten sind möglich? ☐
   Welche sportlichen Aktivitäten bieten sich in der Stadt an?
8  Gibt es in der Stadt regelmäßig bekannte Sportwettkämpfe oder andere Wettbewerbe? ☐
9  Sonstiges ☐

**15**

**ⓑ Lesen Sie nun den folgenden Text und markieren Sie, zu welchen Ihrer Fragen der Text**
**Informationen enthält. Schreiben Sie die Ziffern der Fragen an die Stellen im Text,**
**wo Sie die Antworten finden.**

Willkommen auf den Internetseiten der Stadt Dessau-Roßlau, der Doppelstadt an Elbe und Mulde mit den UNESCO-Welterbestätten Bauhaus, Meisterhäuser und Dessau-Wörlitzer Gartenreich.

Wir wünschen Ihnen einen angenehmen Aufenthalt und würden Sie hier gern wieder begrüßen.

Das Städtedreieck Leipzig–Halle–Dessau steht für eine ostdeutsche Wachstumsregion, die aufgrund vielfältiger und stabiler Potenziale sowie ihrer Lagegunst auf zukunftssichere Prognosen verweisen kann.

Dabei zeichnet den Standort Dessau-Roßlau (beide Städte schlossen sich am 1. Juli 2007 im Rahmen der Gebietsreform in Sachsen-Anhalt zusammen) eine bereits lange Tradition innovativer Entwicklungen aus. Von Dessau, der ehemaligen Residenz des Landes Anhalt, gingen seit dem 18. Jahrhundert und gehen bis in die Gegenwart tief greifende und weit über die Region hinaus wirkende Reformen und Entwicklungsschübe aus.

Eines der Zentren der deutschen Aufklärung mit seinen sozialen, wirtschaftlichen und pädagogischen Projekten befand sich im 18. Jahrhundert hier. Dem verdanken wir die harmonische Welt der Parks, Schlösser und Gärten des Dessau-Wörlitzer Gartenreiches in der weiten Auenlandschaft der Flüsse Elbe und Mulde.

In Dessau konstruierte und fertigte Hugo Junkers seine Flugzeuge und revolutionierte die Luftfahrtentwicklung.

Vom Bauhaus schließlich gingen weltweit und nachhaltig Impulse für Architektur, Kunst und Design aus.

Die drittgrößte Stadt des Bundeslandes Sachsen-Anhalt garantiert durch die unmittelbare Nähe zu den Großstädten Berlin, Leipzig, Halle und Magdeburg, durch ihre günstige Verkehrsanbindung (Autobahn, Bundesstraßen, Bahn, Verkehrslandeplatz, Flusshäfen) sowie durch ihre Infrastruktur und ihre Förderpolitik hervorragende wirtschaftliche Standortbedingungen.

Als Oberzentrum der Region ist Dessau-Roßlau Sitz zahlreicher Behörden und Institutionen des Landes sowie des Umweltbundesamtes, verfügt über ein umfassendes Versorgungspotenzial und über ein reiches kulturelles Angebot.

An keinem Ort ist das Bauhaus so präsent wie in Dessau: Hier stehen die weltberühmten Bauhausbauten von Walter Gropius, Hannes Meyer, Carl Fieger, Georg Muche und Richard Paulick, die jährlich von über 100 000 Besuchern aufgesucht werden. Und hier veranstaltet die Stiftung Bauhaus Dessau mit Kooperationspartnern aus dem In- und Ausland im Jubiläumsjahr über 20 Veranstaltungen: Workshops, Ausstellungen, Symposien, Radioperformances, Theater- und Tanzprojekte, künstlerische Installationen, Vorträge, Feste, eine Sommerschule und vieles mehr.   ◀◀ ▶▶

(c) Notieren Sie die wichtigsten Informationen auf einem Notizzettel. Wenn Sie möchten, können Sie sich auch die Internetseite anschauen: www.dessau-rosslau.de.

(d) Suchen Sie sich nun die passenden Wendungen und Ausdrücke in 23 b.

(e) Schreiben Sie jetzt Ihre Stadt-Präsentation. Denken Sie daran, was Sie über das Strukturieren eines Textes gelernt haben (Übung 2–5).

VERTIEFUNG
**25**

Machen Sie eine Kurzpräsentation zu Graz. Suchen Sie sich Ihre Informationen aus dem Text und aus den Fotos. Sie sind nun etwas versteckt. Gehen Sie vor wie in Aufgabe 24.

## LEBEN IN GRAZ

Es gibt viele schönste Städte auf der Welt, für die GrazerInnen ist es Graz. Die zweitgrößte Stadt Österreichs besticht mit Charme, südlichem Flair und gastfreundlichen Grazerinnen und Grazern und stellt den Menschen in den Mittelpunkt. Leben in Graz bedeutet Leben mit hoher Qualität.

## WIRTSCHAFTSWACHSTUM UND UMWELTSCHUTZ ...

gehen in Graz Hand in Hand. Graz ist mit hoch spezialisierten Betrieben und internationalem Know-how nicht nur wirtschaftliches Herz der Steiermark, sondern punktet auch als Ökostadt und exportiert preisgekrönte Umweltschutzprojekte in die ganze Welt.

Wirtschaftsserver

Einkaufsstadt

Grünräume

Märkte

## KULTUR + BILDUNG

Im Wechsel von Tradition und Moderne sehen sich die GrazerInnen, wenn sie mit der Vielfalt ihrer Kulturhauptstadt konfrontiert sind. Dass Bildung Kultur und Kultur Bildung ist, gehört zu diesem besonderen Zugang für alle Alters- und Gesellschaftsgruppen.

Kulturhauptstadt 2003

UNESCO-Weltkulturerbe

Museen

Kultur-Festival: Steirischer Herbst

## TOURISMUS + FREIZEIT

Graz zeigt Qualitäten – traditionell und originell – und anders als gewohnt. Die Stadt beweist das mit ihrer Substanz, ihrer Atmosphäre, ihrer Geschichte, ihrer Lebendigkeit und mit einer Vielzahl an kulturellen Veranstaltungen das ganze Jahr über. Graz ist Kulturhauptstadt.

## DATEN + FAKTEN ZUR GEOGRAFIE

Graz ist als Landeshauptstadt der Steiermark mitten in der grünen Mark beheimatet.
Die zweitgrößte Stadt Österreichs ist vor allem als Kongress-, Messe- und Universitätsstadt bekannt.
Graz liegt ungefähr 350 Meter über dem Meeresspiegel; der höchste Punkt ist der Plabutsch. Der Schlossberg ist mit 473 Meter ein beliebtes Ausflugsziel zum Relaxen und Genießen. Als Grazer Hausberg wird der Schöckl bezeichnet, der mit seinen 1445 Meter eine schöne Fernsicht nach Slowenien und wunderschöne Wanderwege bietet.
Die Einwohnerzahl in Graz beträgt ungefähr 280 000, von denen viele an den Grazer Universitäten studieren (Karl-Franzens-Universität, Technische Universität, Hochschule für Musik und Darstellende Kunst, Medizinische Universität).

# D Talentförderung! Talentförderung?

**GRAMMATIK: Partikeln verstärken die Aussage** ········▶ zu Kursbuch Seite 101

**26** Aussagen verstärken (Vergleichen Sie auch mit Lektion 10, Übung 12.)

**a** Lesen und hören Sie den Satz in mehreren Varianten.
Achten Sie auf die kursiven Wörter.

Bei dieser ganzen Sache geht es um Geld.

1 *Natürlich* geht es bei dieser ganzen Sache um Geld.
2 *Selbstverständlich* geht es bei dieser ganzen Sache um Geld.
3 *Vor allem* geht es bei dieser ganzen Sache um Geld.
4 *Zweifellos* geht es bei dieser ganzen Sache um Geld.
5 *Allerdings* geht es bei dieser ganzen Sache um Geld.
6 *Garantiert* geht es bei dieser ganzen Sache um Geld.
7 *Sicher* geht es bei dieser ganzen Sache um Geld.
8 Bei dieser ganzen Sache geht es *wirklich* nur um Geld.
9 Bei dieser ganzen Sache geht es *einfach* nur um Geld.
10 Bei dieser ganzen Sache geht es *besonders* um Geld.
11 Bei dieser ganzen Sache geht es *halt doch* um Geld.
12 *Keineswegs* geht es bei dieser ganzen Sache um Geld.

**b** Warum verwendet der Sprecher diese Wörter? Kreuzen Sie an.

Der Sprecher möchte    a ☐ sich wichtig machen, sich in den Vordergrund spielen.
                              b ☐ ausdrücken, dass es sich nur um seine Meinung handelt.
                              c ☐ die Aussage verstärken.

**27** Verstärken Sie die Aussagen, indem Sie die Wörter aus Übung 26 verwenden.

1 Das geht nicht!
2 Das macht man nicht.
3 Man braucht auch Talent, wenn man in einer Sache gut sein will.
4 Das muss nicht auf alle zutreffen.
5 Ein Fernsehauftritt sagt nichts über die Qualität der Musik.
6 Wir sind daran interessiert, den Vertrag bald zu unterschreiben.

**Grammatik: Artikelwörter** ········▶ zu Kursbuch Seite 101

WIEDERHOLUNG

**28** Ergänzen Sie die Artikelwörter *der, ein, kein, mein* in der richtigen Form.
An welchen Stellen steht der Nullartikel?

Das war ................ langweilige Castinghow. ................ Bewerber hatten weder ................ Witz noch

................ Talent. Trotzdem bekam ................ Sieger ................ Plattenvertrag. Aber der ist ................

Garantie für ................ Karriere. ................ persönliche Meinung: Abschalten wäre besser gewesen.

WIEDERHOLUNG

**29** Artikelwort oder Pronomen? Ergänzen Sie in der richtigen Form.

1 *ein*: Hast du noch ................ Kissen für mich? – Ja, guck, hier ist ................ .
2 *mein*: Ist das ................ Glas? – Halt, stopp. Das ist ................ .
3 *die*: Wo ist denn ................ Fernbedienung? – ................ liegt unter dem Sessel, wie immer.
4 *(–)*: Haben wir noch ................ Chips? – Da drüben sind doch noch ................ .

**30** Adjektivendungen nach Artikelwörtern. Ergänzen Sie die Endungen.
(Wiederholen Sie bei Bedarf die Übungen in Band 1, Kapitel 2, Übung 1.)

1  Ich wünsche euch ein schön............ Wochenende.

2  Am kommend............ Wochenende sind wir nicht da.

3  Nächst............ Woche kommt meine Schwiegermutter.

4  In unserer Gegend gibt es schön............ Biergärten.

5  Die schönst............ Biergärten liegen im Umkreis von einer halben Stunde.

6  Ich telefoniere mit meinem neu............ Handy viel besser.

7  Hier gibt es einen klein............ Fehler.

8  Was, das ist der Wagen deiner neu............ Freundin?

**31** Ergänzen Sie weitere Artikelwörter im Singular.

der/die/dasselbe ◼ dies- ◼ welch- ◼ irgendein- ◼ jed-

1  So ist das mit diesem Computerprogramm: ........................ kleine Fehler wird bestraft.

2  Ist das nicht ........................ Typ wie vorhin?

3  Warum lässt sich ........................ blöde Flasche einfach nicht öffnen?

4  Hast du in dieser Show ........................ gutes Lied gehört?

5  Für ........................ Kleid hast du dich jetzt entschieden?

**32** Weitere Artikelwörter im Plural

**ⓐ** Bringen Sie die Artikelwörter in eine Reihenfolge von *viel* bis *wenig*.

Es waren │ ⬚ wenige ⬚ keine ⬚ mehrere ⬚ einige ⬚ viele │ Mitglieder auf der Versammlung.
         │ ⬚ manche ⬚ alle ⬚ einzelne ⬚ sämtliche │

**ⓑ** Was drücken die Artikelwörter aus? Ordnen Sie zu.

1  Ich kenne schon beide neuen Kollegen.
  a ⬚ Ich kenne alle neuen Kollegen.
  b ⬚ Ich kenne die zwei neuen Kollegen.

2  Auf der Party waren lauter nette Leute.
  a ⬚ Auf der Party waren viele Leute, und alle waren nett.
  b ⬚ Auf der Party waren viele nette Leute, und alle waren laut.

3  Gibt es noch irgendwelche Süßigkeiten?
  a ⬚ Gibt es noch Süßigkeiten?
  b ⬚ Gibt es noch Süßigkeiten, egal welche?

4  Wir kennen solche Probleme nicht!
  a ⬚ Wir kennen keine Probleme, die so sind.
  b ⬚ Wir kennen keine Probleme.

**33** Ergänzen Sie passende Artikelwörter aus Übung 32. Es gibt mehrere Möglichkeiten.

1  Es gibt hier nicht ........................ Geschäfte, aber ........................ Restaurants.

2  Unter den Bewerbern waren ........................ kompetente Leute. Ich könnte mir ........................ in dieser
   Position vorstellen.

3  Das grüne oder das gelbe? Mir gefallen ........................ Kleider gut.

4  Sie finden ........................ Sendungen, die komplette Staffel also, da hinten im Regal.

5  Wir machen keine Werbung für ........................ Unternehmen, sondern für ganz Berlin.

6  Welche Eier soll ich denn jetzt nehmen? Egal, nimm doch ........................ .

7  Das ist wie verhext: ........................ Briefe sind verschwunden!

8  Immer alles besser wissen – ........................ Leute hab' ich gern.

9  Da der Sänger seine Stimme verloren hat, müssen ........................ Konzerttermine für April abgesagt werden.

**34** Artikelwörter, selten gebraucht

**Lesen Sie die Sätze. Welche Artikelwörter benutzt man normalerweise? Ordnen Sie zu.**

| | | |
|---|---|---|
| 1 | Aus der Feder des Bandgitarristen flossen etliche Songs. | a der |
| 2 | Mit solch einem Problem hat sich unsere Entwicklungsabteilung | b viele |
| | noch nicht beschäftigen müssen. | c einige |
| 3 | Schlussendlich war das jener Tropfen, der das Fass zum Überlaufen brachte. | d so ein |
| 4 | Es gibt noch so manch ein Problem zu lösen, Herr Maier. | |

---

**SÄTZE BAUEN: einen Kurzvortrag halten** ········▶ zu Kursbuch Seite 101

**35** **Wichtige Wendungen und Ausdrücke eines Kurzvortrags. Welche Überschrift passt zu den folgenden Wendungen und Ausdrücken? Notieren Sie.**

der Schluss ■ die Vorstellung des Themas / des Inhalts ■ der erste Teil (Argumente) ■ wie der Kurzvortrag gegliedert ist ■ der zweite Teil (Gegenargumente) ■ Beispiele nennen ■ der Schlussteil (eigene Meinung)

**A** ....................................................................................................................

Das Thema meines kurzen Vortrags lautet: … ■ Ich spreche jetzt über die Ergebnisse, die wir erarbeitet haben / … ■ Ich möchte kurz unsere Ergebnisse zusammenfassen. ■ Ich möchte kurz unsere Argumente und unsere Ergebnisse darstellen. ■ Ich möchte Ihnen kurz zeigen, womit wir uns beschäftigt haben. ■ In meinem Kurzvortrag geht es um die Frage, ob … / wie … / warum … / …

**B** ....................................................................................................................

Als Erstes möchte ich Ihnen die Argumente vorstellen, die für … sprechen. ■ Dann werde ich Ihnen die Argumente nennen, die gegen … sprechen. ■ Am Ende möchte ich Ihnen dann unsere Meinung / unser Ergebnis zusammenfassen / meine Meinung darlegen. ■ Zum Schluss werde ich dann … ■ Anschließend möchte ich …

**C** ....................................................................................................................

Als Erstes möchte ich das wichtigste Argument nennen: … ■ Außerdem … ■ Darüber hinaus … ■ Hinzu kommt, dass … ■ Ein weiteres Argument ist, dass … ■

**D** ....................................................................................................................

Jetzt möchte ich die Gegenargumente nennen. ■ Ich möchte nun aber über … sprechen. ■ Ich möchte nun darüber sprechen, dass … ■ Als Nächstes möchte ich über … sprechen. ■ Ein weiterer wichtiger Punkt ist, dass … ■ Der nächste Punkt ist, dass …

**E** ....................................................................................................................

Hierzu ein Beispiel: … ■ Hierzu möchte ich ein Beispiel nennen. ■ Hier reicht eigentlich / vielleicht das folgende Beispiel: … ■ Zum Beispiel sind / ist … ■ Beispielsweise … ■ … möchte ich als Beispiel nennen.

**F** ....................................................................................................................

Ich komme nun zum Schluss: … ■ Zum Schluss möchte ich Ihnen noch sagen, was meine / unsere Meinung dazu ist. ■ Abschließend möchte ich Ihnen sagen, wie wir darüber denken. ■ Ich fasse nun unsere Meinung / unser Ergebnis / unsere Ergebnisse zusammen. ■ Wir sehen das folgendermaßen: … ■ Unsere Meinung ist / lautet: …

**G** ....................................................................................................................

Ich hoffe, dass ich nichts vergessen habe. ■ Haben Sie noch Fragen? ■ Möchten Sie noch etwas dazu sagen?

**15**

**36** Mit sechzehn zur Bundestagswahl? Oder soll es bei achtzehn bleiben?

**a** Lesen Sie die Argumente. Wählen Sie jeweils zwei aus.
Wählen Sie dann in den entsprechenden Abschnitten A–G in 35 die Wendungen
und Ausdrücke aus, die Sie verwenden möchten.

– sollte man das Wahlalter auf sechzehn herabsetzen → **A**
– Arbeitsgruppe zum Thema: Wahl ab sechzehn
– Arbeitsgruppe: Wahl ab sechzehn, pro und kontra diskutiert
– ist es sinnvoll, wenn Sechzehnjährige ihre Stimme schon abgeben dürfen

– gut, das sechzehnjährige Bürger dann früher Einfluss auf die Politik nehmen können → **C**
– das schult das politische Verstehen
– das steigert das Verantwortungsbewusstsein
– dann hätten extreme Parteien weniger Möglichkeiten, die Jugendlichen zu beeinflussen
– das könnte die Parteienlandschaft etwas verändern
– die Sechzehnjährigen selbst wollen wählen
– bei manchen Kommunalwahlen funktioniert das gut

– zum Beispiel fordern sie den Bau von Jugendzentren → **E**
– Wünsche der Jugendlichen fallen oft Sparmaßnahmen zum Opfer
– sie selbst haben darauf keinen Einfluss, keine Interessenvertretung
– so ist zum Beispiel der Umweltschutz in die Politik gekommen
– viele Sechzehnjährige sind ja schon im Jugendgemeinderat tätig, aber ihr Einfluss
ist nicht groß

– nur wenige Jugendliche engagieren sich in den Jugendorganisationen der Parteien → **D**
– das Interesse an der Politik fängt normalerweise erst mit achtzehn Jahren oder sogar später an
– die Jugendlichen kennen sich in politischen Fragen nicht aus, weil sie sich mehr für ihre
persönlichen Angelegenheiten interessieren
– viele Jugendliche würden noch wählen, was ihnen die Eltern sagen
– Jugendliche sind noch sehr stark von den Medien beeinflussbar, weil sie noch nicht genug
Lebenserfahrung haben
– Jugendliche lassen sich leichter durch zu einfache Lösungen von extremen Parteien beeinflussen
– diejenigen Parteien sind für die Herabsetzung des Wahlalters, die sich davon mehr Stimmen erhoffen

– sind die Ereignisse im Sportverein wichtiger als die in der Politik → **E**
– Umfragen zum Beispiel haben gezeigt, dass sie nicht einmal wissen, wer der Bundespräsident
ist und was seine Aufgaben sind. Auch wissen sie nicht, dass er nicht direkt gewählt wird;
viele verwechseln ihn mit dem Bundeskanzler
– lesen die meisten Jugendlichen keine Zeitung, interessieren sich nicht für Nachrichtensendungen

– Jugendliche sollten bei Kommunalwahlen / Landtagswahlen / Kantonswahlen / → **F**
mit sechzehn wählen dürfen, bei Bundestagswahlen und der Europawahl nicht
– erst mit achtzehn wählen, aber Probewahlen durchführen
– generell mit sechzehn wählen dürfen
– generell mit achtzehn wählen dürfen
– mit sechzehn wählen dürfen, wenn einen Politikkurs absolviert

**b** Formulieren Sie nun zu jedem Abschnitt zwei Sätze mit den angebotenen Wendungen
und Ausdrücken, die Sie ausgewählt haben.

VERTIEFUNG

**37** Lesen Sie jetzt noch einmal die Argumente in 36 a.

**a** Wählen Sie alle Argumente und Beispiele aus, die Ihnen gefallen
(mindestens aber jeweils drei). Was ist Ihre Meinung? Notieren Sie.

**b** Lesen Sie jetzt die folgende Gliederung Ihres Kurzvortrags.
Ordnen Sie Ihre Inhaltspunkte zu. Machen Sie sich Notizen.

- die Vorstellung des Themas / des Inhalts ·····→ **A** : ..................................................................
- wie der Kurzvortrag gegliedert ist ·····→ **B** : ..................................................................
- der erste Teil *Argumente* ·····→ **C** – *pro* mit Beispielen ·····→ **E** : ..................................
- der zweite Teil *Gegenargumente* ·····→ **D** – *kontra* mit Beispielen ·····→ **E** : ....................
- der Schlussteil (eigene Meinung) ·····→ **F** : ..................................................................
- Schluss mit Bitte um Fragen, Dank usw. ·····→ **G** : ..........................................................

**c** Suchen Sie sich die passenden Wendungen und Ausdrücke in Übung 35.
Formulieren Sie dann Ihre Aussagen.

**d** Verbinden Sie nun alles zu einem Kurzvortrag. Beachten Sie, was Sie zu
„Texte strukturieren" gelernt haben.

VERTIEFUNG

**38** Sollen die Lebensmittelpreise staatlich festgelegt sein?

**a** Lesen Sie die Argumente.

pro
- Lebensmittel lebensnotwendig – keine Geschäftemacherei
- gerade Familien mit niedrigem Einkommen können sich gutes Essen nicht leisten
- gutes Essen zu günstigen Preisen – gesündere Bevölkerung
- feste Preise – gut für die lokalen Bauern und Produzenten
- feste Preise – gut für kleine Geschäfte in der Nachbarschaft
- feste Preise – gut (große Supermärkte können nicht mit Niedrigpreisangeboten locken)
- feste Preise garantieren gleichbleibende Qualität
- feste Preise garantieren Produzenten gleichbleibende Einnahmen und sind gut gegen Arbeitslosigkeit

kontra
- es werden keine neuen Technologien erarbeitet
- keine Konkurrenz, alle Lebensmittel können gleich schlecht werden, können gleich teuer werden
- Geschäftsinhaber können nicht viel verdienen, engagieren sich deshalb nicht für den Kunden
- Staat bestimmt, was wir essen und was uns angeboten wird
- Vielfalt und Angebot werden kleiner
- Produzenten sind nicht gezwungen, gesünder, ökologischer, innovativ zu produzieren
- keine Chance für neue Sorten und Produkte
- überall gibt es das Gleiche, die Geschäfte sind gleich und langweilig

**b** Gehen Sie nun vor wie in Übung 37 beschrieben. Markieren Sie die Argumente,
die Sie in Ihren Kurzvortrag aufnehmen möchten. Notieren Sie sie alle.

**c** Was ist Ihre Meinung? Notieren Sie sie in Stichpunkten.

**d** Wählen Sie Ihre Wendungen und Ausdrücke aus. Schreiben Sie dann Ihren Kurzvortrag.
Denken Sie auch daran, was Sie zum Thema „Texte strukturieren" gelernt haben.

**15**

**39** Ein schwieriges Thema: Frauen in Führungspositionen

**ⓐ** Lesen Sie den folgenden Text. Notieren Sie die Hauptaussage.

> Die Diskussionen reißen nicht ab. Immer mehr Städte bieten Projekte an, um Frauen den Schritt in die Führungsetagen zu erleichtern. Trotzdem geht es nur sehr langsam, dass auch Frauen Führungspositionen einnehmen. Meistens findet man sie in ihren eigenen kleinen Unternehmen oder in Familienunternehmen, die sie geerbt haben. Tatsächlich sind Frauen in den Chefetagen von Großunternehmen eher selten, aber auch an vielen Universitäten findet man weniger Professorinnen als Professoren. Deshalb fordern einige ein neues Gesetz, das besagt, dass die Hälfte der Positionen mit Frauen besetzt werden muss. Dahinter steht die Idee, dass vielleicht die Männer in Führungspositionen die Frauen nicht reinlassen wollen. Vielleicht mangelt es den Frauen aber an Selbstbewusstsein. Böse Zungen behaupten, dass Frauen das einfach nicht können: Führungspositionen gut besetzen, sonst würden sie es ja tun. Möglicherweise sind Frauen nicht motiviert, weil sie sowieso schon weniger verdienen als ihre männlichen Kollegen.

**ⓑ** Notieren Sie die Gliederungspunkte für einen Kurzvortrag.

**ⓒ** Überlegen Sie sich drei Argumente dafür und drei Argumente dagegen. (Manche finden Sie im Text.) Notieren Sie sich die Argumente in Stichpunkten. Notieren Sie dann auch Ihre eigene Meinung.

**ⓓ** Schreiben Sie jetzt Ihren Kurzvortrag.

**40** Erziehungsmittel. Polizei

**ⓐ** Lesen Sie den folgenden Text. Worum geht es? Welche Argumente gibt es dafür? Welche fallen Ihnen dagegen ein?

> In „Emil und die Detektive" hat der kleine Emil furchtbare Angst vor dem diensthabenden Polizisten, weil er einen dummen Streich gemacht hatte. Er hat Angst, dass er dafür von der Polizei bestraft wird. Den Ruf nach Erziehung durch die Polizei hört man von älteren Menschen häufiger, wenn sie meinen, dass Jugendliche zu laut sind, zu rücksichtslos, zu unordentlich. Wenn die Teenager auf Parkwiesen Partys feiern, mit Inlineskates und Skateboards über die Gehsteige donnern. Rauchend und Bier trinkend mit ihren Gettoblastern auf den Schultern durch die Straßen ziehen. Wenn die Älteren der Meinung sind, dass Schulen und Eltern bei der Erziehung versagen.

**ⓑ** Erarbeiten Sie sich die Inhalte und die Struktur für Ihren Kurzvortrag so, wie Sie es geübt haben.

**ⓒ** Schreiben Sie dann Ihren Vortrag.

# **E** Für die zukünftige Gesellschaft entdeckt?

**WORTSCHATZ: Werbung** ┄┄▸ zu Kursbuch Seite 103

**41** Werbung

**ⓐ** Was bedeuten die Wörter? Ordnen Sie zu.

| | | | | |
|---|---|---|---|---|
| 1 | maximal/Maximum | ⬚ | a | gratis |
| 2 | Extra-(preis) | ⬚ | b | Spitze(nangebot) |
| 3 | attraktiv | ⬚ | c | toll |
| 4 | kostenlos | ⬚ | d | mit |
| 5 | cool | ⬚ | e | rein |
| 6 | exklusiv | ⬚ | f | reizvoll |
| 7 | Top-(angebot) | ⬚ | g | Sonder-(preis) / Spezial-(preis) |
| 8 | pur | ⬚ | h | sehr / extrem preiswert |
| 9 | supergünstig | ⬚ | i | nur für bestimmte Personen |
| 10 | plus | ⬚ | j | höchst- / das Höchst- |

**ⓑ** Bilden Sie Adjektive mit *super-* und Nomen mit *Super-, Sonder-, Extra-, Spitzen-, Top-*.
Vergleichen Sie dann mit dem Lösungsschlüssel.

**super-**

günstig ▪ billig ▪ wirksam ▪ schnell ▪ sparsam ▪ schick ▪
umweltfreundlich ▪ frisch ▪ leicht ▪ bequem ▪ sportlich

**Super-, Sonder-, Extra-, Spitzen-, Top-**

Modell ▪ Angebot ▪ Preis ▪ Fahrt ▪ Flug ▪ Genuss ▪ Geschmack ▪ Glanz

---

**GRAMMATIK: Nomen mit Präpositionen** ······▶ zu Kursbuch Seite 103

**42**  Ausdrücke mit Präpositionen.

EDERHOLUNG

**ⓐ** Ergänzen Sie die Präpositionen. Lesen Sie die Regel und kreuzen Sie an.

auf ▪ nach ▪ an ▪ mit ▪ über ▪ von ▪ für ▪ gegen

| | | | | | |
|---|---|---|---|---|---|
| 1 | antworten | .......... | die Antwort | .......... |
| 2 | fragen | .......... | die Frage | .......... |
| 3 | sich erinnern | .......... | die Erinnerung | .......... |
| 4 | hoffen | .......... | die Hoffnung | .......... |
| 5 | berichten | .......... | der Bericht | .......... |
| 6 | träumen | .......... | der Traum | .......... |
| 7 | sich freuen | .......... | die Freude | .......... |
| 8 | sich interessieren | .......... | das Interesse | .......... |
| 9 | diskutieren | .......... | die Diskussion | .......... |
| 10 | sich einsetzen | .......... | der Einsatz | .......... |
| 11 | denken | .......... | der Gedanke | .......... |
| 12 | interessiert sein | .......... | das Interesse | .......... |
| 13 | traurig sein | .......... | die Trauer | .......... |
| 14 | schuld sein | .......... | die Schuld | .......... |

Normalerweise ist die Präposition bei Verb, Adjektiv und Nomen ☐ unterschiedlich ☐ gleich.

**ⓑ** Nomen mit Präposition. Markieren Sie die Präposition. Übersetzen Sie die Sätze
in Ihre Muttersprache und lernen Sie die Nomen mit Präposition, die für Sie wichtig sind.

**1  an**  Sie hat einen großen Anteil an diesem Erfolg.
Es gab Kritik an der Führungsspitze.
Geschäftsaufgabe wegen Mangel an Erfolg
Wer hat schuld an dieser Misere?

**2  auf**  Ihr Anspruch auf Kindergeld endet mit dem 31. 7.
Ich habe leider keinen Einfluss auf die Entscheidung.
Ich habe einen Hass auf diese Person – das kann ich dir gar nicht sagen.
Ich habe ein Recht auf eine faire Behandlung.
Kinder, nehmt doch Rücksicht auf meine Nerven!

3 **für**   Es gibt keine Erklärung für das, was passiert ist.

Das ist ein gutes Beispiel für eine misslungene Kommunikation.

Ein kooperatives Verhalten ist die Bedingung für eine weitere Zusammenarbeit.

Sie hat einfach kein Gefühl für die Empfindlichkeiten anderer Leute.

Was war denn der Grund dafür?

Nein, einen Preis fürs Nichtstun gibt es nicht.

Die Voraussetzung für ein Studium ist nicht nur das Abitur.

Also, ich hab' wirklich kein Verständnis für deine Schlamperei.

4 **mit**   Das war meine erste Begegnung mit ihm.

Die Korrespondenz mit unserem Zulieferbetrieb war leider erfolglos.

Die Ehe des Sportlers mit der Schauspielerin dauerte lediglich zwei Monate.

Hast du noch Kontakt mit ihr?

5 **nach**   Unserem Wunsch nach einer schnellen Abwicklung des Verfahrens wurde nicht entsprochen.

Es gibt immer mal wieder die Forderung nach Steuersenkungen.

Es gibt gerade eine große Nachfrage nach Winterbekleidung.

6 **über**   Der Fahrer hat anschließend die Kontrolle über sein Fahrzeug verloren.

Haben Sie einen Überblick über die aktuellen Zahlen?

Die wollen doch nur Macht über alles.

7 **vor**   Ich habe Angst vor Spinnen!

Ihn quält die Furcht vor Veränderungen.

8 **zu**   Ich muss Sie an Ihre Pflicht zur Verschwiegenheit erinnern.

Er suchte immer wieder die Nähe zu ihr.

Es gibt einen Willen zu Veränderungen.

Sie verspürten einen Zwang zum Erfolg.

---

**SÄTZE BAUEN: ein neues Produkt / Angebot beschreiben / vorstellen** ⇢ zu Kursbuch Seite 103

**43**   Informationsbusse für ältere Leute

**a** **Eine neue Produktidee: „Informationsbusse für ältere Mitbürger".**
**Lesen Sie die folgende Beschreibung.**

- ist mobil und fährt durch das ganze Land, bleibt in jedem Dorf, in jedem Stadtteil, in größeren Städten auf mehreren Plätzen eines Stadtteils stehen, sodass der Weg zum Bus für jeden älteren Menschen sehr kurz ist

- bietet den älteren Menschen vor Ort die Möglichkeit, sich über alle Fragen des Älterwerdens zu informieren

- im Bus sind Fachleute, die man fragen kann

- im Bus finden Fachvorträge statt, aber man kann auch Einzelgespräche führen

- im Bus sind aber auch alle Produkte, die speziell für ältere Menschen entwickelt worden sind, ausgestellt

- an einem Computer können ältere Menschen üben, wie sie Informationen finden können

- es sind alle Organisationen und Einrichtungen der Gegend mit Informationsmaterial im Bus vertreten

- Ärzte stellen sich vor, die sich auf die Behandlung von älteren Menschen spezialisiert haben

- Geschäfte, die älteren Menschen das Einkaufen erleichtern, können sich präsentieren

- es werden Sportprogramme für ältere Menschen vorgestellt, aber auch Sportgeräte, die sie ausprobieren können

- Psychologen erklären den älteren Menschen, wie sie ihr Gedächtnis schulen können

- Universitäten und Volkshochschulen stellen im Bus ihr Programm vor

- Altenpflegedienste, professionell und ehrenamtlich, beantworten Fragen

**ⓑ Formulieren Sie mithilfe der folgenden Wendungen und Ausdrücke Sätze zu dem Produkt.**

Wir haben eine neue … entwickelt. ■ Unser Projekt … richtet sich an … ■ Unsere Zielgruppe sind … ■
Unsere Kunden sind … ■ Wir bieten … an. ■ Das Besondere daran ist … ■ Ganz besonders stolz sind wir
darauf, dass … ■ In … kann man auch / können … auch … ■ … gibt es auch … ■
Ein solches … ist notwendig, damit … ■ Nirgendwo sonst können … / finden …

---

**TEXTE BAUEN: ein neues Produkt / Angebot beschreiben / vorstellen**  ⋯⋯▶ zu Kursbuch Seite 103

**44** Schreiben Sie mithilfe Ihrer Sätze aus 43b Ihre Produktpräsentation.
Beachten Sie dabei, was Sie bei der Stadtpräsentation und bei dem Kurzvortrag gelernt
haben. Achten Sie auf die Einleitung und den Schluss. Denken Sie auch daran, wie man
einen Text strukturieren kann.

---

**FOKUS GRAMMATIK: Test**

**45** Formulieren Sie die Sätze mit den angegebenen Konjunktionen.

1 Ich bin hungrig und ich habe Durst. (außerdem)
2 Wir müssen die Bestellungen heute noch bearbeiten. Und wir müssen die Absatzzahlen besprechen.
   (darüber hinaus)
3 Radfahren ist gesund und billig. (dazu auch)
4 Das ist wichtig und eine Selbstverständlichkeit. (erstens … zweitens)
5 Wir müssen die Personalkosten und die wirtschaftliche Situation im Auge behalten. (neben … auch)
6 Bei uns gibt es guten Kaffee und leckeren Kuchen. (nicht nur …, sondern auch / sowohl … als auch)
7 Bei einem guten Vortrag kommt es darauf an, dass das Thema interessant ist und dass man sich
   verständlich ausdrückt. (zum einen …, zum anderen)
8 Diese Apfelsorte enthält besonders viele Ballaststoffe und lebenswichtige Vitamine. (sowie)

**46** Artikelwörter

**ⓐ Artikel oder Pronomen? Kreuzen Sie an.**

|   | Artikel | Pronomen |
|---|---|---|
| 1 Komm mal her, *mein* Schatz. | ☐ | ☐ |
| 2 *Dieses* Problem haben wir schon lange. | ☐ | ☐ |
| 3 Was, *den* kennst du? | ☐ | ☐ |
| 4 Nein, ich habe *keinen* gesehen. | ☐ | ☐ |
| 5 Zur Siegerehrung sind *einige* nicht gekommen. | ☐ | ☐ |
| 6 *Alle* meine Entchen schwimmen auf dem See. | ☐ | ☐ |
| 7 *Lauter* nette und freundliche Menschen. Das wurde mir unheimlich. | ☐ | ☐ |
| 8 Das ist *meins*, gib es wieder her. | ☐ | ☐ |
| 9 Es gibt *mehrere* Bankautomaten hier. | ☐ | ☐ |
| 10 Ich habe Lust auf Kekse. Gibt's noch *welche*? | ☐ | ☐ |

**ⓑ Welches Artikelwort passt? Kreuzen Sie an.**

1 Das ist ☐ eine ☐ die schöne Geschichte.
2 ☐ Die ☐ Eine neue Firma, in der ich arbeite, liegt ziemlich zentral.
3 Ich habe ☐ viele ☐ die neue Leute kennengelernt.
4 Das passiert mir fast ☐ alle ☐ jeden Tag.
5 Ich hätte gern Roggenbrötchen, wenn es noch ☐ welche ☐ diese gibt.
6 Bis ich ans Büfett kam, waren ☐ keine ☐ sämtliche Brötchen mehr da.

**47** Lesen Sie den Text einmal schnell. Lesen Sie ihn dann noch einmal und markieren Sie am Textrand, wo Sie ein Argument für Gasautos (+) und wo Sie ein Argument gegen Gasautos (–) gefunden haben.
Machen Sie dann ein Ausrufezeichen (!) dort, wo Sie etwas gelesen haben, worüber Sie gern mehr wissen würden.

Expertenrat

## Leser fragen, Experten antworten

**Hermann Keller, Planegg: Welche Vor- und Nachteile haben Erdgasautos? Kann der Gastank bei einem Fahrzeugbrand explodieren?**

Ob Explosionsgefahr besteht, hat der ADAC in einem Crashtest mit einem Erdgas-Zafira (Opel) geprüft. Ergebnis: Beim Frontalaufprall wurden die am Fahrzeugboden angebrachten Gasflaschen durch den umgebenden Metallkäfig optimal geschützt, sämtliche Leitungen und Verbindungsstücke hielten durch die Aktivierung elektromagnetischer Absperrventile dicht. Auch beim anschließenden Brandversuch bestand zu keiner Zeit Explosionsgefahr. Der Grund: Sicherheitsventile sorgen bei einer starken Kollision für ein kontrolliertes Abbrennen des Gases. Wichtig für die Sicherheit von Erdgasfahrzeugen ist jedoch die Einhaltung der Prüfintervalle und -richtlinien.

Zu Ihrer Frage nach den Vorteilen: Da ist zunächst der günstigere Erdgaspreis aufgrund des niedrigen Mineralölsteuersatzes, der bis 2018 festgeschrieben ist. Viele lokale Energieversorger unterstützen zudem die Neuanschaffung eines Erdgasautos mit einmaligen Zuschüssen und vielem mehr. Eine Übersicht über alle Vergünstigungen finden Sie auch unter www.erdgasfahrzeuge.de.

Damit zu den Nachteilen: Das Tankstellennetz ist immer noch löchrig. In Deutschland gibt es derzeit rund 830 Stationen. Hinzu kommt, dass nur gut drei Viertel der Zapfsäulen frei zugänglich oder lediglich zu bestimmten Zeiten geöffnet sind. Allerdings wächst das Angebot. Eine hilfreiche Übersicht mit Routenplaner und Erdgastankstellensuche in einem bestimmten Postleitzahlengebiet bietet die Internetplattform www.gibgas.de. Begrenzt ist auch das Neuwagen-Angebot. Eine Auflistung der gängigen Modelle mit ihren technischen Daten und dem Neuwagenpreis ist abrufbar unter www.adac.de, Rubrik „Auto, Motorrad & Oldtimer", Menüpunkt „tanken", „Alternative Kraftstoffe".

Dass die Weiterentwicklung der Erdgas-Technologie nicht schläft, zeigt das hervorragende Abschneiden des VW Passat 1.4TSI EcoFuel beim letzten ADAC-Eco-Test, der fast 900 Fahrzeuge hinsichtlich Verbrauch und Schadstoffausstoß bewertet und den Käufern auf einen Blick zeigt, wie umweltfreundlich das ins Auge gefasste Modell abschneidet. Als erstes Modell erreichte das Erdgasfahrzeug fünf Sterne. Damit ist der Passat das derzeit umweltverträglichste Auto in Europa.

**48**

Sprechen

**ⓐ Lesen Sie die Situationsbeschreibung.**

Ihre Freundin Anna hat gerade ihre Banklehre beendet. Sie hat einen ausgezeichneten Abschluss gemacht, und die Bank hat ihr eine Festanstellung angeboten, mit Karrierechancen. Und das in der heutigen Zeit! Anna überlegt aber, ob sie nun nicht doch Betriebswirtschaft studieren soll. Das war früher ihr Traum. Sie müsste aber nebenbei arbeiten, weil sie sich das Studium finanzieren muss. Anna möchte das mit Ihnen besprechen, möchte Ihre Meinung dazu hören und einen Rat von Ihnen bekommen.

**ⓑ Überlegen Sie zwei Minuten lang, was Sie sagen könnten, und machen Sie sich Notizen.**

**ⓒ Sprechen Sie nun (etwa zwei Minuten lang).**

**ⓓ Wenn möglich, nehmen Sie auf, was Sie sprechen.**

1 Hören Sie sich die Aufnahme dann an. Suchen Sie im Buch oder auf der CD-ROM die Wendungen und Ausdrücke heraus, die Sie für Ihre Argumente brauchen. Vergleichen Sie diese mit dem, was Sie gesagt haben.

2 Wiederholen Sie die Aufnahme gegebenenfalls mit passenderen oder abwechslungsreicheren Wendungen und Ausdrücken. Achten Sie darauf, dass Sie die Ausdrücke und Wendungen beim Sprechen sicher anwenden können.

15

**Lesen (kursorisch, detailliert)**

**1** **Ein passendes Geschenk suchen**

Sie suchen Geschenke für verschiedene Personen. Es gibt jeweils nur eine richtige Lösung. Es ist möglich, dass Sie nicht für jede Person etwas genau Passendes finden. Notieren Sie in diesem Fall „negativ".

Sie suchen ein passendes Geschenk für: …

1 einen Freund, der gern kocht und gern Neues ausprobiert.                    ☐

2 Ihre Nichte, die gerade die Schule beendet hat und noch nicht weiß, wie's nun weitergehen soll. ☐

3 Ihre Nachbarin, die gern mit Reisegruppen unterwegs ist.                    ☐

4 Ihren Onkel, einen pensionierten Literaturprofessor.                        ☐

5 eine Freundin, die sich ständig gestresst fühlt und unter Schlafstörungen leidet. ☐

**A  Frust-Schutz**

Nehmen Sie es durchaus persönlich, wenn statt Ihrer ein Kollege befördert wird? Ihr Berufsleben ist ein Jammertal? Für alle Unzufriedenen haben Sonja Radatz und Oliver Bartels die perfekte Selbsthilfe-Strategie. Herrlich ironisch schildern sie mit Worten und originellen Karikaturen klassische Leidauslöser – und machen damit klar, wo die Eigenverantwortung für Leid liegt, was man lieber lassen oder anders machen sollte. Selbsterkenntnis mit hohem Spaßfaktor!

**B  Sesam, öffne dich!**

Eine echte Schatztruhe für kulinarische Entdecker ist „Thai Mahal". Die Box enthält 19 Aluminiumdöschen mit feinen Gewürzen, die Asiens aromatische Vielfalt auf jeden Tisch zaubern. Für gutes Gelingen sorgt ein Büchlein mit ausführlicher Warenkunde und original thailändischen Rezepten. Alle Produkte stammen aus organischem Anbau und werden direkt bei den Erzeugern bezogen, die faire Preise bekommen. Zehn Prozent des Verkaufspreises werden an „Ärzte für die Dritte Welt" gespendet.

**C  Freiheit, die ich meine**

War das alles? Carsten Alex, Manager in einem Automobilkonzern, wollte es genau wissen. Deshalb wagte er den Schritt, von dem die meisten nur träumen, kündigte Job und Wohnung und gönnte sich zwei Jahre Auszeit. Auf Reisen gewann er Klarheit darüber, was er wirklich vom Leben erwartet. Um wertvolle Einsichten bereichert, schildert er – nach dem geglückten Wiedereinstieg – seinen lohnenden Selbstversuch, der auch für Leser ein Gewinn ist.

**D  Elementares Wissen**

Umfassende Allgemeinbildung als Hörabenteuer: Von der Antike bis zu den modernen Medien führt die abwechslungsreiche Entdeckungsreise durch die faszinierende Welt des Wissens. Gegliedert ist sie in sieben Themenbereiche, darunter die Weltreligionen, Politik und Länderkunde. Ob Geistes- oder Naturwissenschaften, alles wird frei von Fachchinesisch auf ebenso lebendige wie fundierte Art vermittelt von den erfahrenen Sprechern Martina Köhler und Michael Schwarzmaier.

**E  Mischen Sie mit!**

Eine geniale Idee für alle Individualisten, die schon beim Frühstück ganz genau wissen, was sie wollen: www.mymuesli.com bietet unbegrenzte Möglichkeiten, das ganz persönliche Lieblingsmüsli zusammenzustellen. Über ein Dutzend Basismischungen lassen sich verfeinern durch die 70 leckeren Zutaten von Amaranth- bis Quinoaflocken über Kürbiskerne und Kokoschips bis zu getrockneten Früchten – natürlich alles bio und ohne Zusatz von Zucker, Farbstoffen und Geschmacksverstärkern.

### F Wegweiser und Ratgeber

Studieren ist eine Lust: Endlich darf man das lernen, was einen wirklich interessiert, geht vielleicht für ein Semester ins Ausland. Für manche wird das Studium aber auch zur Last: Sie brauchen lange, um sich an der Universität zurechtzufinden, und sind unsicher, ob sie sich für das Richtige entschieden haben. Kein Wunder: In Deutschland gibt es mehr als 300 Hochschulen, über 80 Studienfächer und knapp 10 000 Studiengänge. Aus dieser Masse das Passende zu finden ist nicht leicht. Hier schafft der *ZEIT Studienführer* Abhilfe. Er stellt die wichtigsten Studienfächer in ausführlichen Porträts vor und gibt in Reportagen einen Eindruck vom Uni-alltag. Damit das Studium von Anfang an mehr Lust als Last bedeutet.

### G Lauter Lyrik

**Der Hör-Conrady – Die große Sammlung deutscher Gedichte**

Das größte Lyrik-Projekt Deutschlands: 1100 Gedichte aus 1200 Jahren von mehr als 460 Dichterinnen und Dichtern, gesprochen von der deutschen Schauspielelite.
Auf 21 CDs ist ein einzigartiges Archiv der deutschsprachigen Lyrik versammelt. Vertreten sind Minnesänger, Dichterfürsten, Wunderkinder, Romantiker, Satiriker ebenso wie Liedermacher und Slampoeten. Ob Hymnen, Gebete, Balladen, Sonette, Elegien und Oden, Lehrgedichte und Protestgedichte, Epigramme, Naturlyrik und erotische Gedichte, Spottgedichte und Liebesgedichte – der Hör-Conrady bietet weit mehr als die bekannten Stücke.

### H Autogenes Training – sich entspannen auf Abruf

Palmen, türkisfarbenes Meer, Federwolken und Sonnenuntergänge illustrieren die Anweisungen von Trainer Chris. Fast schon schade, dass man die Augen fürs autogene Training schließen muss. Diese wissenschaftlich erprobte Methode der Selbstbeeinflussung erweitert die Blutgefäße und entspannt die Muskulatur. Langfristig erhöht sie die physische Belastbarkeit, Entspannungsreaktionen können schneller abgerufen werden, Stress schwindet. Sind nach einiger Zeit die Formeln verinnerlicht, kann man die sanfte Gitarrenmusik auch ohne die Anweisungen des Trainers hören.

**16**

---

**Hören (detailliert)**

**2**

73
CD2,8

### Ein Interview hören

Sie hören ein Rundfunkinterview. Dazu sollen Sie zehn Aufgaben lösen. Sie hören das Interview nur einmal. Entscheiden Sie beim Hören, ob die Aussagen 1–10 richtig oder falsch sind.

| | richtig | falsch |
|---|---|---|
| 1 Harald Schmid hat bei der Weltmeisterschaft 1987 in Rom die Goldmedaille im Hürdenlauf gewonnen. | ☐ | ☐ |
| 2 Er setzt sich in einer internationalen Kampagne für drogensüchtige Kinder ein. | ☐ | ☐ |
| 3 Nach Meinung Schmids wirkt sich Sport positiv auf das Selbstwertgefühl von Kindern und Jugendlichen aus. | ☐ | ☐ |
| 4 Sport vermittelt Kindern die Erfahrung, dass sie etwas leisten können. | ☐ | ☐ |
| 5 Erwachsene sollten Jugendliche generell lieber in Ruhe lassen und nicht so oft fragen, wie es ihnen geht. | ☐ | ☐ |
| 6 Eltern sollten möglichst viel Zeit mit ihren Kindern verbringen und ihnen in Bezug auf körperliche Betätigung ein Vorbild sein. | ☐ | ☐ |
| 7 Harald Schmid ist der Meinung, im Sport zähle in erster Linie die Disziplin; da müsse man eben auf Spaß verzichten. | ☐ | ☐ |
| 8 Die Motivation zum Leistungssport muss von den Kindern selbst von innen heraus kommen. | ☐ | ☐ |
| 9 Harald Schmids sportliche Karriere begann, nachdem er beim Abitur zweimal durchgefallen war. | ☐ | ☐ |
| 10 Gestressten Menschen rät er, regelmäßig ins Fitnessstudio zu gehen. | ☐ | ☐ |

**3** **Einen Brief korrigieren**

Eine französische Bekannte hat Ihnen einen Brief vorgelegt, den Sie korrigieren sollen, weil Sie besser Deutsch können als sie.

– Lesen Sie den Brief sorgfältig durch.
– Schreiben Sie die richtige Form an den Rand (Beispiel 1).
– Wenn die Wortstellung falsch ist, schreiben Sie das falsch platzierte Wort zusammen mit dem Wort, mit dem es vorkommen soll, an den rechten Rand (Beispiel 4).

Marseille, den 5. Februar 20..

Sehr liebe Familie Dengler,                                              1 *geehrte*

mein Name ist Cécile Dupont. Ich bin 19 Jahre alt und
wohne ich momentan noch bei meinen Eltern in Marseille.      2 ...................
Seit diesem Sommer ich werde nach Hamburg ziehen und        3 ............... 4 *werde ich*
dort einen Sprachkurs machen, um später mit meinem
Germanistikstudium beginnen können. Ich habe in              5 ...................
Frankreich sechs Jahre lang Deutsch in der Schule
gelernt und mochte nun meine Sprachkenntnisse in             6 ...................
Deutsch verbessern.
Meine Freundin Valérie hat mir erzählt, dass Sie ein         7 ...................
Sohn und eine Tochter haben und ab September für zwei
Tage pro Woche ein Betreuung für Ihre Kinder suchen.         8 ...................
Sehr gern würde ich diese Aufgabe übernehmen, wenn sie
sich zeitig mit meinen Kursen und Seminaren an der Uni       9 ...................
verbinden lässt. Da ich mich immer viel für die Kinder      10 ...................
meiner großen Schwester gekümmert habe, ich bringe          11 ...................
auch Erfahrung in der Kinderbetreuung mit.

Ich freue mich für Ihre Antwort.                            12 ...................

Mit freundlichen Grüßen

Cécile Dupont

## Einen Brief vervollständigen

Lesen Sie den folgenden Text und entscheiden Sie, welches Wort (a, b oder c) in die jeweilige Lücke passt.

Sehr geehrter Herr Freienstein,

mit diesem Schreiben .b.............................. (1) wir Ihnen die Kündigung Ihres GOL Internetzugangs.

Wir bedauern Ihre Entscheidung sehr. Bitte beachten Sie, dass einige Tage nach Erstellung der

Abschlussrechnung Ihres GOL Vertrags eine letztmalige Belastung ............................... (2)

Bankverbindung bzw. Kreditkarte erfolgen kann.

Wussten Sie ........................... (3), dass Sie die GOL Services und Funktionen weiterhin kostenlos

nutzen können – ohne Zeitbeschränkung? Melden Sie sich einfach wie gewohnt mit Ihrem GOL

Namen an. Der einzige Unterschied: Eine Einwahl ins Internet über GOL, ................................... (4)

Sie es bisher gewohnt waren, ist nicht mehr möglich, da Sie sich für einen anderen Internetanbieter

entschieden haben.

Wichtig: ............................ (5) Sie auch mit Ihrem neuen Internetanbieter Ihre GOL Software nutzen

können, brauchen Sie nur einmal eine kleine technische Einstellung ................................ (6).

– Gehen Sie zuerst mit Ihrem neuen Internetanbieter online.

– Danach starten Sie nur Ihre GOL Software, die dann automatisch diese neue Verbindung erkennt.

............................ (7) Sie eventuell die folgende Meldung „Optimale Verbindungsart hat sich geän-

dert" erhalten, brauchen Sie diese nur mit „OK" zu bestätigen. Und das war es auch schon.

Zukünftig starten Sie immer zuerst die Internetverbindung mit Ihrem neuen Anbieter und danach die

GOL Software. ............................ (8) Sie kostenpflichtige Dienste (wie SMS-Versand oder AOL

Music.Downloads) nutzen, wird dies ganz bequem – wie in der Vergangenheit auch – direkt über

GOL ................................ (9).

Für weitere Informationen ................................... (10) Ihnen GOL unter der Telefonnummer 0900 /

2856527 (1,86 Euro/Minute aus dem deutschen Festnetz, aus Mobilfunknetzen können abweichende

Preise gelten) täglich von 7 bis 1 Uhr zur Verfügung.

Mit freundlichen Grüßen

Marie Lindner

| | | | |
|---|---|---|---|
| **1** a begrüßen | **4** a so | **7** a Sollen | **10** a hilft |
| b bestätigen | b wie | b Sollten | b kommt |
| c beglaubigen | c wann | c Wollen | c steht |
| | | | |
| **2** a Ihrer | **5** a Damit | **8** a Ob | |
| b Ihren | b Da | b Wann | |
| c Ihre | c Dafür | c Wenn | |
| | | | |
| **3** a noch | **6** a zu vornehmen | **9** a abrechnen | |
| b erst | b vornehmen | b abgerechnet | |
| c schon | c vorzunehmen | c abrechnet | |

16

**5** Bitte immer schön der Reihe nach

Lesen Sie den Text auf der gegenüberliegenden Seite. Entscheiden Sie,
welche der Antworten (a, b oder c) passt. Es gibt jeweils nur eine richtige Lösung.

Beispiel:

0 Man spricht von Multitasking, wenn Menschen …

  a viel arbeiten.

  ✗ verschiedene Dinge gleichzeitig tun.

  c verschiedene Talente haben.

1 Wissenschaftler haben herausgefunden, dass ein Mensch, der verschiedene Aufgaben
  gleichzeitig erledigt, …

  a schneller und effektiver arbeitet.

  b seltener unter Stress leidet.

  c häufiger Fehler macht.

2 Untersuchungen haben bewiesen, dass Multitasking …

  a gegen Dauerstress hilft.

  b Zeit kostet.

  c der Arbeitsweise unseres Gehirns entspricht.

3 Messungen der Hirnaktivität von Versuchspersonen haben gezeigt, …

  a dass man sich nicht mit derselben Intensität auf mehrere Aufgaben gleichzeitig konzentrieren kann.

  b dass unser Gehirn in der Lage ist, mehrere Aufgaben mit voller Kraft gleichzeitig zu lösen.

  c dass es unmöglich ist, mehrere Aufgaben gleichzeitig zu lösen.

4 Wie funktioniert unser Gehirn, wenn wir zum Beispiel neue Menschen kennenlernen?

  a Das Gehirn nimmt einzelne Eindrücke nacheinander wahr, weil es sonst überfordert wäre.

  b Verschiedene Eindrücke werden blitzschnell und unbewusst zu einem einheitlichen Bild
    zusammengefügt.

  c Visuelle Eindrücke werden zuerst wahrgenommen und verarbeitet.

5 Eine Freisprechanlage im Auto …

  a ermöglicht dem Fahrer die volle Konzentration auf den Verkehr und das Telefonat.

  b erhöht die Sicherheit, weil der Fahrer gleichzeitig auf den Verkehr und seinen Gesprächspartner
    reagieren kann.

  c ist gefährlich, weil das Gehirn gleichzeitig wahrnehmen und reagieren muss.

# Bitte immer schön der Reihe nach

[...] Der Mensch ist offenbar nicht in der Lage, erfolgreich mehrere Dinge auf einmal zu tun. Das bestätigen Wissenschaftler in neueren Untersuchungen. Zwar beharren viele Unternehmer und Betriebsberater auf der Ansicht, verschiedene Aufgaben zugleich zu erledigen sei das Patentrezept gegen Dauerstress, gegen zu viel und zu langsam erledigte Arbeit. Multitasking nennen sie dieses Rezept. Doch Psychologen, Neurowissenschaftler und Ökonomen widersprechen mittlerweile einhellig: Der Mensch mache bei solchem Vorgehen haufenweise Fehler, sein Gehirn sei der Doppelbelastung nicht gewachsen. Er verschwende sogar Zeit, und zwar mehr als ein Viertel, weil er Fehler wieder ausbügeln und sich an die jeweils nächste Aufgabe erinnern müsse. „Im Alltag merken wir das nur deshalb nicht, weil nicht dauernd jemand mit der Stoppuhr neben uns steht", sagt der Psychologe Iring Koch von der Technischen Hochschule in Aachen. Multitasking widerspricht damit nicht nur der Arbeitsweise des Gehirns, sondern auch dem ökonomischen Denken. Der Gleichzeitigkeitswahn verschwendet wertvolle Arbeitszeit.

Im Kernspintomografen messen Wissenschaftler, wie gut das Gehirn damit klarkommt, wenn es mehrere Aufgaben gleichzeitig erledigen soll. Marcel Just von der Carnegie Mellon University in Pittsburgh las seinen Probanden zunächst einfache Sätze vor. Die Versuchspersonen sollten nur zuhören. Die für die Spracherkennung zuständigen Gehirnareale waren erwartungsgemäß höchst aktiv. Dann sahen die Probanden zusätzlich Bilder von zwei komplizierten, dreidimensionalen Objekten, die sie miteinander vergleichen sollten. Das gelang den Studienteilnehmern zwar in neun von zehn Fällen, doch ihr Gehirn kam mit der Doppelbelastung nicht zurecht. Die Spracherkennungsareale waren in der Multitasking-Aufgabe nicht mal mehr halb so aktiv wie zuvor. Der Preis für das vermeintliche Multitasking besteht darin, dass zumindest eine der Aufgaben nur mit halber Kraft bearbeitet wird. Ein Autofahrer, der sich auf den Gegenverkehr und sein Telefongespräch zu konzentrieren versucht, hat deshalb keine Kapazitäten mehr frei, um auf den Fußgänger am Fahrbahnrand zu reagieren.

Dabei können Menschen durchaus mehrere Eindrücke parallel wahrnehmen. Am leichtesten fällt das, wenn es darum geht, andere Menschen einzuschätzen. „Lernen wir zum Beispiel auf einer Party jemanden kennen, setzt das Gehirn in Windeseile aus einzelnen Komponenten einen Gesamteindruck zusammen: Wie bewegt er sich, wie sieht sein Gesicht aus, was sagt er und wie hört sich die Stimme an? Weil alle diese Informationen zu einem Ganzen zusammengefügt werden, sehen wir den Menschen selbstverständlich als Einheit", erklärt der Münchener Hirnforscher Ernst Pöppel. „Paradoxerweise versagen wir gerade deswegen im bewussten Multitasking, weil wir es nahezu ununterbrochen auf der unbewussten Ebene schon tun."

Wenn das Gehirn nicht mehr nur wahrnehmen, sondern auch reagieren muss, scheitert jeder Versuch von Gleichzeitigkeit. Daher befreit eine Freisprechanlage im Auto nicht von den Nachteilen des Multitaskings. „Das Problem ist nicht, dass man nur eine Hand am Lenkrad hat, sondern dass man sich für die richtige Reaktion entscheiden muss – sowohl im Straßenverkehr wie beim Gespräch am Handy", sagt Thorsten Schubert von der Humboldt-Universität.

16

## 6  Internationaler Deutschlehrertag

Hören Sie die Nachricht und korrigieren Sie während des Hörens die falschen Informationen oder ergänzen Sie die fehlenden Informationen.

### Internationale Deutschlehrertagung

Datum:  3. bis 8. August
Ort:  Jena und Weimar

| Veranstaltungen | wann? | wo? |
|---|---|---|
| Feierliche Eröffnungsveranstaltung | 3. August, ~~11 bis 13 Uhr~~ | Volkshaus |
| Vortrag | Dienstag, 4. August, 9 bis 11 Uhr | ............... |
| Ausflug | ..............., ganztägig | Dresden |
| Podiumsdiskussion | Donnerstagnachmittag, 16 bis 18 Uhr | Auditorium |
| Lesung | Donnerstag, 19.30 Uhr | ............... |
| Abendempfang | Freitag, 8. August, ab 18.30 Uhr | auf dem Campus, Ernst-Abbe-Platz |

| Sonstige Informationen von Angela | | |
|---|---|---|
| Tagungsgebühr | ............... Euro | |
| Hotel | Hinsberger | |
| Lage | zentral | |
| Telefonnummer | ............... | |

**7** Nachhilfelehrer gesucht

Situation: Um sich Ihr Studium zu finanzieren, haben Sie letzten Herbst einen Nebenjob als Nachhilfelehrer/in für Ihre Muttersprache Englisch angenommen. Der Job hat jedoch überhaupt nicht Ihren Erwartungen entsprochen. Sie haben sich bereits Notizen dazu gemacht.

### Nachhilfelehrer/in bundesweit gesucht

Wir suchen ab sofort Studenten/-innen und Muttersprachler/innen aus allen Ländern, die Interesse an einem Nebenjob als Nachhilfelehrer/in auf selbstständiger Basis haben.

**Ihre Aufgabe**

- effektive Einzelnachhilfe
- nach Vereinbarung beim Schüler oder beim Lehrer zu Hause

*war nur beim Schüler zu Hause möglich*

**Was Sie erwartet**

- Nachhilfeschüler in Ihrer Nähe
- eine interessante selbstständige Tätigkeit
- freie Zeit- und Honorargestaltung
- Sie selbst bestimmen, welche Schüler Sie unterrichten möchten

*Schüler wohnte am anderen Ende der Stadt*

*Nachhilfe konnte nur am Nachmittag stattfinden*

**Ihr Profil**

- fachliche Kompetenz — Geduld
- Motivationsfähigkeit — Höflichkeit

*Eltern wollten maximal 15 Euro/ Stunde zahlen*

Haben wir Ihr Interesse an einem Nebenjob als Nachhilfelehrer geweckt? Dann können Sie unter www.lehr31.de ab sofort ein Lehrerprofil anlegen. Bitte KEINE Bewerbungsunterlagen zusenden. Ihre Qualifikationen tragen Sie selbstständig in Ihr Lehrerprofil ein.

**Lehr 31 Network GmbH**
E-Mail: kontakt@lehr31.net
www.lehr31.de

Schreiben Sie nun eine Beschwerde-E-Mail an die Lehr31 Network GmbH, in der Sie auf alle Ihre Notizen eingehen. Schreiben Sie mindestens 120 Wörter und beachten Sie dabei auch die formalen Kriterien dieser Textsorte (Anrede, Grußformel).

**8**   **Brief**

Lesen Sie den Brief und ergänzen Sie die fehlenden Wörter. Achtung: Die Lösungen müssen sinngemäß, grammatikalisch und orthografisch passen. Es gibt für jede Lücke eine Lösung mit einem Wort. Keine Lücke darf leer bleiben.

Sehr (0) *geehrte* Patienten,

nach fast 20 Jahren anstrengender, (1) ............................. auch erfüllender Berufsausübung als Ihr Zahnarzt habe ich mich mit meiner Frau (2) ............................., meinen Tätigkeitsschwerpunkt nach Italien zu verlegen.

Natürlich soll die Praxis, die dank Ihrer Mithilfe so (3) ............................. aufgebaut wurde, auch weiterhin Ihr zuverlässiger und kompetenter Partner in allen Fachfragen rund um die Zahnmedizin bleiben. Ich habe mich (4) ............................. intensiv nach einem besonders qualifizierten Kollegen umgesehen und freue mich, Ihnen mitteilen (5) ............................. können, dass Herr Dr. Udo Hermeling die Praxis ab Januar übernehmen wird.

Herr Dr. Hermeling hatte seine eigene Praxis viele Jahre in Schleswig. Als gebürtiger Hamburger (6) ............................. er jedoch schon länger den Wunsch, in Hamburg zu praktizieren.

Kollege Dr. Hermeling erschien mir als Nachfolger besonders geeignet, weil er fachlich und menschlich ein hoch qualifizierter Zahnarzt ist. Er kann das gleiche universelle Behandlungsspektrum bieten, (7) ............................. es meine Patienten von (8) ............................. gewohnt waren. Somit bleibt nach der Übergabe der Praxis an Dr. Hermeling die Kontinuität gewahrt.

Ich denke, dass Sie als Patient Dr. Hermeling das gleiche Vertrauen entgegenbringen können wie mir und damit bestens aufgehoben sind.

Für das Vertrauen, (9) ............................. Sie mir über die Jahre entgegengebracht haben, möchte ich mich sehr bedanken und verbleibe mit herzlichem (10) .............................

Ihr Dr. Paicher

**9**   **Neues aus …**

75
CD 2,10

Sie hören jetzt fünf kurze Texte. Dazu sollen Sie fünf Aufgaben lösen. Sie hören diese Ansagen nur einmal. Entscheiden Sie beim Hören, ob die Aussagen 1–5 richtig oder falsch sind.

|  |  | richtig | falsch |
|---|---|---|---|
| 1 | Der schottische Liedermacher Jacky Leaden musste seinen Konzerttermin in Stuttgart leider absagen. | ☐ | ☐ |
| 2 | Die Ausstellungsobjekte in Oldenburg stammten aus einer privaten Kunstsammlung. | ☐ | ☐ |
| 3 | Auch im äußersten Norden Deutschlands fällt viel Schnee. | ☐ | ☐ |
| 4 | Der Film „Esmas Geheimnis" hat heute Abend Premiere im Kino. | ☐ | ☐ |
| 5 | Das Stück „Kapitel 13" wird im Imperial Theater aufgeführt. | ☐ | ☐ |

## 10 Da fehlt etwas.

Situation: Ein Freund schickt Ihnen folgenden Zeitungsartikel per Fax. Leider ist der rechte Rand abgeschnitten. Rekonstruieren Sie den Text, indem Sie die fehlenden Wörter bzw. Wortteile an den rechten Rand (siehe Beispiele a, b) schreiben. Es gibt für jede Lücke eine Lösung mit maximal drei Buchstaben.

| | |
|---|---|
| **Neue Studien beweisen: Ein bissc** | _hen_ (a) |
| **Speck muss sein** | |
| Schluss mit den ständigen Diäten: | _Men_ (b) |
| schen mit leichtem Übergewicht leben | .......................... (1) |
| Schnitt länger und sind weniger anfäl | .......................... (2) |
| für Krankheiten als der Rest der | .......................... (3) |
| völkerung. Offensichtlich schützen | .......................... (4) |
| kleinen Fettpölsterchen, so die Erkennt | .......................... (5) |
| amerikanischer Mediziner, die Mensc | .......................... (6) |
| vor einer ganzen Reihe von Krankheit | .................... , (7) |
| darunter Alzheimer, Parkinson | .......................... (8) |
| Lungenerkrankungen. Leicht Über | .......................... (9) |
| wichtige erholten sich zudem schnel | .......................... (10) |
| von Operationen und seien wenig | .......................... (11) |
| anfällig für Infektionen. Außerde | .......................... (12) |
| konnte bei ihnen, anders als bisla | .......................... (13) |
| gedacht, kein erhöhtes Risiko für Diabe | .......................... (14) |
| oder Herzerkrankungen festgestel | .......................... (15) |
| werden. Stark fettleibige Mensch | .......................... (16) |
| dagegen haben tatsächlich eine kürz | .......................... (17) |
| Lebenserwartung. Deren Proble | .......................... (18) |
| beruhen jedoch häufig ohnehin | .......................... (19) |
| Erkrankungen des Stoffwechsels und ni | .......................... (20) |
| auf bewusster hemmungsloser Völlerei. | |

16

## 11 Leserbrief
## Wählen Sie Thema A oder Thema B.

**Thema A: Tonnenweise landet unser Essen im Müll**
Ihre Aufgabe ist es, auf einen Kommentar in einer deutschen Zeitung zu reagieren. Sie sollen sich mit der Tatsache auseinandersetzen, dass in einem westlichen Industrieland wie Deutschland häufig Lebensmittel auf dem Müll landen.

**Thema B: Zu dick für den Staatsdienst**

Ihre Aufgabe ist es, auf eine Meldung in einer deutschen Zeitung zu reagieren. Sie sollen darlegen, was Sie davon halten, dass eine Lehrerin in Oberbayern wegen ihres zu hohen Gewichts nicht eingestellt werden darf.

In einer deutschen Zeitung lesen Sie:

### A   Tonnenweise landet unser Essen im Müll

Unsere Lebensmittel sind zum Wegwerfprodukt geworden. Den vernünftigen Umgang mit ihnen müssen wir erst wieder lernen. Wir jammern, dass Milch und Tomaten teurer geworden sind und Lebensmittelpreise überhaupt einen Sprung nach oben gemacht haben. Wenn man sich jedoch Müllcontainer anschaut, liegt der Gedanke nahe: Alles ist noch viel zu billig! Wie kann es sonst sein, dass 50 Prozent der Lebensmittel, die auf dem Müll landen, aus privaten Haushalten stammen? Und etwa 10 Prozent aller verpackten Lebensmittel ungeöffnet im Hausmüll vergammeln? Damit schmeißen wir 390 Euro pro Haushalt und Jahr, insgesamt also 15 Milliarden Euro, weg!

Schreiben Sie als Reaktion darauf an die Zeitung. Sagen Sie,

– warum Sie schreiben und was Sie von diesem Kommentar halten,
– wie Sie die Situation in den westlichen Industrienationen (in Ihrem Land) einschätzen,
– wie Sie selbst mit Lebensmitteln umgehen,
– was Sie anderen im Umgang mit Lebensmitteln raten würden.

**Hinweise:**

Vergessen Sie bitte nicht Anrede und Gruß.

Die Adresse der Zeitung brauchen Sie nicht anzugeben.

Bei der Beurteilung wird u. a. darauf geachtet,

– ob Sie alle vier angegebenen Inhaltspunkte berücksichtigt haben,
– wie korrekt Sie schreiben,
– wie gut Sätze und Abschnitte sprachlich miteinander verknüpft sind.

Schreiben Sie mindestens 180 Wörter.

### B   Zu dick für den Staatsdienst – Regierung verlangt von Lehrerin, Diät zu halten

Die Regierung von Oberbayern weigert sich, eine 29-jährige Pädagogin in ihre Dienste zu übernehmen, weil sie zu dick ist. Noch vor zehn Jahren wären die überzähligen Kilos der Frau wahrscheinlich kein Thema für die Behörde gewesen: Die Hauptschullehrerin wäre als „mollig" oder „vollschlank" beim Amtsarzt durchgewinkt worden – vielleicht mit der Ermahnung, ein paar Pfunde abzuspecken. Doch inzwischen spielen Body-Mass-Index und Hüftumfang eine wichtige Rolle bei der Frage, ob jemand Beamter werden darf. Am Dienstag klagte die Betroffene vor dem Verwaltungsgericht München gegen den Freistaat. [...]

Schreiben Sie als Reaktion darauf an die Zeitung. Sagen Sie,

– ob die Regierung von Oberbayern Ihrer Meinung nach richtig handelt,
– welche Gründe es für und gegen diese Entscheidung geben könnte,
– was die Öffentlichkeit davon halten könnte,
– was Sie der jungen Frau raten würden.

**Hinweise:**

Vergessen Sie bitte nicht Anrede und Gruß. Die Adresse der Zeitung brauchen Sie nicht anzugeben.

Bei der Beurteilung wird u. a. darauf geachtet,

– ob Sie alle vier angegebenen Inhaltspunkte berücksichtigt haben,
– wie korrekt Sie schreiben,
– wie gut Sätze und Abschnitte sprachlich miteinander verknüpft sind.

Schreiben Sie mindestens 180 Wörter.

## 2 Wie sehen Sie das?

Lesen Sie den Text. Stellen Sie fest, wie der Autor
des Textes folgende Fragen beurteilt:

a  positiv
b  negativ bzw. skeptisch

Wie beurteilt der Autor …

0  die Tatsache, dass sich Sprache immer verändert?   [a]
1  die bewusste und geregelte Steuerung von Sprachentwicklung?   [ ]
2  die weltweite Vormachtstellung des Englischen?   [ ]
3  den Einfluss fremder Sprachen auf die eigene Sprache?   [ ]
4  die Tatsache, dass wir einige englische Wörter täglich und unbewusst gebrauchen?   [ ]
5  den übertriebenen Gebrauch von englischen Wörtern?   [ ]

### Anglizismen in der deutschen Sprache

Gegen Anglizismen in der deutschen Sprache zu kämpfen, das wäre etwa so, als wenn ich der Sonne verbieten würde, auf mein Grundstück zu scheinen. Es ist sinnlos, nutzlos, vergeudete Zeit. Sprache lässt sich nicht steuern. Bestenfalls grammatikalisch reglementieren. Sprache ist lebendig. Vergleichbar mit einem Organismus, der Einflüsse abstößt und aufnimmt. Und sich letztendlich seiner Umwelt anpasst.

Unbestritten zählt Deutsch zu den neun Weltsprachen. Nur Russisch wird in Europa von mehr Menschen gesprochen. Aber wir leben nicht allein auf diesem Planeten. Mit der ökonomischen Globalisierung geht eine sprachlich-kulturelle einher.

In den Siebzigerjahren wurde in intellektuellen Zirkeln über die Entwicklung einer Weltsprache debattiert. „Esperanto" heißt das heute weitgehend in Vergessenheit geratene Projekt. Die Kunstsprache sollte dereinst eine globale Verständigung ermöglichen.

Das Esperanto von heute heißt Englisch. Englisch ist die weltweite Verständigungssprache und mittlerweile völlig zu Recht in deutschen Schulen ein Hauptfach, gleichberechtigt mit Deutsch und Mathematik. Durch die Verbreitung des Internets wurde diese Entwicklung beschleunigt. Es wäre doch höchst seltsam, wenn sich dieser Umstand in unserem Sprachgebrauch nicht niederschlagen würde. Schon immer hat sich die deutsche Sprache aus dem Wortschatz der in der jeweiligen Epoche dominierenden Sprache bedient. Das war vor 2000 Jahren mit Lateinisch (Fenster, Keller, Kloster) nicht anders als seit dem Mittelalter mit Französisch (Konfitüre, Portemonnaie, Garage).

Jetzt ist Englisch an der Reihe. Wir werden Anglizismen in unserem Wortschatz dulden müssen. Denn erfahrungsgemäß wird uns die Sprache nicht nach unserer Meinung fragen.

Und Hand aufs Herz: Einige haben wir doch schon freudig in unserer Mitte begrüßt, ohne dass wir darüber noch ein Wort verlieren. Ich ziehe mir kein kurzärmeliges knopfloses Hemd über, sondern ein T-Shirt; ich schreibe auf meinem Laptop, nicht auf meinem tragbaren Computer. Auch das Wörtchen cool möchte ich nicht mehr missen. Weil pfundig, prima oder knorke irgendwie uncool klingen. Ärgerlich wird es nur, wenn überflüssige Anglizismen verwendet werden („Ich habe die Datei gedownloaded") oder es zu „Denglisch"-Exzessen kommt („Ich musste die Harddisk neu formatieren, weil der falsch gesteckte Jumper zur Datenkorruption geführt hat und der Computer gecrasht ist").

Sprachimporte gehören zur Sprachentwicklung. Puritanisches Gehabe à la „Rettet die deutsche Sprache" geht an der Realität vorbei.

**16**

## 13 Kommunikation via Internet

Durch den technologischen Fortschritt stehen uns immer neue Kommunikationsmittel zur Verfügung. Diese verändern die Kommunikationsstrukturen und die Beziehungen der Menschen untereinander. So kommt es zu generationenspezifischen Kommunikationsstilen. Fast die Hälfte der 14- bis 19-Jährigen gehört einer Online-Community an. Ganz anders die Älteren. Von den 40- bis 54-Jährigen zählen sich nur acht Prozent dazu.

Schreiben Sie einen Text zum Thema „Kommunikation via Internet".

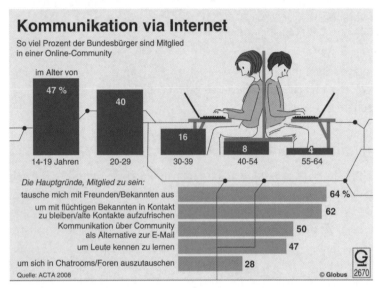

**Kommunikation via Internet**

So viel Prozent der Bundesbürger sind Mitglied in einer Online-Community

im Alter von

47 % — 14-19 Jahren
40 — 20-29
16 — 30-39
8 — 40-54
4 — 55-64

*Die Hauptgründe, Mitglied zu sein:*

tausche mich mit Freunden/Bekannten aus — 64 %
um mit flüchtigen Bekannten in Kontakt zu bleiben/alte Kontakte aufzufrischen — 62
Kommunikation über Community als Alternative zur E-Mail — 50
um Leute kennen zu lernen — 47
um sich in Chatrooms/Foren auszutauschen — 28

Quelle: ACTA 2008  © Globus 2670

Beschreiben Sie, wie viele Bundesbürger Mitglied in einer Online-Community sind.
Vergleichen Sie

- den Anteil der Mitglieder in den verschiedenen Altersstufen,
- die genannten Gründe für eine Mitgliedschaft.

In Bezug auf die Kommunikation via Internet werden zwei Meinungen vertreten:

**A** Eine Internet-Community eignet sich sehr gut dazu, den Kontakt mit Freunden und Bekannten zu pflegen, neue Leute kennenzulernen oder sich in Chatrooms oder Foren auszutauschen.

**B** Das Internet sollte vorrangig als Informationsquelle dienen. Der persönliche Kontakt zwischen Menschen ist den eher oberflächlichen Kontakten über das Internet vorzuziehen.

- Geben Sie die beiden Aussagen mit eigenen Worten wieder.
- Nehmen Sie zu beiden Aussagen Stellung und begründen Sie Ihre Stellungnahme.
- Sind Sie selbst Mitglied in einer Online-Community oder nutzen Sie das Internet in erster Linie als Informationsquelle? Begründen Sie Ihre Meinung.

## 14 Notizen schreiben

76
CD2,11

Sie sind in der Mensa der Universität und hören am Nachbartisch ein Gespräch zwischen einer Studentin und einem Studenten. Sie hören dieses Gespräch nur einmal.

Lesen Sie jetzt die Aufgaben 1–8.
Hören Sie nun den Text.
Schreiben Sie beim Hören die Antworten auf die Fragen 1–8.
Notieren Sie Stichwörter.

### Studentische Wohnformen

0  Wie lange wohnt der Student schon in einer WG?   *eine Woche*

1  Mit welchen Fragen muss man rechnen, wenn man
   ein WG-Zimmer sucht? (Nennen Sie eine.)

2  Wie viele Mitbewohner hat der Student?

3  Seit wann wohnt die Studentin im Wohnheim?

4  Welche Gründe sprechen für ein Zimmer
   im Studentenwohnheim? (Nennen Sie einen.)

5  Aus welchen Fachbereichen kommen die Studenten
   im Studentenwohnheim?

6  Was sind die Vorteile eines WG-Zimmers?
   (Nennen Sie einen.)

7  Wie ist die Putzregelung im Studentenwohnheim?

8  Was lernt man in einer WG vor allem?

---

**Hören (Stichwörter notieren)**

77
2,12

## 5  Notizen schreiben

Sie hören ein kurzes Interview mit dem Kulturwissenschaftler Hartmut Böhme.
Sie hören dieses Interview zweimal.

Lesen Sie jetzt die Aufgaben 1–6.
Hören Sie nun den Text ein erstes Mal.
Beantworten Sie beim Hören die Fragen 1–6 in Stichwörtern.

### Die untrennbare Verbindung zwischen Mensch und Wasser

0  Was gehört zu den Fachgebieten
   von Professor Böhme?   *das Verhältnis der Menschen zur Natur und zum Wasser*

1  Warum hat sich der Mensch immer in der
   Nähe von Wasser angesiedelt?

2  Welche Kulturen beschäftigten sich zuerst
   intensiv mit Fragen der Wasserwirtschaft?

3  Welchen Zusammenhang gibt es zwischen dem
   Entwicklungsgrad einer Kultur und ihrem
   Umgang mit Wasser?

4  Wie haben die Wiener Bürger auf die erste
   moderne Kanalisation reagiert?

5  Wie wird das Wasser in der Moderne angesehen?

6  Unter welchen Umständen beginnt der Mensch,
   etwas gegen die Zerstörung der Umwelt zu tun?

# Quellenverzeichnis

| | |
|---|---|
| Seite 6: | A © Finest Images; B bis J © fotolia |
| Seite 14: | A © Imago; B © Werner Otto; C © ddp; D © Caro / Eckelt; E © Imago; F © ASSOCIATED PRESS |
| Seite 18: | Vegetarier © A1PIX Ltd; Hausmeister © www.fotex.de; Kinder © Finest Images |
| Seite 25: | Geschirrspülen © ALIMDI.NET / Michael Nitzschke |
| Seite 26: | 1 © Imago; 2 © IStockphoto; 3 © ddp; 4 © W.M.Weber / TV-yesterday; 5 © Finest Images |
| Seite 27: | 1 © Finest Images; 2 © Finest Images; 3 © Westend61/F1online; 4 © Finest Images |
| Seite 28: | © Imago |
| Seite 29: | b © IStockphoto; c © Finest Images |
| Seite 39: | © IStockphoto |
| Seite 41: | alle Fotos © IStockphoto |
| Seite 45: | © fotolia |
| Seite 53: | © IStockphoto |
| Seite 55: | © Imago |
| Seite 57: | A © Schwabversand; B und C © IStockphoto |
| Seite 62: | Drucker © Epson |
| Seite 63: | Polizeikontrolle © MHV-Archiv/Chromeorange; Küche © F1online/Imagesource |
| Seite 66: | © Panthermedia |
| Seite 72: | © Panthermedia |
| Seite 82: | A © Vario-Images/Imagebroker; B © Bildstelle/Bildstelle/dst; C © Action Press; D © Imago/; E und F © Imago; G © Imago/Rust |
| Seite 90: | 1 © Fotolia; 2,4 und 5 © IStockphoto; 3 © Shotshop.com |
| Seite 91: | © Brooke Fasani/Corbis |
| Seite 103: | © IStockphoto |
| Seite 104: | Gebäude © IStockphoto; Playmobilfiguren © Mit freundlicher Genehmigung von PLAYMOBIL. PLAYMOBIL ist ein eingetragenes Warenzeichen der geobra Brandstätter GmbH & Co. KG |
| Seite 109: | alle Fotos © IStockphoto |
| Seite 120: | A, F, G und H © IStockphoto; B und C © Colourbox; D © Contrasto/laif; E © MEV |
| Seite 132: | a © fotolia; b © AKG-Images / Rainer Hackenberg |
| Seite 133: | A und B © fotolia; C und E © iStockphoto ; D © dpa Picture-Alliance / Keycolor |
| Seite 134: | a Liebesbrief © Panthermedia; b © Panthermedia; c © IStockphoto; d © Panthermedia |
| Seite 138: | c © Panthermedia |
| Seite 139: | d © 98Fahrenheit.com |
| Seite 140: | a © picture alliance / empics; b © IStockphoto |
| Seite 142: | © auto—gyro.com |
| Seite 143: | © IStockphoto |
| Seite 144: | alle Fotos © IStockphoto |
| Seite 149: | a © mauritius images;b © Fotolia;c © Panthermedia |
| Seite 153: | A © MHV; B © Finest Images; C © Stadtmuseum München |
| Seite 155: | a und b © MHV / Kiermeir; c © fotolia; d © IStockphoto |
| Seite 158: | ältere Dame © Panthermedia; Flohmarkt © Colourbox; Keramik © iStockphoto |
| Seite 164: | © dpa Picture-Alliance / Maxppp Kyodo |
| Seite 165: | © www.fotex.de |
| Seite 184: | Foto oben © IStockphoto; Foto unten © DB AG/Günter Jazbec |
| Seite 185: | © fotolia |
| Seite 186: | © Panthermedia |
| Seite 188: | © fotolia |
| Seite 193: | 20 links, Mitte © fotolia; rechts © Pilatus-Bahnen; 21 links © IStockphoto; Mitte, rechts © Panthermedia |
| Seite 196: | v.l.n.r.: |
| oben: | © Graz Tourismus © Graz Tourismus; © IStockphoto; © Graz Tourismus |
| unten: | © IStockphoto; © Graz Tourismus/Hans; © fotolia; © Steirischer Herbst / Karin Lernbeiss |
| Seite 220: | © Picture-Alliance / dpa-infografik |

## Texte:

| | |
|---|---|
| Seite 42: | Fairer Handel im System © Asim Loncaric |
| Seite 75: | Ohne Dich aus dem Band Liebesgedichte, © Verlag Klaus Wagenbach, Berlin 1979 |
| Seite 97: | Vitamine für die Karriere © Alexandra Werdes |
| Seite 106: | Musterlebenslauf © Dr.Ralf Neier |
| Seite 107: | 22 häufig gestellte Fragen © Handelsblatt |
| Seite 124: | Muster-Bewerbungsschreiben © ACTILINGUA Academy Wien |
| Seite 125: | Bewerbungsschreiben © Gerhard Laußer |
| Seite 131: | manchmal hasse ich meinen Beruf – Gesa Geier, Kellnerin © Gruner & Jahr |
| Seite 157: | Das Beste aus meinem Leben, SZ-Magazin, 21.02.2008, Axel Hacke |
| Seite 166/167: | Sport, Prof. Dr. med. R. Adam |
| Seite 206: | Expertenrat © ADAC |
| Seite 208: | Frust Schutz, Büchermenschen, das Hugendubel-Magazin, Auszug aus S. Radatz, O. Bartels Leidensweg Beruf, Verlag Systemisches Management; Gewürzbox Thai Mahal, Büchermenschen, das Hugendubel-Magazin; Auszug aus *Der Auszeiter*, Carsten Alex; Allgemeinbildung – Das muss man wissen, Büchermenschen, das Hugendubel-Magazin, Auszug, Audio Media Verlag; Müsli-Mix, Büchermenschen, das Hugendubel-Magazin, www.mymuesli.com |
| Seite 209: | *Wegweiser und Ratgeber*, DIE ZEIT Nr. 42 vom 11.10.2007, Seite 41, Julian Hans; lauter lyrik Hör Conrady: Büchergilde Magazin, 1/2009, S. 65; Autogenes Training Ulrike Schimming/stern Gesund leben/Picture Press |
| Seite 213: | Bitte immer schön der Reihe nach, Auszug aus SZ Wissen, 16/2007 |
| Seite 217: | Neue Studien beweisen: a bisschen Speck muss sein, SZ-Wissen, 2008 |
| Seite 218: | Tonnenweise landet unser Essen im Müll, Healthyliving.de; Zu dick für den Staatsdienst, Süddeutsche Zeitung,28.02.2007 |
| Seite 219: | Anglizismen in der deutschen Sprache, Thorsten Cöhring |

Hörtexte:

Lektion 16
*Interview mit Harald Schmidt, Diplom-Sportlehrer*, Magazin der Hamburger Münchener Krankenkasse
*über Jacky Leaden*, *PopartDeutschland*, *Filmausschnitt* © Deutschlandradio Kulturtipp,
*Theaterensemble*, © Deutschlandradio
Interview Hartmut Böhme© Bundeszentrale für politische Bildung

Autogenes Training: Ulrike Schimming/stern Gesund leben/Picture Press